ビルマ 危機の本質

THE HIDDEN HISTORY OF

BURMA

タンミンウー 著　中里京子 訳
Thant Myint-U

河出書房新社

ビルマ　危機の本質——目　次

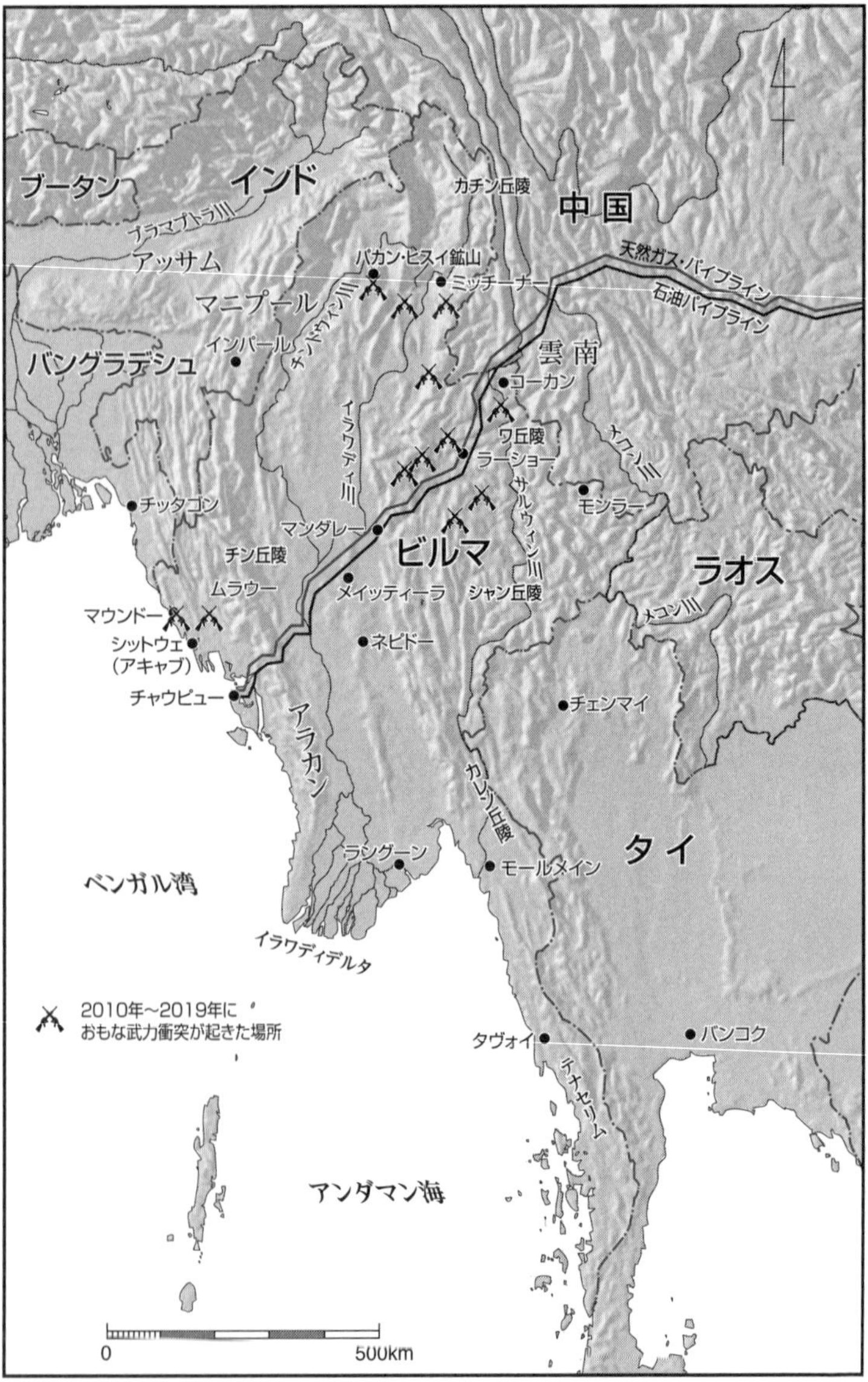
ブータン
インド
ブラマプトラ川
アッサム
マニプール
インパール
バングラデシュ
カチン丘陵
中 国
天然ガス・パイプライン
石油パイプライン
パカン・ヒスイ鉱山
ミッチーナー
チンドウィン川
イラワディ川
雲 南
コーカン
ワ丘陵
ラーショー
サルウィン川
メコン川
モンラー
チッタゴン
マンダレー
ビルマ
チン丘陵
ムラウー
メイッティーラ
シャン丘陵
ラオス
メコン川
マウンドー
シットウェ
(アキャブ)
ネピドー
チャウピュー
チェンマイ
アラカン
カレン丘陵
ラングーン
モールメイン
タ イ
ベンガル湾
イラワディデルタ
2010年~2019年に
おもな武力衝突が起きた場所
タヴォイ
バンコク
テナセリム
アンダマン海
0
500km

地図作製　テイクスリー　河内俊之

ビルマ　危機の本質

ビルマの名称について

ビルマ？　それともミャンマー？　「ミャンマー」（Myanma）という名称が碑文に初めて登場したのは、およそ一〇〇〇年前。それはイラワディ川（一九八九年、暫定軍事政権により「エーヤワディー川」と改称された）の渓谷（中央平原部）に住む人々と、その言語を指していたものと思われる。その後数世紀にわたり、王たちは自らをミャンマー王、その王国を「ミャンマー・ピー」（ミャンマー王国）あるいは「ミャンマー・ナインガン」（ミャンマーが征服した土地）と呼びならわした。この言葉は一七世紀までに、口語で「バマー」と発音されるようになる。「ミャンマー」も「バマー」も形容詞だ。

同じころ、最初のヨーロッパ人が現れ、この国を「バーマ」（日本語表記ではビルマ）に基づく名称で表すようになった。たとえばポルトガル語では「バーマニア」、フランス語では「バーマニー」という具合である。これらの名称はほぼ確実に「バマー」から派生したものと思われる。イギリス統治下では、この国の正式な英語名は「バーマ」とされた。一方、ビルマ語での呼称は「ミャンマー・ピー」のままに留まった。

これらのことは、一九八九年まではたいした問題ではなかった。だがこの年、暫定軍事政権が国名の国際表記をミャンマー（Myanmar）に改称する（最後の r は、イングランド南東部に見られる慣習のように母音を伸ばすためのもので、発音されない）。その理由は、「ミャンマー」という名称こそ、同国に古来より居住するすべての人を包含するものであるため、というものだった。だがこれは真実ではない。この名称が自分たちをも指すと主張する少数民族は、たとえいたとしても、ごくわずかだ。国際表記改称の真の理由は、ネイティヴィズム（土着主義）に向かっていた当時の政府が、エスノナショナリズム〔共通の言語・文化・生活様式を持つ民族集団の独立国家建設理念〕を主張する人々の信任をたやすく得られる手段と考えたからだ。いわば、ドイツ人が国家の英語呼称を「ドイチュラント」〔現行の英語名は「ジャーマニー」〕、イタリア人が「イタリア」〔同「イタリー」〕に改称せよと世界に主張するようなものである。西側諸国の多くは、習慣から、あるいは軍事独裁政権への不快感を表すため、「バーマ」を使い続けた。

私自身は本書全体を通し、習慣から「バーマ」という名称を使用している〔邦訳では「ビルマ」〕。その理由は、一つには、ビルマ語の話者として、国名に形容詞を使うのは居心地が悪いため。二つには、英語においては「バーマ」のほうがずっと響きがいいため。そして最後に、国際表記の改称はネイティヴィズムに基づくものであるからだ。

私が「バーミーズ」〔邦訳では、ビルマ人または〈ビルマの〉〕という言葉を使うときは、ビルマ語を話し、大部分が仏教徒であるビルマの多数派民族の人々、またはビルマ国家を指す。ビルマに住むすべての人々を指す満足できる言葉は、少なくとも今のところはまだない。私はまた同じような理由で、地名についても旧称を使用している。たとえば、現在ラカイン州と呼ばれている地域については、アラカンと記す。

他のアイデンティティに関する呼称も、同様に、あるいはそれ以上に議論の余地がある。その最たるものは、アラカンに暮らす少数派イスラム教徒「ロヒンギャ」の人々だ。その理由については、本書全体を通して触れてゆく。

ビルマ人の名前についても説明が必要だろう。大部分のビルマ人は姓を持たず、下の名しかない。子の名は伝統的に、僧侶や占星術師の助言を得て親が選ぶ。そして、生まれた日の曜日に呼応するビルマ語のアルファベットが付けられることが多い。たとえば、金曜日に生まれた子の適切な名は、「th〔タ行〕」から始まることになる。通常、これらの前に、〈おじさま（Ｕ《ウー》）〉または〈おばさま（Ｄａｗ《ドー》）〉などの敬称が付く。個人の名前には、ふさわしい敬称を一個の名に付けただけのものもあれば（たとえばウー・タン〔日本語ではウ・タントと表記される元国連事務総長〕）、複数の名が連なったものもある（ドー・アウン・サン・スー・チーなど）〔この日本語表記はビルマ語の発音を便宜的に音節で区切ったものであるため、本文では中点を入れていない〕。それらはみな姓でも氏族の名でもない。さらには決まった名でもない。人々は状況に応じて違う名を使い分けたり、好みに応じて名前全体を変えたりする。追悼記事で一連の名前が列挙されることもよくある（「ドクター・トゥンマウン、別名ウー・イェートゥッ、別名ジョニー」など）。ある元議員などは、好んでウー・ジェイムズ・ボンドと名乗っていた。

一方、カチン族のような一部の少数民族には、姓あるいは氏族名があり、それが名の前に置かれる。マラン・ブランセンという名の「マラン」は氏族名だ。

ビルマでは、個人名、地名、民族名、果ては国名さえ変わってきたし、今も変わりつつある。ビルマは、アイデンティティの不安定な国だ。アイデンティティの問題と、この国の風変わりな政治、そしてさらに奇妙な経済とその関係については、このの ち本書のなかでくわしく見てゆくことになる。

はじめに

二〇一〇年代初頭、ビルマは世界の花形だった。将軍たちが権力を手放しつつあるように見受けられるなか、少なくとも西側諸国では、この国は暗黒の独裁政権から平和で繁栄する民主主義へと驚くべき大変革を遂げていると誰もが信じはじめていた。

この祝うべき変革の一翼を担おうと、バラク・オバマ、ビル・クリントン、ヒラリー・クリントン、トニー・ブレアをはじめ、過去現在の世界の指導者たちが何十人も矢継ぎ早にビルマを訪れた。制裁措置も緩和され、数十億ドル規模の支援が供与されて、失われた時代を埋め合わせるものと期待された。その次には、ジョージ・ソロスを先頭とする世界屈指のビジネスマンらが続き、次世代のアジア・フロンティア市場に対する投資意欲にあふれた彼らのプライベート・ジェット機が、ラングーン〔ヤンゴンの旧称〕の小さな空港を混雑させた。二〇一六年までには、そのリストにアンジェリーナ・ジョリー、ジャッキー・チェンなどのセレブも加わり、観光業も急成長し、長年にわたる自宅軟禁から解放されたばかりのノーベル賞受賞者アウンサンスーチーが、ついに国を率いるときが訪れたと思われた。

しかし二〇一八年までに、こうしたムードは一転する。新たな武装組織「アラカン・ロヒンギャ救世軍」が西部の奥地にある数十カ所の検問所を襲撃し、激しく応酬したビルマ軍との間に武力衝突が起きたのだ。この衝突のあと、数十万人におよぶ老若男女が隣国のバングラデシュに逃れ、それにつれてレイプや集団殺害などのおぞましい話が露呈した。難民の大部分はアラカンに住む少数派のイスラム教徒であるロヒンギャの人々だった。こうしてビルマは、集団殺害と人道犯罪に対する非難の矢面に立たされることになる。

二〇一八年九月、対策を検討するためニューヨークで国連安全保障理事会が開かれ、ケイト・ブランシェットが熱弁を振るった。広大なロヒンギャ難民キャンプを訪れていた彼女は、世界最高の治安組織で演説した最初の映画俳優になる。アメリカとヨーロッパ諸国は、直近の制裁解除から二年も経たないうちに新たな制裁を科すことになり、アウンサンスーチー自身も、ロヒンギャに対する消極的な姿勢について、人権活動コミュニティーのかつての忠実な味方たちから痛烈な批判を浴びた。ボブ・ゲルドフからダライ・ラマ、デズモンド・ツツ元大主教におよぶ以前の友人たちは彼女の無為に失望したと表明し、母校のオックスフォード大学セント・ヒューズ・カレッジは、飾ってあった彼女の肖像画を取り外して倉庫にしまってしまった。そこまで過激な態度をとりたくなかったカナダ人権博物館も、「名誉カナダ人ギャラリー」に展示していた肖像画を撤去はしなかったものの、それに当てる照明を暗くした。

他のニュースも芳しいものではなかった。ビルマ改革プロセスの目玉として二〇一二年以来好ましい目で見られていた少数民族武装勢力との和平交渉はほぼ完全に停止し、北方の丘陵地帯で戦闘が再燃した。二〇一四年に世界最速レベルで急成長していた経済も気がかりな逆風にさらされ、投資は急落し、景況感は冷え込み、迫りくる銀行危機への懸念が高まった。二〇一六年、ビルマは大手旅行ガイド『フォーダーズ・トラベル』により、世界でもっともホットな観光地の一つに挙げられた。だが二〇一八年、ビルマは同ガイドのもっとも避けるべき観光地のトップテンに序せられていた。

いったい何が起きたのか？　何十年ものあいだ、ビルマの物語は将軍たちの支配に対する人権および自由民主主義運動という二元論で語られてきた。しかし、かつての物語と近年の発展とはしっくりかみ合わない。世界はビルマの物語を完全に読みちがえていたのだろうか？

ほんの少し前まで、ビルマの状況がわずかでも変わると考えた者はほとんどいなかった。永遠に留まり続ける悪辣な暫定軍事政権に支配され、時間のゆがみに閉じ込められたように見えていたからだ。しかし事態は動いた。政治囚は釈放され、メディアの検閲はなくなり、インターネットの制限も解除された。ビルマに対する評価は一八〇度転換し、西側諸国やアジア諸国の多くは進行していると思われた〈民政移管〉をただちに歓迎した。二〇一二年、アウンサンスーチーは国会議員になり、二〇一五年にはその世代で初となる自由で平等な選挙において自らの党を圧勝に導いた。当時起きていたことを語る際によく使われていたのは「奇跡」という言葉である。かつてはビルマの進歩という考えなど即座に退けられたものだが、今やさらなる進歩は必然のこととみなされるようになった。そここで起きる地域集団の暴動や、国軍と武装勢力との武力衝突などの耳障りなニュースは、メインストーリーの尾ひれの逸話として即座に隅に追いやられた。ビルマの物語は、けなすには素晴らしすぎるものだったのだ。アラブの春が過激な暴力に変わりつつあるなか、それはまさに求められていた強壮剤だった。少なく見積もっても、ビルマの物語は倫理的な物語であり、正しい結末に近づきつつあるように見えていた。

そんなとき、この倫理的物語が音を立てて崩れたのだった。

ビルマには約五五〇〇万の人々が中国とインドに挟まれて暮らしている。国土はフランスとイギリスの面積を合わせたものより広い。広大な東部の高地は一ダースを超える軍賊が支配し、一〇〇を超える他の武装集団とともに、世界最古の内戦を繰り広げている。アジア最貧国の一つであるビルマでは、世界有数の違法麻薬産業がはびこっている。壊滅的な自然災害も生じやすく（二〇〇八年に発生したサイクロンでは一日のうちに一二万人が命を落とした）、気候変動の被害をもっとも受けやすい世界五カ国の一つとみなされている。教育制度と医療制度にかけるべき資金は数十年間にわたって枯渇し、四半世紀のあいだ国を閉ざしたあとには、アメリカとイギリスの主導による経済制裁に一世代にわたって苦しめられた。その制裁の厳しさは、当時、地球上のあらゆる国（北朝鮮を含む）に対する制裁のなかでももっとも過酷なものだった。

ある意味、ビルマの状況は一九世紀のヨーロッパと北米の一部の国のものに似ている。新たな自由と新たなナショナリズム、無秩序な資本主義、新たな富と新たな貧困、急成長する都市と都会のスラム、選挙で選ばれた政府、疎外された人々、国境地帯における過酷な内戦——こうしたものが熱くまじりあっているからだ。この状況は国の過去を反映したものではあるものの、ことビルマの場合、フェイスブックと、急激に先進工業化が進む隣国の中国が、それに拍車をかけている。

ビルマの国民は非常に信仰心に厚く、そのうちの八五％以上は上座部仏教の信者だ。これはいわば快楽主義的な哲学だが、ビルマでは、よりストア哲学的な価値観に基づく社会を生むことになった。多数派国民の母語であるビルマ語は、英語から（そしてどのインド＝ヨーロッパ言語からも）考えうる限り離れている。この言語では、「国家的」、「民族的」、「人権」などの言葉は予想外の含意を持つ。

この隔たれた脆弱《ぜいじゃく》な国では今、ねじれたドラマが進行している。そこに登場するのは、爆発的に拡大する格差、エスノナショナリズムの台頭、民族とアイデンティティに関する概念の変化、環境破壊、気候変動など、私たちのほぼすべてに関わる今日喫緊の課題だ。

国連と西側諸国にとって、ビルマは一九九〇年代と二〇〇〇年代における代表的な民主化プロジェクトだった。民主主義（すなわち西側諸国の大部分がその特徴とみなす複数政党制、自由なメディア、自由投票権を持つこと）が果たしてビルマに真にふさわしいものなのかという疑問は一度として問われなかった。その理由は、一つには民主主義こそビルマの〈人々〉が求めていたものであり、もう一つにはそれこそ、独裁政権終了後にとるべき明白な体制として誰も異を唱えられないものだったからだ。二〇一〇年代初頭には、民主主義の形態が整いつつあるように見えれば見えるほど、ビルマは進歩しているという思い込みが根付いていった。

自由民主主義への道がますます確実になるように見受けられるなか、さらなる思い込みが頭をもたげた。ほどなくして自由市場が根を下ろし、グローバル資本主義に扉を開くという思い込みだ。しかし、この実入りの良い新たな市場の様子をうかがおうと列をなしてやってきた多国籍企業が目にしたのは、ある種の資本主義経済がすでに根付いている姿だった——すなわち中国にがっちり囲い込まれ、中国に固く結びついた経済である。

民主主義的な制度がいつの日かビルマで花開くことは不可能ではない。さらには、グローバル資本主義が将来ライバルを凌駕《りょうが》することも決して不可能ではない。それはビルマに物資さえもたらし、経済を飛躍的に成長させ、他のアジア社会と同じような姿に整えることになるだろう。

しかし、二一世紀アジア型の消費者の暮らしは、ビルマにとって真に望ましいもの、あるいは持続可能なものだろうか？　ラングーンの冷房の効いた新しいショッピングモールを訪れると、確かに新しい生活様式への憧れがあることがわかる。だが、それより不確かなのは、エスカレーターと噴水の前で自撮りポーズをとるビルマの人々が、ほんとうに必要ではないものを前にして理性的な購買行動がとれる段階に達しているかどうかだ。世界のもっとも寛大な国のリストでつねに上位に来るビルマが二一世紀中盤の世界に組み込まれてゆくなか、この長いこと隔離され独自の文化を持つ国が変えなければならないこと、そして受け入れなければならないことは、果たして何だろうか。この変革の時代、保存すべき物事について考えてきた者はほとんどいない。

ビルマの物語は、人種的ヒエラルキーに基づいて最初の近代国家を確立した、ことさら残忍で破壊的なイギリスの植民地政策の長い影のもとで展開する。またビルマの物語は、一般市民を継続的に最下層に取り残してきた物語だ。なぜなら、これまでのところ、ビルマの発展とは、森林の喪失、河川の汚染、汚染された食品、増大する不債、土地の没収を意味してきたからだ。そして最近では、廉価なスマホ、インターネットへのアクセス、自分自身の姿と決して手に入れることのできない暮らしを一日何時間も眺め続けるフェイスブックのことを意味している。

ビルマの物語は警告でもある。きっかり一〇〇年前、ビルマに近代政治が誕生した。しかしそれは、今で言う、反移民、反グローバリゼーションに根差したもので、ビルマ国内は、ある種のアイデンティティ政治〔社会的不公正の犠牲になっている特定のアイデンティティ集団の利益を代弁して行う政治活動〕に巻き込まれた。イギリスによる統治下で、ビルマには、インド亜大陸から数百万人が移り住んだ。バーマ・オイル社（のちのブリティッシュ・ペトロリアム社）は巨利をむさぼり、税金はほとんど納めなかった。大衆迎合主義の党はファシズムおよび共産主義とたわむれた。その次は、ネイティヴィズム〔土着主義〕への緩やかな傾斜と鎖国の時代の到来だった。鎖国は理解できる対応ではあったものの、それから数十年が経った今、世界から孤立した過去は、他のアジア諸国には見られない物資の困窮と知的貧困という代償をビルマにもたらしている。この代償には、（ロヒンギャ危機のずっと前からの）数十万人におよぶ難民、国内避難を余儀なくされた数百万の人々、そして生活を破壊された数百万の人々が含まれる。

今日のより開かれた政治空間では、不平等と気候変動の問題が、エスノナショナリズムと新自由主義〔政府による個人や市場への介入を最低限に留める理念〕のカクテルに直面している。

ビルマの将来は違ったものになれるだろうか？　新たな方向への急転回は可能だろうか？　それとも最近の暴力行為は、さらに悪いことが訪れる予兆なのだろうか？


ビルマは強大な勢力と大きな問題により形作られてきた。これから語ることになるビルマの物語は、人種・民族、資本主義、そして民主化への模索にまつわる物語だ。登場するのは、半世紀にわたる国軍の支配を終わらせるために、策を練り、それを押したり引いたりして行動した人々、そしてそれ以来、その過程で露呈した深い傷と解き放たれたエネルギーに直面して奮闘してきた人々だ。さらには、権力の中枢からほど遠い、この国の苦悩を背負わされ、苦しみのなか、勝ち目のない状況で暮らしを向上させようともがいている人々も登場する。この物語はまた、ビルマの軌跡を形作った外国政府の話でもある。彼らはおおむね善意を持って取り組んだが、ときには壊滅的な結果をもたらすこともあった。英雄と悪党は、つねに見た目通りとは限らない。

本書はおもに、二〇〇〇年紀が切り替わる前後の独裁政権最盛期から今日に至るまでの過去一五年ほどに焦点を合わせている。しかし、それより過去に起きたことのこだまは、むしろ現在、より強く反響するようになってきた。そのためまずは、始まりの物語からひもとくことにしよう。

第1章　新たな世界

ビルマの国土は凧《たこ》のような形をしており、南北の距離は二〇〇〇キロを超える。北端のチベット国境付近は松林の広がる冷涼な山岳地帯で、もっとも高い峰の標高は六〇〇〇メートルに近い。南端にはアンダマン海沿いに焼けつくような浜辺が広がり、海には小さな諸島が点在している。中心部を流れる褐色に濁ったイラワディ川は、ティークの密林や灼熱の低木地を蛇行したあと、蒸し暑く広大なデルタに広がって、最終的にベンガル湾に注ぐ。西部と東部は小さな渓谷と徐々に標高を増してゆく丘のある高原台地だ。

ビルマは、アフリカで誕生した新人が最初に世界各地へ拡散して以来、ずっと現代人のすみかとなってきた。しかし、この地に暮らしていた人類はそれ以前にもいた。確実に存在していたのは原人（ホモ・エレクトス）だ。ネアンデルタール人の東方のいとこにあたるデニソワ人も定住していた可能性がある。近年の遺伝科学により、イラワディ盆地は、更新世〔約二五八万年前から一万年前までの期間〕における人類の定住と人口拡大の拠点であり、人類はさらにそこから何万年もかけて、遠くオーストラリアや、果てはアメリカ南北大陸まで移住していったという興味深い歴史が明らかになりつつある。今から三〇〇〇年ないし四〇〇〇年前、狩猟採集民は、現在の中国南西部に暮らしていた人々と遺伝的なつながりのある初期の農民にとって代わられた。その二〇〇〇年後の青銅器時代と鉄器時代には、北方から新たな移民が到来し、チベット語に似た言語がもたらされて、ビルマ語の基を築いた。

紀元後最初の一〇〇〇年紀までには、現代のクメール語、ヴェトナム語、モン語〔ビルマ南部で使われている言語〕に関連した言語を話す人々も暮らすようになった。彼らの祖先はおそらく最初に稲作を始めた人々で、当時揚子江〔長江〕沿いに住んでいたものが、東南アジア全域に広がってインドまで到達したらしい。さらには、現代のタイ語とラオス語に類似した言語を話していた人々もいた。ビルマはつねに、非常に異なる文化と共同体が寄り集まった場所であったと思われる。

イラワディ渓谷〔ビルマの中央平原部〕では、数々の王国が現れては消えた。そこに暮らした人々は識字能力を持つ仏教徒で、時が経つにつれて新保守主義の色合いを濃くしてゆき、古代インドの文化を手本にするようになった。一方、高原地方ではさまざまな独立共同体がアニミズムを信仰し、文字を持たない言語を話していた。バルカン諸国やコーカサス諸国、そしてヒマラヤ山麓地域と同じように、現在のビルマ国に含まれる地域には、互いからほぼ孤立し、それぞれ独自の方言と生活様式を持つ数多くの共同体と、あらゆる面で他の世界とつながっている華やかな文明とが併存していた。

一八世紀半ば、ビルマ語を話す戦士王の王朝が乾燥した内陸部に台頭し、海に向かって南下したのち、フランスに支援されたモン語を話す敵を打ち破って、イラワディ渓谷を統一した。彼らは征服した沿岸地域に新たな港を構築し、〈敵は尽き果てた〉という意味の「ヤンゴン」と名付けた〔のちに英語でラングーンと表記されるようになる〕。その後、王たちは象にまたがって隣接する高原台地に侵攻し、現在のラオスとタイのほぼ全域を手中に収め、一七六七年にシャム王国〔タイの当時の呼称〕の首都だったアユタヤを完膚なきまでに破壊した。その後の一〇〇年間には、北方から侵攻する中国清朝の軍隊を四度にわたって撃退し、ビルマとの戦いのために遠くロシア国境から呼び寄せられた満州・蒙古民族の精鋭部隊も打ち破った。

この新たに勃興した帝国の最盛期にあたる一七八三年、五三人におよぶ（公的な）妃と側室、そして一二〇人以上の子供たちを誇ったボードーパヤー王が新たな首都を築き、〈永遠の都〉を意味する「アマラプラ」と名付けた。ボードーパヤー王と彼の王朝の他の王たちは自らを、あまねく者を征服する民族の長とみなし、自分たちの民族を「ミャンマー」と呼んだ。

それから一年後、ボードーパヤー王はアラカン王国を征服する。アラカンは長大なインド洋沿岸地域の一部で、イラワディ渓谷とは低い山脈により隔てられている。非常に肥沃な土地ではあるが、地球上もっとも過酷な土地でもあり、地震、壊滅的なサイクロン、そして一カ月に最大九〇〇〇ミリを超える豪雨に見舞われる。今日のアラカン（ラカイン州）はこの沿岸の南側三分の二を占め、ナフ川に区切られた北側三分の一は、今日バングラデシュに組み込まれている。

この地域の最初期の農民はおそらく、あちこちに点在していた一握りの人たちだったろう。彼らはムンダ語族（中央および東部インドに孤立して点在する共同体で話されている言語）と関わりのあるオーストロ＝アジア語族の言語を話していたものと思われる。しかしこの二〇〇〇年のあいだに、現在のバングラデシュ東部とアラカンは一種の辺境地になった。インド＝アーリア諸語を話す古代インド人にとって、メグナ川（現在バングラデシュに属す）の対岸は「パンダヴァ・バジタ・デシュ」、すなわち自尊心のあるヒンドゥー教徒なら決して足を踏み入れることのない究極の未開地だった。中世までには、仏教徒、ヒンドゥー教徒、そしてのちにはベンガル地域のイスラム教徒の諸王国がインド洋沿岸北部に到達し、その後数世紀のあいだに、イスラムおよびインド゠アーリア諸語が徐々に南下した。これらの言語は、現代のカルカッタ〔現在のコルカタ〕とダッカで話されているベンガル語、およびそれに類似した方言で現代のチッタゴンの人々とロヒンギャと呼ばれるようになった人々が話している言語双方の祖先である。[1]

さらには、過去二〇〇〇年のあいだに、それらとは完全に異なるチベット゠ビルマ語派の言語を話す人々が他の方角から移ってきて、その一部は現代ビルマ語とアラカン方言双方の基礎を築いた。ビルマの年代記には、いにしえの時代に、同地で人間と「ビルス」すなわち〈鬼〉が出会ったという逸話が記されている。

その地域は、ベンガルとビルマのあいだの文化と政治の境界であり、さらには独自文明の中心地でもあった。紀元一〇〇〇年ごろの最初期の碑文は、インド゠アーリア語群のパーリ語とサンスクリット語で記されている。しかし一五世紀に至るころまでに、今日のシットウェに近いムラウーに、この沿岸全域を支配しただけでなく、その北の隣国のムガル帝国と東のビルマ人双方に脅威となった剛健な王国が出現する。

このアラカン王国の王たちは古風なビルマ語を話す仏教徒だったが、コスモポリタンでもあり、自らをダイナミックなインド洋世界の一員とみなしていた。ベンガルのイスラム教徒の称号とビルマのパーリ語の称号をそれぞれ持ち、リスボンやアムステルダムから訪れた交易者を歓迎し、アフガン王国の弓の射手を雇い、長崎の浪人をボディーガードに宗旨替えさせ、宮廷にはベンガルとペルシャ最高の詩人を抱えていた。彼らはまた奴隷商人でもあり、一六世紀と一七世紀には、オランダ東インド会社とポルトガルの海賊とともに、ガンジス川デルタ地帯に住む人々を震え上がらせていた。こうして、ベンガルに住んでいたイスラム教徒を含む多くの奴隷が、今日の北アラカンに定住することになった。

一六六六年、侵攻してきたムガル帝国の軍隊がチッタゴンを征服し、ナフ川までの沿岸を占拠した。このムガル帝国の領地はその後、一七六七年にイギリスに奪われることになる。

そして一七八五年、イラワディ渓谷から侵攻してきたビルマの軍隊が残りのアラカン王国を殲滅《せんめつ》した。彼らは首都を焼き払い、アラカン人がもっとも神聖な仏像とあがめ主権のシンボルと信じていた偉大なマハムニ仏を運び去った。アラカンはビルマ帝国に完全に併合され、数百年続いた君主制は廃止された。それまでコスモポリタンのハブだったアラカンは、今やビルマの「アナウッダガー」すなわち〈西の門〉となったのだった。

アラカンを併合したビルマ帝国は、ガンジス盆地に向かってさらなる一歩を踏み出した。この盆地はビルマ人が〈中つ国〉を意味する「ミジマ・データ」と呼ぶところで、仏教発祥の聖地である。一〇〇〇年ほどにわたり、現在インドに属している他の地域、とりわけベンガル、オリッサ、南インドも高等教育の供給源であり、ビルマ人はそこから、王権に関する理念、芸術、建築、数学、科学、天文学などを学んだ。「ミジマ・データ」の古代語であるパーリ語はビルマの高級言語で、二〇世紀以前のヨーロッパにおけるラテン語のように、教養人なら誰でも理解していた言語だった。

植民地時代の前、西方の人々は集合的に「カラー」(kala)と呼ばれていた。この言葉は今日、海外メディアによりイスラム教徒のロヒンギャの人々に対する侮蔑的な表現として報道されているが、初期の使用形態はそれとは非常に異なっていた。語源は定かではない。ビルマ語では実際には「クラー」

〈kula〉と綴られ、〈氏族〉あるいは〈共同体〉を意味する同じスペルのサンスクリット語と関連している可能性がある。中世の碑文に登場するこの言葉は、〈インド〉すなわち「海外」から訪れるすべての異邦人を意味していたようだ。〈インド〉に対してビルマ人が抱いていたイメージは、広大でいささか曖昧な場所というもので、ちょうどクリストファー・コロンブスが〈インド諸国〉(ザ・インディーズ)に抱いていたイメージに似ている。

ビルマ人は「カラー」を人種の一つ、つまり〈人々のタイプ〉を意味する「ルーミョー」の一つとみなしていた。インド人、アラブ人、ペルシャ人、そしてのちに訪れたポルトガル人、アルメニア人、オランダ人はみな、商人あるいは傭兵としてやってきた。ビルマ人の目にとって、彼らはみな同じに見えた――すなわち、西からやってきた髭面《ひげづら》の男たちだ(ほぼ全員が男性だった)。そしてみな、ある種の共通点を持っていた。今日に至るまで、「カラー」は多くの複合語の一部になっている。たとえば、椅子は「カラタイン」(カラーが座るもの)、カーテンは「カラガー」(カラーの仕切り)、ヒヨコマメは「カラベー」(カラーの豆)だ。ヨーロッパ人はまとめて「バインジー・カラー」と呼ばれた。「バインジー」はペルシャ語の「フランギ」(firangi)がビルマに入って転訛したもので、「フランギ」は「フランクス」(ヨーロッパ人全般を意味する「フランク人」のこと)がペルシャ語において転訛したものである。「フランギ」もあらゆるヨーロッパ人を指すことが多かった。

そしてついにイギリス人が到来する。ビルマ人はイギリス人のことを、もう一種の「カラー」とみなした。イングランドは「ビラッ」(ビルマ語の発音では「ウィラヤティ」)と呼ばれた。これはムガル帝国下のアラビア語で〈地方〉を意味したもので、もともとはアフガニスタンを指していたが、やがて北西の遠方にあるすべての土地を指すようになった。ちなみにこれは、英語の「ブライティー」(Blighty)

〔海外に駐留するイギリス人が愛情を込めて故郷を呼ぶ言葉〕の語源でもある。イギリス人は「ビラッ・カラー」と呼ばれた。さらには、ウールの衣類を好んだことから〈羊を着るカラー〉という意味の「トーザウン・カラー」とも呼ばれた。イギリス人はまた奇妙なものも持ち込んだ。たとえば「ビラッ・イェー」〔イギリスの水〕は炭酸水のことである。

一九世紀に変わるころ、ビルマ人は、イギリスが東インド会社を通じてインドにおける支配権を急速に確立しつつあるという情報を耳にしはじめた。現地に送り込まれたビルマのスパイは、今やマドラス〔現在のチェンナイ〕からカルカッタに至るインド洋沿岸全域ではためいているのは、セント・ジョージ・クロスの旗〔イングランド国旗〕だけだと報告した。そこでビルマは、パンジャーブのシーク王国、ネパール、プネーのマラーター王国、デリーのムガル帝国に特命使節を送って、反英国同盟を築こうとする。それは攻撃的な戦略で、ビルマはベンガルを狙っていたのだった。

一八一〇年代までに、ビルマは、二回目の領地征服行動に打って出る。その動機は、帝国の新たな栄光の夢をかなえることに加えて、人的資源の欠乏にもあったようだ。東南アジアの大部分がそうであるように、イラワディ渓谷も人口密度の低い土地だった。土地の大半は森林地帯で、虎、象、ニシキヘビが徘徊し、命にかかわる病気が容赦なく襲い、使われない土地は急速に森林化した。だが生産性の低さは、土地自体よりも人口の少なさが原因だった。人々は戦闘に必要だっただけでなく、農作業にも、そして稲作の要である利水管理にも欠かせなかった。人的資源はいつも足りていなかったのである。徴税あるいは兵役や他の仕事に使役させるために人々を調達・維持・組織するのは、政府のおもな仕事だった。外国商人は歓迎され、現地妻をめとることが奨励された。ただし国を去るときには、妻と子供たちをあとに残していくことが厳格に定められていた。ビルマがシャム王国の首都アユタヤを制圧した際には、すべての宮廷人を含む数千人がイラワディ渓谷に強制移送された。

労働力の欠乏は、一八一〇年代末と一八二〇年代初頭には、とりわけ厳しかったにちがいない。一八一五年、現在のインドネシアにあるタンボラ山がTNT換算三三〇億トンというとてつもない威力（広島に落とされた原爆の約二〇〇万倍）の大噴火を起こした。(2) 成層圏に舞い上がった火山灰は、一年間にわたって世界中で大規模な気候変動を引き起こした。アメリカでは一八一六年五月の天候が〈逆行〉し（大噴火は四月に起きた）、ヴァージニア州のような南に位置する地域でさえ夏霜に襲われた。ヨーロッパでは〈夏のない年〉と呼ばれたその年、異常気象により二〇万人が餓死している。(3) スイス、レマン湖畔で休暇をとっていたバイロン卿、パーシー・シェリー、メアリー・ウルストンクラフト・ゴドウィンは、降りしきる冷たい雨を避けて室内で過ごすことを余儀なくされ、恐怖小説の読書や執筆をして楽しむことにした。これらの物語は、のちにシェリー夫人となるメアリー・ウルストンクラフトにインスピレーションを与え、彼女は最初の小説『フランケンシュタイン』の執筆に取りかかった。

その同じ年、季節外れの冷たい気候が中国とチベットに広く飢えをもたらし、ビルマに隣接する中国の雲南省では、有史以来最悪の飢饉に見舞われた。(4) さらには、それとまったく時を同じくして、ベンガルで発生した最初のコレラ・パンデミックがユーラシア大陸を襲い、数十万人の命を奪った。バンコクだけでも三万人が命を落としたと記録されている。(5) イラワディ渓谷は、一九世紀初頭にすでに飢饉に見舞われていた。コレラの流行とタンボラ山の噴火は、ただでさえ緊迫していた人口問題にさらなるプレッシャーをかけたにちがいない。

その後の数年間に西へ侵攻したビルマ軍は、まず古くからあるマニプール王国を征服した（マニプールは現在インドの一州になっている）。次に、丘を越えてブラマプトラ川の渓谷に降り立ち、もう一つの古い王国であるアッサム王国を滅亡させて、数万人の捕虜をビルマ王の領地を耕すためにイラワディ渓谷に送り、その地域全体を空にした。マニプール人はこの時期のことを〈荒廃の七年間〉と呼んでいる。

ビルマ軍はアラカンでも、多くの集落のすべての住民に丘を越えさせ、首都近くの利水工事現場で働かせた。残りの住民たちも、王のための労働を担っていた労務部隊に囲い込まれて使役させられた。この圧政により、何万人ものアラカン人が国境を越えてイギリスの支配下にあったベンガルに逃れた。その難民の世話を担ったのが、イギリス軍の士官で外交官だったハイラム・コックスである。「コックスバザール」と呼ばれるようになったこの地域は、それから二〇〇年経った現在、アラカンから逃れてきた膨大な数のムスリム〔イスラム教徒〕難民を収容する施設の所在地になっている。

ビルマ人はほどなくして、ベンガル南東部全域の所有権を主張した。東インド会社へ送った公的文書には、イギリスが全イギリス諸島の所有権を有する正当性は理解できるが、ダッカとチッタゴンに対するイギリス政府の正当な所有権は、どこから見ても理解できないと書かれている(6)。ビルマの法廷は、ビルマこそ、その地をかつて統治していたアラカン王の正統な後継者であると宣言し、ナフ川を越えてアラカン反乱軍を追撃したビルマ軍とイギリス領インド軍とのあいだに衝突が起きる。一八二三年、ビルマ軍はアッサムから南下をはじめ、丘の上の小さな公国だったジャインティアとカチャルを脅かした。これによりイギリス領インドでもっとも豊かな地域だったベンガルは、双方向から攻撃されるという危機に陥る。

一八二四年二月二四日、インド総督のアマースト卿が「ビルマ君主の高慢なプライドと傲慢さを慎ませるために」宣戦を布告した(7)。これはイギリス領インドの歴史においてもっとも長くもっとも高くついた戦争となり、今日の三〇〇〇億ドルに相当する戦費が注がれ、イギリス軍とインド軍の死者は一万五〇〇〇人を超えた。ビルマ軍の死者数は不明だが、おそらくそれを上回ったことは確実だろう。

アッサムとアラカンでビルマ軍の撃退に成功したイギリスは、港湾都市ラングーンに水陸両方向から効果的な攻撃をしかけた。こうしてその後の二年間、最初にラングーン周辺で、後にイラワディ渓谷で激烈な戦闘が交わされることになる。米英戦争中の一八一四年にボルティモアにあったフォートマクヘンリーの砲撃で使われたコングリーヴ・ロケット（アメリカ国歌の歌詞で「ロケットは赤く輝き」と謳われているもの）が、固く守られたビルマの拠点を粉砕し、戦闘で初めて使われた蒸気船『ダイアナ号』が、ビルマ海軍のティーク製の軍船を木っ端みじんに撃破した。戦闘のたびに馬上にまたがって部隊を率いたビルマの上流階級は、大打撃を受けて大幅に数を減らした。一八二六年五月、いよいよイギリス軍が首都に迫りくるなか、バジードー王は和平を求めた。

その後の講和条約で、ビルマはアッサム、ジャインティア、カチャル、マニプール、アラカン、およびシャム王国に近いベンガル湾東岸地域の宗主権を放棄した。イギリスはその後の数十年間に、アッサムを世界のティーガーデンに変え、アッサム、マニプール、ジャインティア、カチャルは、インド独立後、インド領土になる。テナッセリムとして知られる東部海岸地域とアラカンはイギリス領インドには統合されず、新たに設けられたイギリス領ビルマの最初の支配地になった。

かつてあまねく者の征服者だったビルマ民族にとって、敗北はショックだった。その後のビルマにおけるあらゆるナショナリスト的な思想は、異邦人の侵略により国家組織が連続性を失った空白期間の始まりとして、帝国が西側の侵略者に服従させられたこの時点に立ち戻る。二〇世紀末、軍事政権は、ビルマに属す者か属さない者か、すなわち祖先が〈土着民族〉であるか、あるいは外国の占領によりやってきた者で、好ましく言っても〈客人〉にすぎない者であるかを区別する基準の年を一八二四年に定めることになる。

この第一次英緬《えいめん》戦争に続き、一八五二年から五三年にかけて第二次英緬戦争が起こった。こちらは比較的短期間の戦いで、敗戦したビルマは、イラワディデルタ地帯とラングーンをイギリスに割譲することになる。今や、下《しも》ビルマすべてがイギリス領となり、ラングーンが首都になった。続く二〇年のあいだ、ビルマ国王ミンドンは、上《かみ》ビルマに残る領土を近代化させようと必死の努力を傾けた。新たな首都マンダレーを築き、一〇〇名近い学生をフランス、ドイツ、イタリアに送って科学と工学を習得させ、ビルマ初の工場を設け、蒸気船を輸入し、電話線を敷き、ビルマ語のモールスコードまで発明した。ミンドン王はまた、未だに一種の封建制を踏襲していた政体を、しかるべき官僚制に作り変えようとした。彼の息子で後継者のティーボー王のもとでは、ヨーロッパから帰国した学者を含む宮廷内の一派閥がさらに改革を進め、憲政への第一歩を踏み出そうとした。何よりも彼らが求めていたのは、ビルマの独立をヴィクトリア女王その人に認めさせることだった。

しかしイギリス側には別の思惑があった。一八八五年一一月、インド大臣だったランドルフ・チャーチル卿（のちのイギリス首相ウィンストン・チャーチルの父親）が、第三次英緬戦争を開始する。極東作戦がうまくいけば、来る総選挙で保守党を勝利に導けるというのがその目論見だった。彼は自らの選挙区ウッドストックに近い主要産業都市バーミンガムの有権者に、ビルマ市場、ひいてはビルマを介した中国市場への自由なアクセスが手に入れられれば、雇用機会が創出されると約束した。

マンダレーは容易に制圧され、王朝は廃された。しかしその後にイラワディ渓谷全域の村や町で沸き起こった猛烈な反発はイギリスを驚愕させることになる。ある植民地官僚は「一部の者の予想に反し、この国の人々は、われわれを圧政からの救世主として歓迎していない」と同僚に綴った。[8] 抵抗運動を弱体化させるには、その後の長年にわたる血で血を洗う戦い、ビルマ人戦士の磔刑《たっけい》を含む即決の処刑、そしてイギリス軍の軍事作戦による飢饉で失われた四万人の命が必要だった。

混乱がようやく収束したとき、旧来の秩序はほぼ失われていた。新たな領主イギリスは一〇〇〇年来のビルマの君主制を廃止し、それとともに、国の他のさまざまなレベルの機関もすべて解体した。王族はインドに追放され、数百年来の家系を持つことも多かった地方の有力一族の権力も剝奪された。マンダレーは跡形もなく焼き払われ、唯一残ったのは壮大な城壁と正宮だけだった（それらは一九〇五年に、式典ができる東洋式の威風堂々とした会場を保存しておきたかったインド総督カーゾン卿の介入により、取り壊し寸前に救われた）。イギリス人は過去の記憶さえ破壊した。酔った兵士がマンダレー占領直後に、すべての公的記録と支配階級の家系図が収められていた王室の図書館に火を放ったのである。

イギリスは、ビルマの旧秩序をまったく新しい統治機構で置き換えた。それは既成の機構をインドから輸入したもので、ビルマの伝統や文化はまったく考慮されなかった。近代国家ビルマは、軍隊による占領という形で誕生したのである。

新たな国家の焦点は、実質的にビルマ人を牽制することにあった。イギリスは最低限必要な行政だけを行う一方で、税収と企業収益を通して最大限の利益を吸い上げた。ビルマは、ベンガル、マドラス、ボンベイのように、インドの一部にされた。これは、直轄植民地として個別に統治されたセイロン（現在のスリランカ）、マラヤ、シンガポール、香港とは異なる措置だった。その結果生まれたのは、社会から乖離《かいり》した国家と、現在まで続くアイデンティティの危機である。

この〈ビルマ州〉は三つの地域に分割されていた。第一の地域には、かつて王たちに支配されていたイラワディ盆地に加えてアラカンが含まれた（この事実はのちの物語の重要な要素となる）。これらの地域は、ラングーンに在住するヘルメット帽をかぶった州知事直属のイギリス人官僚が直接統治した。第二の地域は、かつて現地の君主や族長が治めていた高台にある渓谷およびその周囲の丘陵地で、君主や族長の言語はビルマ語ではなかった。高台にある渓谷の大部分における主要言語はシャン語で、これは現在のタイ中央部で話されているタイ語と密接な関係にある（「シャン」という言葉は「シャム」〔タイの旧称〕と語源を同じくしている）。第三の地域は奥地の山岳地帯からなり、イギリス領ビルマの一部として権利が主張されたものの、おおむねそのままの状態で放置され、地図には〈非管理地域〉と表記された。ビルマ人のナショナリストは、イギリスが分割統治政策を施行したことをのちに批判することになる。しかし真実はと言えば、さまざまな政治形態が混在してつねに変わり続けている状況を受け継いだイギリスが、自分たちに都合のよい境界を設けただけのことだった。とはいえ、それぞれの地域を異なる方法で統治したことは、ビルマ人の記憶、アイデンティティ、願望に断層線を設けることになり、現在に至るまで、国家構築のあらゆる試みを困難なものにしている。

イギリス人がイラワディ渓谷に入り込んだのは、ビルマの王たちに対峙してその権力を打ち砕くためだった。しかし、ひとたび状況が収束すると、資本主義が政策を決定するようになる。ランドルフ・チャーチル卿はかつて、ビルマは名高い中国市場への裏口として機能すると示唆したが、中国は当面のあいだ、おおむね門戸を閉ざしたままだった。中国では、「太平天国の乱」とそれにまつわる小規模な反乱（ビルマに隣接する雲南省で起きたイスラム教徒による武装蜂起「パンゼーの乱」など）が勃発し、そのあとには、数十年にわたる清朝の衰退と混乱が続いたからだ。こうして裏口はしばらくおあずけになった。

そこで脚光を浴びたのが、ビルマの天然資源、とりわけ木材と石油である。ラングーンに拠点を置くバーマ・オイル社、イラワディ・フロティラ社、ボンベイ・ビルマ・トレーディング・カンパニー、スティール・ブラザーズ社などは、ロンドンとグラスゴーにいる株主たちに、とてつもない投資利益をもたらした。輸出貿易を最大限効率化するために港湾が建設され、鉄道も敷かれた。ビルマはまた、二〇世紀までに世界有数の米の輸出国になっていた。国民の大部分が暮らし、それまでまったく世界経済の一部に組み込まれていなかったビルマの稲作農村は、初めて世界市場と緊密に結びつくことになった。

ラングーンはコスモポリタンのビジネス中心地となり、社会序列のトップを占める数千人のヨーロッパ人、インド人、中国人たちを喜ばせる快適なホテルや、クラブ、レストランなどがオープンした。ビルマ人エリート層も小規模ながら生まれ、イギリス様式を好んで真似た。さらには、ロンドンとビルマを結ぶ遠洋定期船も就航し（一九三三年からはインペリアル・エアウェイズ〔ブリティッシュ・エアウェイズの前身〕の定期便も就航した）、品揃え豊富な百貨店、売春宿、アヘン窟、考えうる限りの宗派の教会が並び立ち、ラビンドラナート・タゴール〔インドの詩人〕やH・G・ウェルズなどを招いた文学講演会や社交場『ジムカーナ』で開かれるジャズセッション、そして競馬場での優雅な午後のひと時までが楽しめるようになった。しばらくのあいだ、すべてはうまくいっていた。

インド人労働者も、この変化の重要な一部だった。肥沃な土地を耕す労働力は相変わらず不足していたが、今度は新たなタイプの単純労働を担ってラングーンの新たなプロレタリアートになる人材が必要になった。植民地時代の全期間を通し、ビルマは他のイギリス領インド地域に比べて豊かで、ビルマ人の健康・栄養状態もより良く、識字率もより高く、平均収入もインドより高かった。そのためイギリスの企業は移民を奨励し、何百万人もの外国人がより良い暮らしを求めてビルマに押し寄せてきた。やってきたのは労働者だけではなく、事業家や専門知識を持つ者もいた。大部分はいくらかの財産を蓄えたあと故国に戻ったものの、そのままビルマに留まった者も少なくなかった。一九二〇年代の一時期、ラングーンは世界最大の移民の港としてニューヨークに肩を並べたほどである。インド系アメリカ人作家のミラ・カムダールは、ビルマは「私たちにとって最初のアメリカだった」と書いている[9]。一九三一年には、インド人はおよそ一四〇〇万人のビルマ人口の七%を占めるようになり、ヒンドゥー教徒、イスラム教徒、シーク教徒その他で約一〇〇万人の人口を構成するまでになっていた。陸路でアラカンに入ったチッタゴンのイスラム教徒を除けば、そのほとんどは船でやってきた。こうしてラングーンはインド人が大多数を占める都市になる。インドからビルマへの移住は、二〇世紀最大の人類移動の一つだった。

その結果を〈複合社会（プルーラル・ソサエティー）〉と呼んだのはJ・S・ファーニヴァルだった。この用語を最初に使ったのも彼である。ビルマで勤務するイギリス人高級官僚だったファーニヴァルは、一九二三年に退官したのちもビルマに留まり、優れた学者、そして政治活動に関わる多くの若きビルマ人の友人かつ支援者となった。彼は複合社会においては、社会を構成する民族集団は市場では交わるものの、それ以外では互いに関連を持たないと書いている。「労働は民族の境界線に沿って分担されている。ビルマ人、中国人、インド人、ヨーロッパ人は、みなそれぞれ異なる権能を有しており、それぞれのおもな集団はさらに細分化されて特定の職業を営んでいる」[10]。ビルマにおいては、この複合社会が「均質な西側の国々においてより、はるかに完全で絶対的な、束縛のない資本主義」に資するように機能していると彼は主張した。ファーニヴァルによると「取引所と市場に完全に心を奪われた状況」が見られたという。西側の資本主義社会では「暮らしのための生産」があるのにひきかえ、ビルマでは「生産のための暮らし」があると彼は書いている[11]。

一九二〇年代にビルマで警察官として勤務していたジョージ・オーウェルは、このことをより簡潔に表した。「率直に言えば、イギリスが臆面もなくビルマの富を強奪したりくすねたりしているというのは、まぎれもない真実だ」。その数年後にロンドンで書き物をしていたオーウェルは、ビルマは実際に「ある程度まで」発展したが、賃金が生活費の上昇に追い付かず、植民地政府による税金徴収がますます過酷になるなか、ビルマ人は今や以前より貧しくなっていると考えた。「その理由は、イギリス政府が、インド人がまさになだれのように制限なくビルマに流入するのを許したためだ。文字通り人々が餓死している国から来たインド人はタダ同然で働き、その結果ビルマ人にとって手ごわいライバルになっている[12]」

数世紀にわたり、インドはビルマ人のインスピレーションの源だった。ビルマに来たインド人は、尊敬する文化をもたらす使者として厚い信望を享受することも少なくなかった。しかし植民地制度のもとでは、インド人は搾取的な貸金業者や地主か、またはスラム街に暮らす極貧の労働者、単純労働を行う使用人、骨と皮ばかりの季節労働者のいずれかとしてみなされるようになる。今やインド人は、ますますネガティブな含意を持つようになった「カラー」という名で呼ばれる唯一の民族になった。一方、ヨーロッパ人は「ボー」と呼ばれた。この言葉の文字通りの意味は〈軍の将校〉だが、今や独立した民族カテゴリーを指す言葉になったのである。「ボ・ロー・ピョー」すなわち〈ボーのように話す〉というフレーズは、英語を話すことを意味した。かつてはビルマ人の民族概念においてインド人とひとくくりにされていたヨーロッパ人は、支配者となった今、別個の民族とみなされた。一方、ビルマ人自身については、君主と地元の世襲の首長を失ったため、一九〇〇年代初頭までにほぼ階級が皆無になっていた。

こうして民族の差異は、新たなビルマ社会のおもな亀裂になる。

ビルマは軍隊による占領国家として生まれ、民族に基づく階層社会として育った。最上の地位を与えられた〈ヨーロッパ人〉は、長期にわたり政府の最重要職を独占した。ビルマ人にとってと同じように、イギリス人にとっても〈ヨーロッパ人〉は民族カテゴリーであり、インド人とは決して混同すべきものではなかった。ビルマにいたイギリス人は自らを〈ヨーロッパ人〉と称した。このカテゴリーにはイギリス諸島の全民族（ビルマにおいては貿易を支配していたスコットランド人が抜きんでて大きな単一集団だったのだが）、およびビルマにいた少数のドイツ人、スウェーデン人、フランス人と他の西欧諸国の国民が含まれた。だが、ビルマで存在感を放っていたユダヤ人共同体は含まれなかった。〈ヨーロッパ人〉社会から疎外された彼らは、バクダード系ユダヤ人とアシュケナージ系ユダヤ人からなる集団で、一九三〇年代にはラングーンだけで二〇〇〇人以上が暮らしていた（当時のラングーンの人口は約四〇万人）。同じく除外されたのは、一六〇〇年代からビルマに暮らしていたアルメニア人の共同体だった。彼らもまた、支配階級と〈土着民族〉とのあいだの、どっちつかずの状態に置かれた。

ヨーロッパ人の下に位置付けられたのは、インド人と中国人、およびビルマ人の事業家、地主、専門職や役人で、彼らはそれぞれの社会における富裕層の出身だった。おもに広東省と福建省から来た中国人移民は、インド人に比べればずっと少なかったものの、それでもかなりの集団で、その有力な商人はラングーンをシンガポールと香港に結んでいた。富裕層のインド人、中国人、ビルマ人はイギリスで教育を受け、同じ立場のヨーロッパ人より、むしろ裕福なほどだった。それでも、たとえどれほど裕福だろうが育ちがよかろうが、彼らはその民族的出自のせいでラングーン社会の上層部から疎外され、ラングーン最高の社交クラブ『ペグー・クラブ』も、会員は厳格に白人オンリーと規定していた。一方、最下層にいたのは他の非ヨーロッパ人で、インドからの移民またはビルマの奥地からやってきた彼らは、劣等または下位のカーストや部族に属す者とみなされた。

二〇世紀初頭、インドに暮らす異なる人々について、かなり確立した概念をすでに手にしていたイギリス人は、ビルマにおける新たな被支配民族の状況を果敢にも分析しようと乗り出した。一部には奇妙な考えを抱く者もおり、そうした考えは当時でさえ突飛なものに映った。その一人、N・C・マクナマラは著書『イギリス人の起源と性格（Origin and Character of the British People）』において、アイルランド人を青銅器時代のビルマ人に結びつけようとした。マクナマラは、イギリス人はビルマ人を「東のアイルランド人」として見たがっていると書き、両者の性格面での共通性を説明するため、先史時代のアジア人交易者がスズ鉱山に惹きつけられてアイルランドに赴き、現地に定住して「先住民のイベリア人」と交わった結果、「風刺画に見られるような、怠惰で陽気にはしゃぎまわるアイルランド人」が生まれたという仮説を提唱した。一九一一年にイングランドおよびウェールズで行われた国勢調査では、この仮説を検討はしたが、次のように結論づけている。「（ビルマ人の）形式ばらない陽気な性格が、セント・ジョージ海峡〔アイルランドとウェールズの間の海峡〕の向こう側にも現れたという事実は、まったくの偶然によるものである」

植民地の民族概念における重要な要素は肌の色だった。一九三一年に実施された詳細な調査では、インド人の肌色を「アンダマン諸島民の完全な黒、黒色の鉛の塗料を塗った暖炉を磨き上げる前の色」から「伝統的なカシミール美女の紅潮した肌の象牙色」まで細かく分類した。後者の肌色については、人類学者のエミール・シュミットが「ほんの少しコーヒーをたらしたミルク」になぞらえている。[13]

より正確さを求めた一部の者は、頭蓋骨などの測定に目を向けた。その結果、「短頭の蒙古タイプ」

は「ビルマにおける優性要素」とされた。ただし、丘陵地では「中程度の身長、長めの頭長と中程度の長さの鼻に特徴づけられる第二の蒙古血統」が優性であり、これらの人々には、はるか昔に「東南アジアに侵入した白色人種の要素」が含まれているとされた。(14) また、「鼻指数」も導入された。当時の人種科学の最先端にいた者たちは、さまざまなビルマ人タイプ間の関連性を判断するために、「人種関与係数」(略してCRL)なる新たな測定法まで活用した。

誰が誰であるかの判断には、言語学も利用された。インド゠ヨーロッパ語族の存在を一七八六年に世に先駆けて提唱したのは、ベンガル・アジア協会のサー・ウィリアム・ジョーンズである。その一〇〇年後、イギリスの言語学者たちは、ビルマで使われている非常に多く、しかも変化に富んだ言語を分類しようと試みた。彼らはビルマ語がチベット語と密接な関係にあることに気づき、一部の現地語を〈チベット゠ビルマ語族〉に組み込んだが、その他のものは外された。一九世紀に行われたいくつかの国勢調査において、イギリス人は当初、インド人を定義するカーストのカテゴリーを応用してビルマ人を分類しようと試み、大部分のビルマ人を「半ヒンドゥー教化された土着民族」とした。しかし結局その考えは断念し、ビルマ人の民族の区別に言語を使用することにし、チベット゠ビルマ語族は、チベット゠ビルマ民族になり、両者は、はるか昔に共通の起源を持っていたとされた。

ある意味で、イギリス人はビルマ人による先例を利用していたと言えるかもしれない。旧王朝のビルマ人たちは、一九世紀初期の試み、つまり科学的に民族を分類することこそ考えなかったが、遭遇したさまざまな「ルーミョー」(〈人々の種類〉)の分類は行い、ほぼすべての住民を五つの包括的なカテゴリーに分類していた。すなわちミャンマー、シャン、モン、カラー、そしてタヨッである。最初の三分類はビルマ人だった。カラーは、イギリスに征服される前はインド人および西側から来たインド人に見かけが似た人々を指した。「タヨッ」という言葉はおそらく〈チュルク人〉〔トルコ系諸民族〕から派生したものと思われるが、二〇世紀までには中国人を指すようになっていた。

一九一〇年代から、ラングーンの学術団体『ビルマ研究協会』は、ビルマの初期の歴史と民族的起源に関する論文を定期的に会誌で発表してきた。そのなかで、学者たち――おもにイギリス人だったが、ビルマ人や他の国籍の者もいた――は、王朝時代のかつての考え方、現存する王朝の年代記（その研究は、一八八三年に初版が刊行されたサー・アーサー・フェーヤーの画期的な『ビルマ史』の中核部をなしている）、言語、および新たな人種科学を統合した。その結果浮上した説は、太古の昔にどこか遠くの北方（おそらくゴビ砂漠）に現れたさまざまな部族――現代のビルマ諸民族の祖先――が、峠を越えてさまよっているうちにイラワディ渓谷もしくはその近くの丘陵地に至り、それぞれさまざまな段階の文明を築いて、何世紀ものあいだに異邦人のインド人や中国人と交わった、というものだった。

しかし地方にいた植民地の役人は、真実がもう少し込み入ったものであることを知っていた。一九一一年の植民地国勢調査を担った役人たちは、「民族的に不安定」だとして、ビルマを厄介な地とみなし、次のように苛立ちを表している。ビルマにおける民族の分け方は、「決定的でも理性的でも恒久的でもなく、識別は困難を極める……それは世代ごとに変わるほど不安定だ。共同体の民族はときに急激に変化し、長老がある民族に属すと言えば、その子孫が他の民族に属すと主張する」[15]。国勢調査の担当官はまた、ビルマの人々、とりわけ移民は、「ほんとうの出自」以外の出身者だと主張する傾向があることを見出した。最大の移民集団の一つはインド南部の最下層カースト、「パライヤール」（Pariah）の出身者（現在は通常 Paraiyar と綴られる）で、単純労働に従事するために、とくにラングーンにやってきていた。無理もないことだが、彼らはビルマに落ち着いたあと、より位の高いカーストに属していると言うことがよくあり、キリスト教徒だと言う者さえいた。また、多くのインド人は、カーストの出自について言及するのをそもそもやめ、「ヒンドゥスターニ人」と名乗った。

民族間の性的な交わりと婚姻は民族の区別をさらに曖昧にし、新たな緊張を生んだ。イギリスの植民地になる前、イラワディ渓谷では、婚姻は非公式な出来事で、生活を共にする男女は婚姻関係にあるとみなされ、別れたら財産を平等に分割するのがならわしだった。国も仏教界の権威も婚姻には関与していなかった。イギリスによる植民地支配の当初から、ビルマにはイギリス人、インド人、中国人からなる大量の外国人男性が流入し、かなりの数のイギリス人男性がビルマ人の愛人を囲っていた。そんな状況のなか、一八九〇年に準州弁務長官（ビルマ最高の権威者）が、この習慣をやめるように指示する部外秘の回状をまわす。しかしその週末、競馬場『ターフ・クラブ』で、一頭の馬が「ＣＣＣ」と名付けられた。それは〈準州弁務長官の秘密の回状（Chief Commissioner's Confidential Circular）〉の略だった。もう一頭は「生理的必需品」と命名された。こうしてその習慣は続いたのである。

ビルマ人女性は、こうした取り決めに不満を抱く者が多く、自らを適切に守る唯一の方法は、正式な婚姻契約を結ぶことしかないと考えていた。一九二二年にビルマ横断の旅をしていたサマセット・モームは、ビルマ人女性とのあいだに二人の子供をもうけた、あるイギリス人男性に出会う。そのビルマ人女性との関係は非常に幸福なものだったそうだ。だがある日、彼女は結婚を要求する。一年間悩み抜いた末、男は要求を拒否し、女性は子供たちを連れて彼のもとを去ったのだった。男は拒否した理由をモームにこう語った。

もし彼女と結婚したら、一生ビルマで暮らさなければならなくなるでしょう。私はやがて退職します。そうしたら故郷の家に戻って、そこで暮らしたいんです。ここで埋葬されたくはありません。イギリスの教会の墓地に埋められたいんです……ここの暑い日差しとけばけばしい色には、うんざりさせられることがあります。どんより曇った灰色の空と、柔らかな雨、田園地方の匂いが恋しい。足裏にイギリスの田舎町の灰色の石畳を感じたい。肉屋を訪れて、きのう寄越したステーキ肉は硬かったなどと言って喧嘩したい。そしてぶらりと古書店に出かけて本を物色したいんです……。

ボンベイの高名な法廷弁護士D・D・ナナヴァティは、こう書いている。「ビルマの話をしていると、よく忍び笑いとともに、こんなことを訊かれたものだ。『ああ、そこは一、二カ月だけ結婚できるところだろ?』とね[16]」

二〇世紀初頭までに、ビルマには両親または祖父母のいずれかが外国人である人々がかなりの数存在し、ビルマにいる〈ユーラシア人〉〔白人とアジア人の混血〕の割合はイギリス帝国最大になっていた。実際には、その大部分がスコットランド人とビルマ人の混血だったものの、全員がアングロ・バーマン〔イギリス系ビルマ人〕またはアングロ・インディアン〔イギリス系インド人〕と呼ばれた（〈スコット・バーマン〉〔スコットランド系ビルマ人〕という用語を使用することも提案されたが、国勢調査を複雑にするという理由で却下された）。一九二〇年代には、数万人におよんだ彼らの存在が、イギリス当局にとってとりわけ厄介な問題になっていた。なぜなら「過度の色素沈着というハンディキャップを背負わなかった者」は、公的な書類に〈ヨーロッパ人〉と記入する傾向があったからだ。一九三一年に行われた国勢調査では真実を判断するためのさまざまな方法が示された。たとえば「インドあるいはビルマで生まれたプレスビテリアン〔キリスト教長老派教会の教徒〕で、低所得の職業に就いている自称イギリス人（スコットランド人ではなく）は、アングロ・インディアンである可能性が高い[17]」。現場にいたイギリス人官僚は、アイデンティティが摑みどころのないものになりかねないことを知っていたのである。

たとえ一部の者が望むほどアイデンティティが単刀直入なものではなかったとしても、ビルマはインドではなく、ビルマ人はインド人ではないことは、ほぼ誰の目にも明らかだった。だが、そのことは不問に付された。英緬戦争後に引かれた国境線がやや恣意的なものであったにもかかわらず、その事実が配慮されなかったおもな理由は、ビルマとインドのあいだにあったアッサム、アラカン、マニプールなどの場所のことを個人的に知っている者がほとんどいなかったためである。一八八九年にたった三日間だけ現地を訪れたラドヤード・キップリングは、到着時にこう述べている。「これがビルマか。ここでの経験は既知のほかのどんな場所ともまったく違うものになるだろう……インドとは全然違う[18]」

この区別は、ビルマにいる多数の民族共同体それぞれについて、〈土着民族〉であるか否かを分類する必要性をもたらした。一九二一年の国勢調査は次のように決定している。「ビルマととりわけ緊密な関連性を持つ民族は、たとえその民族の大部分が他の地に居住していようとも土着民族とみなし、一五の民族集団のいずれかに分類する」（傍点はオリジナルの文書）。これにより、たとえば、リス族のように、おもに中国で暮らしている民族ではあるが、ビルマ北方の丘陵地帯にも一部の集団があってビルマ語に類似した言語を話し、ビルマの民族タイプに似た外見をしているために〈土着民族〉とみなされた民族がある一方で、異なる肌の色と外見を持つタミル族は、インド南部とビルマによって育まれた一〇〇〇年以上にわたる関係があるにもかかわらず、純然たる外国人とみなされるという状況が生じた[19]。

この完全な二分法的措置のもとでは、ビルマのイスラム教徒の分類に困難が生じた。ビルマには複数の、それぞれ非常に異なるイスラム教徒の共同体が存在していた。中国雲南省からビルマに移住したイスラム教徒は、チュルク系、ペルシャ系、中央アジア系の祖先を持つ者がいた。彼らは一九世紀半ばに清朝の圧政を逃れてビルマに移住し、マンダレーと北東部の町々に定住したのである。また、イラワディ渓谷中部に存在する、それより古い共同体は、インドのデカン高原からやってきた騎兵と砲兵の末裔《まつえい》で、彼らの先祖は一七世紀と一八世紀のビルマの王たちに仕え、その褒美に土地を与えられたのだった。もっとも近年の来訪者は、数十万人におよぶイスラム教徒で、そのほぼすべてが男性であり、インド亜大陸全域から――ベンガルからアフガン国境に至るまで――より全般的なインド人移民の一環としてビルマにやって来ていた。

一部のイスラム教徒、たとえば一七世紀にデカン高原からやって来た騎兵（とそのビルマ人妻）の子孫のような一部のイスラム教徒は、宗教を除けば、完全に〈ビルマ人〉に同化していた。その一方、ビルマにやって来たばかりで、長居をする気などまったくない者たちもいた。それに加えて、一九三〇年代までには、その少し前に移民してきたイスラム教徒の父親とビルマ人の母親とのあいだに生まれた数万人の子供たちがいた。彼らはときおり集合的に「ザーバディ」と呼ばれた。

二一世紀の暴力とロヒンギャ集団脱出の舞台となっているアラカンのイスラム教徒たちの分類は、とりわけ困難を極めた。一〇〇〇年以上にわたり、人々は兵士、海賊、商人、奴隷としてナフ川を越えてきた。アラカンの北方に住む大部分の人はベンガル語の方言を話すイスラム教徒で、アラカン南方に住む大部分の人はビルマ語の方言であるアラカン語を話す仏教徒だった。北方の人々はより肌の色が濃く、イギリス人、ビルマ人双方の目に、より〈インド人〉らしく映り、南方の人々はビルマの他の場所にいる人々と同じように東アジア人の外見をしていた。しかしまた、ナフ川北方の遠く離れた場所にもアラカン人の仏教徒はいたし、南方にも、ベンガル語の方言またはビルマ語の方言のいずれかを話すイスラム教徒たちがいた。アラカンは、数多くの混合共同体が存在し、混合祖先を持つ数多くの人々が暮らす場所だった。

一八二四年にイギリスがアラカンを占領したとき、今日のアラカン（現在ラカイン州と呼ばれている）北部は過疎地だったが、ビルマによる占領時にチッタゴンに逃れたアラカン難民が、ふたたびアラカンに戻って来た。さらに一九世紀末と二〇世紀初頭にかけて、ベンガル語のチッタゴン方言を話す数十万人のイスラム教徒が国境の北側から流入し、一八七一年には、アラカンの人口の約五分の一を、イスラム教徒が占めるようになっていた。その割合は一九一一年までに三分の一以上に達し、北部では多数派になった。一方、それと時を同じくして、イラワディ渓谷から移ってきたビルマ人もアラカン南部に定住しはじめ、一九一一年までには、アラカン総人口の一五％を占めるようになる。こうして、アラカン人、ビルマ人、ベンガル人、インド人のあいだ、そして仏教徒とイスラム教徒のあいだで、民族、言語、宗教の境は曖昧になった。

イギリス人は、「ロヒンギャ」という言葉を一度も使わなかった。この言葉は一部のイスラム教徒、とりわけアラカン北部に居住していたイスラム教徒が、ベンガル語に関連する自らの言語で自分たちを呼んだ言葉である。それは単に〈ローハンの〉という意味で、ローハンとは、彼らの言葉でアラカンを指す。そのため、「ロヒンギャ」という名称は、アラカンが彼らの故郷であることを示唆した。それと同じように、国境の反対側に居住し、互いに理解できるベンガル語の方言を話していた人たちは、〈チッタゴンの〉という意味の「チャッガヤ」と称していた。

一方、植民地の官僚は、同地のイスラム教徒を区別するために「チッタゴニアン」や「アラカン・モハメダン」など、一連のさまざまな言葉を使って、アラカンのイスラム教徒を区別しようとした。〈土着民族〉とされた者もいれば、〈在留外国人〉とされた者もいた。ナフ川を越えて近年流入してきた「チッタゴニアン」は移民とみなされた。アラカン人の仏教徒と文化的に類似している「アラカン・マホメダン」は、ビルマ王朝時代から存在していたムスリム共同体の子孫であると考えられた。彼らをビルマ人に区分するか、インド人に区分するかについては、植民地の官僚も頭を抱えた。アイデンティティはここでも、摑みどころのない問題だったのである。

その後の数十年間、ビルマではさまざまな理由に基づき、多くの形の暴力が勃発することになる。しかし〈誰が属して、誰が属さないか〉という問題に関する紛争の種は、たとえややうっかり蒔《ま》かれたものだったとしても、植民地時代にしっかりと根を下ろしたのだった。

一九一〇年代に結成された近代ビルマ最初の政治結社は、植民地統治者に慇懃《いんぎん》に嘆願を行うことで満足していた。だが第一次世界大戦後、ガンディとインド国民会議派の運動に啓発されて、〈自治〉権を要求する最初の大規模デモが起こる。イギリスは一九二二年、ビルマに対し、他のインドのすべての州と同様に、ビルマ人自らが一部選出した議会を持つことを許可するが、実際には重要な決定はすべてイギリス側が行っていた。オーウェルが言うところの「見せかけの民主主義」である。オックスフォード大学やケンブリッジ大学で学んだ、おもに法律家からなる年長世代のビルマ人政治家たちは、憲法改正を求めて、ロンドンで開かれた会議に臨んだ。一方、若者たちは革命的な変化を夢見ていた。

これらの若い指導者たちの多くは田舎町出身のラングーン大学卒業生で、マルクス、レーニン、シンフェイン党に関する本を読み、アイルランドの武装反乱の手本に惹かれていた。イギリスはビルマの〈土着民族〉を〈好戦的な〉民族と〈非好戦的な〉民族に分けており、ビルマ人は〈非好戦的な〉民族に分類されていた。これがフラストレーションをあおった。若いナショナリストは、ビルマが植民地支配を脱して過去の栄光を取り戻し、誇り高き新たな軍隊を持つ姿を想像した。さらには、インド人の移民が主要な役割を担っている〈複合社会〉とは異なる社会形態についても夢見た。

一九一一年の国勢調査は、次のように記している。「ビルマにいるヨーロッパ人大多数の根本的な信仰箇条となっているのは、ビルマ民族は消滅する運命にあり、比較的短期間のうちに、インドからの蒸気船がもたらす移民の洪水に沈没させられるという見通しだ[20]」。しかし、実際の統計値はこれとはやや異なる実情を伝えている。二〇世紀初頭には移民の数が減少し、インド人はビルマの田園地帯にはほとんど存在していなかったのだ。しかしそうだとしても、結局は同じことだった。ビルマの多くの若者にとって、近代世界に行くこと、すなわちラングーンに行くことは、川上の小さな町から異国の世界に飛び込むようなもので、そこでは、イギリス人が自分たちだけの排他的なクラブから統治を行い、インド人たちが市場を独占している姿を見ることになった。ラングーンではまた、キップリングが「華麗な瞬《またた》く奇跡」と呼び、サマセット・モームが「暗闇に突如現れる希望」と呼んだ、黄金に包まれて一二〇メートルの高さで空にそびえるビルマ仏教最高の聖地、シュエダゴン・パゴダも見ただろう。しかしその足もとのにぎやかな繁華街にビルマ人の姿はほとんどなかった。その資本主義者のコスモポリタン社会では、ビルマ人は外国人になってしまっていた。

その七〇年前、ビルマのミンドン王は特命全権公使として訪ねてきたサー・アーサー・フェーヤーに次のように語っている。「かつてわが民族は、あなたがたがインドで支配しているあらゆる国々を統治していた。だが今では、〈カラー〉がわれわれに迫ってきている[21]」。そのとき王が使った〈カラー〉という言葉は、イギリス人とインド人の双方を指していた。双方ともに脅威だったのだ。一九世紀末のイギリス人作家たちも同じことを示唆している。「（イギリスの）ビルマに対する遠征は、数千年にわたる休息のあとのアーリア人〔インド＝ヨーロッパ語系諸族〕による東方進撃再開の節目となった[22]」

世界大恐慌〔一九二九年〕がビルマにも押し寄せると、物価は高騰し、村人たちは税金を支払ったり、インド人銀行家に借金を返済したりすることができなくなった。マドラスから来たタミル・チェッチヤール〔おもに商業に従事する南インドの有力カースト〕のこれら銀行家は、数百万エーカーにおよぶ土地を差し押さえた。都市の仕事も減るなか、ビルマ人とインド人のあいだに緊張が高まり、ついに暴力抗争に発展する。一九三〇年にラングーンで起きた最初のビルマ・インド人間の暴動では、数百人が命を落とした。

アウンサン（後のノーベル賞受賞者アウンサンスーチーの父親）のような若い世代の政治家は、「ドバマー・アシーアヨウン」（われらビルマ人協会）などの新たな組織に結集した。彼らは意図的に、より口語的な民族名である「バマー」すなわち英語でいう〈バーマン〉〔ビルマ語を話すビルマの多数派民族〕という言葉を使って民族的アイデンティティを強調した。議会政治は意図的に避け、極左と極右の双方に惹かれ、最初の共産党を創設した者もいれば、かつての王家の紋章を使う者もいた。また彼らは、自分たちを「タキン」すなわち〈主人〉と呼んだ。これは、かつてイギリス人だけに使われていた呼称である。こうしたことすべては、大企業と移民の双方に対する一般市民の反感から引き出した戦術だった。今日のビルマ国歌の基になった彼らのプロテストソングには、「ダー　ド・ミェー、ダー　ド・ピェー」すなわち〈ここはわれらの土地、ここはわれらの国〉というリフレインがある。つまり、ここはお前たちのものではない、という意味だ。

一九三七年、イギリスは、数十年来のビルマの要求に応じて、ビルマをインドから分離する。これは、今やほとんど忘れられたインドの最初の分割だった。一九四七年の二度目のインド分割では、宗教的なアイデンティティに基づいてパキスタンという国家が創設されることになるが、この最初の分割では、ビルマという国家が、民族的アイデンティティに基づいて、近代的な国境の枠内で創造されたのだった。

究極的な全権を握っていたのは未だにイギリスの総督だったが、選挙により選ばれたビルマ議会にはかなりの権力が与えられ、首相が率いる自らの政府を任命することができた。ナショナリストの感情は最高潮に達した。イスラム教は、インド人移民のおよそ半数の宗教だったが（当時インドからの移民はビルマ総人口の約七％を占めていたが、その割合はラングーンではおよそ五〇％におよんでいた）、大衆向けのパンフレットには仏教に対する脅威として記された。一九三八年にビルマ人とインド人とのあいだに新たに起きた一連の衝突では、とくにインド人のイスラム教徒が狙われた。一九三九年には、議会で「仏教徒女性の婚姻と相続に関する法律」が承認される。その目的は、イスラム教徒の男性を夫に持つビルマ人女性を保護することにあった。

イギリスによる植民地統治で生まれた社会は、段階的に緩んでいった。一九四二年には、東から侵攻してきた日本軍がイギリス軍をアッサムに押し戻し、五〇万人ものインド人がビルマから逃れ、徒歩でインドに向かった数万人が命を落とした。日本はまた、〈タキン〉が率いるビルマ国民軍に軍事訓練を施した。

その後の三年間にビルマは、総勢一〇〇万人を超える、日本兵、イギリス兵、ビルマ兵、インド兵、アフリカ兵、グルカ兵が関わる巨大な戦場と化した。ほぼすべての町が日本軍と同盟軍の爆撃により灰《かい》燼《じん》に帰し、経済も破壊された。一九四五年にはイギリス軍が支配権を奪回するが、彼らが長く留まることはなかった。ビルマのナショナリストがイギリス軍の即時撤退を要求していたことに加え、一九四七年にはインドが独立して、ビルマの戦略的重要性が失われたからである。植民地の再建は高くつくことになるうえ、イギリスの労働党政府は他にも懸念を抱えており、とりわけ国内の懸念に対処する必要があった。

一九四八年一月四日、ビルマはイギリス連邦に属さない共和国として正式に独立する。声高なナショナリズムがビルマを覆い、未だに残るイギリス帝国との結びつきは、どんなものでも不審な目で見て拒絶しなければならないという機運が醸成されていたからだ。独立は完全かつ即時的に行われることが必要だった。そうした状況のなか、独立一カ月後に内戦が勃発する。共産主義者が、イギリスによって権力の座に残された民主的な社会主義政権に対して反乱を起こしたのだ。今や東パキスタン（そのあとすぐにバングラデシュになる）と国境を接していたアラカンでは、「ムジャヒッド党」〔イスラム法の創設者かつ庇護者の意〕と称する武装組織が反乱を起こして、独立したイスラム教国家の設立を要求した。次には、カレン民族同盟も反乱を起こし、少数民族カレン族の独立共和国設立を求めた。そしてビルマ軍のほぼ半数はイギリスによる軍事訓練を受けたカレン人〈好戦的な民族〉だったため、軍部も分裂した。こうして一九四九年までに、ビルマは反逆者と無法者の海と化していた。その年、内乱が最高潮に達したときには、共産主義者とカレン軍はラングーンまであと数キロのところに迫っていた。

それでも、一種の民主主義は一〇年以上にわたって永らえ、歴代の政府は、経済を立て直しながら、反政府勢力から国を取り戻そうとした。しかし、その試みは一部の成功のみにとどまった。一九五〇年代には、ＣＩＡに支援された蔣介石に忠誠を誓う中国軍が、今や共産党政権となった中国の国境を越えて侵入し、激烈な戦闘を再燃させた。ビルマ軍は百戦錬磨の戦闘マシンになった。

一九六二年三月二日、この戦闘マシンが実権を掌握した。当時、軍事政権はアジアの標準となっており、一九六〇年代には、韓国、タイ、パキスタン、インドネシアがみな軍政の支配下にあった。しかしビルマの軍事政権は他とは異なっていた。ビルマは世界に門戸を閉ざしたのである。ビルマ軍は革命評議会を設置して〈ビルマ式社会主義〉と呼ぶ体制に着手した。四〇万人におよぶインド人が国外追放処分になり、あらゆる外国貿易は停止され、主要企業のすべてが国営化された。その目的の一つは、左翼勢力を懐柔して共産主義者を出し抜くことにあったが、それはまた冷戦戦略でもあり、東南アジア地域に広がる戦争の駒になることからビルマを救う方策でもあった。さらにこれは、植民地時代に生まれた懸念——搾取的なグローバル資本主義と脅かされるアイデンティティ——に対する直接的な反応だった。

一九七〇年代、ビルマは以前よりずっと質素な場所になっていた。贅沢品もなく、かつてのコスモポリタンの人々も不在で、地主も大金持ちもいなくなった。いたのは、農民、兵士、匪賊《ひぞく》、あったのは朽ちゆくイギリス帝国時代の建物だった。その状況は、初期のアングロ＝サクソン人に支配されたイギリスのものに似ていたかもしれない。しかし、ビルマの政治的ＤＮＡには、ヴィクトリア朝大英帝国の日々に最初に形成された概念が依然として波打っていた。それは二一世紀に変わるころに突然変異を遂げて、新たな命を得ることになる。

第2章　車線変更

私が初めてビルマを訪れたのは、一九七四年一二月。そのとき私は八歳で、母方の祖父母と両親、三人の妹とともにニューヨーク郊外のハリソンという町に暮らしていた。一九六〇年代に国連の事務総長を務めた祖父のウ・タントが、がんでこの世を去り、両親がラングーンに祖父の遺体を移送することになったのだが、祖母の勧めで私も同行することになり、感謝祭とクリスマスにまたがる数週間のあいだ、小学四年生の授業を欠席して、その代わりに、独裁権力が行使される様子をじかに目にすることになった。

葬儀は簡素なものになる予定だったが、軍事政権に対する人々の反感は強かった。当時ビルマ政府を率いていたのはネウィン将軍。押しの強い元郵便局員のネウィンは、第二次世界大戦中に日本軍の軍事訓練を受け、ビルマ独立以来、国軍を指揮してきていた。彼は謎めいた人物だった。プレイボーイで、イギリス王室のメンバーを友と呼び、頻繁に、しかも一度に数カ月間もヨーロッパに出かけては、ウィンブルドンに借りた邸宅で晩餐会を催し、ジュネーヴで買い物をし、ウィーンで精神科医ドクター・ハンス・ホフの診察を受けていた。しかし彼はまた、ビルマを決定的に独裁主義かつ禁欲的な道に進ませた国軍のボスで、無慈悲な暴動鎮圧作戦を指揮し、反対勢力を投獄し、以前は活発に活動していた報道機関を黙らせ、かつては自らも楽しんでいた美人コンテストから競馬までのおびただしい娯楽を禁じた。

ネウィンはまた、ビルマの教育を破壊した人物でもあった。植民地主義の弊害がどのようなものであったにせよ、イギリスはビルマを去る際、アジア最高の大学の一つに育ったラングーン大学と、英語で学べる素晴らしい学校を数十校残していった。しかし学問の自由に終止符が打たれ、高名な学者たちが次々と国を去るなか、ラングーン大学はかつての精彩をすっかり欠いてしまった。学校は国有化され、外国人教師は解雇され、英語の指導は高等教育を除いて禁止された。教育への投資は、数十年にわたって限りなくゼロに近いところにとどまった。今日のビルマの問題をもたらした原因は多々あるが、教育システムの空洞化だけをとっても、その多くに説明がつく。

軍事政権以前の選挙で選ばれた政府の高官だったウ・タントは、独裁政権とは異なる、よりリベラルなビルマのシンボルとみなされていた。ラングーンでは、空港からの道路に人々が列をなして祖父を迎え、遺体が移送された旧競馬場の敷地には数千人の弔問客が訪れた。棺は国連旗に包まれ、特別にあつらえられた天幕の下に四日間安置された。

埋葬が予定されていた日、ウ・タントの葬儀を国葬にしなかった政府に怒りを募らせた大勢の僧侶と学生が、棺を奪ってトラックに載せ、ラングーン大学に運んだ。そして適切な墓碑を建立して国民の記念碑とするよう、政府に要求を突き付けた。緊張は高まり、にらみ合いが続いた。大学は抗議活動の拠点となり、国軍の支配を糾弾する激昂《げきこう》した演説が行われた。数日間にわたって私の家族が仲介を試みたが、ついに国軍の部隊が大学構内に突入して祖父の遺体を奪還し、シュエダゴン・パゴダの基部近くに掘った穴に入れ、二メートル近い厚さのコンクリートでふさいでしまった。その後暴動が発生し、国軍による弾圧のなか、発表はされなかったものの、おそらく数百人におよぶ人々が殺害または投獄されたものと思われる。私たちはビルマから立ち去るように告げられた。

八歳だった私は、そこで起きていたことがほとんど理解できなかった。覚えているのは、巻きスカートのような「ロンジー」を身に着けた群衆が旧競馬場と大学に集まっていたことと、ネウィンの〈ビルマ式社会主義〉の真っただ中にあったラングーンの様子だ。雑草や樹木に覆われた手入れの行き届いていない庭や見捨てられたイギリス統治時代の建物、ガタがきた一九五〇年代のシボレーやビューイック、完全なるテレビの不在、湿った熱気、大気に漂うサンダルウッド、ビンロウの実、ディーゼルのにおい、そして今にも暴動が勃発しそうな不穏な気配……。

それから数年後、バンコクに引っ越した私たちは、休暇でよくラングーンを訪れることになった。当時のバンコクは、今と変わらず商業が活発な、ほこりだらけの無秩序に広がる都会で、私はそこで、ローラ・ブラニガン、ラッシュ、ユーリズミックスなどの曲を聞きながら一〇代の一時期を過ごした。だがビルマ航空機に乗ってほんの一時間のところにあるラングーンは異なる世界で、完全な凪《なぎ》の状態にあり、新たな風が吹くのを待っていた。

ビルマの公的なイデオロギーは、社会主義とナショナリズムと仏教が生半可にごちゃまぜになったものだった。しばらくのあいだは、社会主義的な政策が優勢になるかと思われた。国軍が許可したのは一つの新たな政党「ビルマ社会主義計画党」だけで、マルクス学者の助言に耳を傾け、〈労働者と農民〉の利益を図るという名目で大半の経済活動を支配した。一九八〇年代までに、ネウィン将軍が率いる「革命評議会」は、ネウィン大統領が君臨する一党支配の合憲組織に移行し、ビルマはソヴィエト圏の国家のように見えていた。

　しかし一九八〇年代までに、この社会主義的試みは立ち行かなくなる。一九五〇年代と六〇年代のビルマの経済は、程度の差こそあれ、ほぼタイに匹敵し、韓国からもさほど遅れてはいなかった。ラングーンはシンガポールと同じぐらい近代化が進み、バンコクにはむしろ勝っていたほどである。それが一九八〇年代までに大きく後れをとるようになり、植民地時代に比べればずっと平等な社会ではあったものの、ビルマはもっと発展していいはずだという雰囲気が強まった。そんな雰囲気に政府は対応しはじめる。外国からの支援が二〇年間の空白の後に再開され、旅行者も、ほんの七日間だけではあったが、入国が許可されるようになった。民間事業もそうした状況下でこっそり戻って来た。さらには、車線さえ左走行から右走行に変わった。

　それと時を同じくして、新たなナショナリズムの種がまかれた。一九八〇年代までに、国軍はイラワディ渓谷から反体制勢力を一掃していたが、遠く離れた丘陵地帯では、未だに残忍な戦闘が日常茶飯事となっていた。丘陵地帯は〈土着民族〉とみなされたさまざまな少数民族の居住地だ。スターリンによる国家の定義は、「共通の言語、領土、経済生活、および共通の文化を通して現れる心理的気質の基盤の上に築かれる、歴史的に構成された不変の共同体」というものだが、ビルマの社会主義者はこの概念を取り上げ、植民地時代の学識と混ぜ合わせて、ビルマは複数の土着民族の集合体であるという概念を生み出した。彼らが使った用語は「タインインダー」だった。もともとこの言葉は、伝統医療や民芸品などを指すときに使われる〈その土地固有の〉という意味だったが、今や国家に属す民族を指すようになったのだった(1)。

　民族の違いが生み出す不安定な状況は好ましくなかった。そのため、アイデンティティは固定され、すべての民族は、古代からずっと変わらない、その土地の子孫であるとみなされた。最重要課題は彼らを〈統合〉させることにあり、国軍の目標は、内乱を克服して「タインインダー」を統合し、統一された社会主義国家を築くことにあった。とはいえ、〈社会主義〉の部分は、ほどなく剝げ落ちることになる。

国家に属す者がいるということは、属さない者もいることを意味する。インド人の多くは、第二次大戦中あるいは独立時にすでにビルマを離れていたが、ネウィンによる統治の初期には、さらに四〇万人のインド人がビルマ退去を余儀なくされた。あとに残ったのは、おもに非常に貧しい者たちで、身をひそめて目立たないようにしていた。一九六七年に起きた反中国暴動では、華僑《かきょう》がビルマから大量脱出し、その多くがカリフォルニアの湾岸地域に移住した。北東部の奥地には、数世紀前から定住していた別の中国人集団がいたが、その地域は共産主義の反政府勢力の支配下にあったため、当面のところは、目につかないままになった。こうして、曖昧な地域は一カ所だけになった――アラカンである。

アラカン人のナショナリズムは、ビルマ人のナショナリズムに似ている。それは民族のアイデンティティ（アラカン人）を軸としたもので、新保守主義的な上座部仏教と密接な関連を持ち、近代化とアウトサイダーの双方に飲み込まれることを恐れる点に特徴がある。違う点は、アラカン人には、〈カラー〉の「ベンガル人」と「ビルマ人」という二つのアウトサイダーがいることだ。アラカン人のアイデンティティは、かつてのムラウー王国（一四三〇年～一七八四年）の記憶と、それより近年のイギリス統治下時代に押し寄せたベンガル語を話すイスラム教徒に対する反感とに結びついている。

一九四二年に日本のビルマ侵略により民政が破綻した際、日本が仏教徒のアラカン人を武装させ、イギリスがイスラム教徒の〈チッタゴン人〉を（〈V部隊〉として）武装させたために、何千もの人々が虐殺された。第二次世界大戦後には、インドの独立と分割が迫るなか、自らをロヒンギャ（〈アラカンの〉という意味）と呼んでいたイスラム教徒の現地指導者たちが、近く建国される予定のパキスタン（のちに現在のバングラデシュとなった東ベンガルは、当初パキスタンの一部になった）にラカイン北部も加わるというアイデアをもてあそんだが、パキスタン建国の父、ムハンマド・アリー・ジンナーにすげなく拒絶されると、一転してビルマ国内で自治領になることを要求した。ムジャヒッド党とその後継の反乱軍は、その後の数十年間に盛衰を繰り返すことになる。

　ネウィンの支配下では、アラカンは変化に取り残され、僻地《へきち》中の僻地になった。第二次世界大戦で被ったトラウマもついぞ癒えることはなく、イスラム教徒と仏教徒は、一九四〇年代の流血の惨事について何ら確とした釈明も得られないまま共存を続けた。それと同時に、民族的な境界は単純化した。そこには、ビルマ人とアラカン人、そして近郊の丘陵地に小規模なキリスト教徒の少数民族と、ムロ族のような仏教徒の少数民族が存在し、それに加えて、ほとんど分類されていないイスラム教徒たちがいた。イギリス植民地時代には、イスラム教徒たちはより細分化され、かつてのムラウー王国の時代から同地に存在していたイスラム教徒の名門一族の子孫たちは〈アラカンのモハメダン〉とみなされ（あるいは自らそう称していた）、それ以外の者は、植民地時代のチッタゴン人移民とみなされていたのだが、そうしたアイデンティティは今や融合していた。チッタゴン人の多くはすでにビルマを去り、ビルマに残った者も、つねにアラカンを故郷とみなしてきたイスラム教徒と姻戚関係を結んでいた。そうした者たちは、ベンガル語に非常に近いがチッタゴン語と完全には一致しない、ベンガル語の方言を話すようになった。ビルマ人とアラカン人の双方にとって、彼らはみな「カラー」すなわち〈ベンガル人〉であり、〈ロヒンギャ〉という呼称を耳にしたことのある者は、たとえいたとしても、ごくわずかにすぎなかった。数十年間にわたり、北アラカンのイスラム教徒は、自らを表現する力をまったく持っていなかったのである。

権力は、もはやイギリスの領主の手の中にではなく、新たなアウトサイダー、すなわち、イラワディ渓谷出身のビルマ人がほぼすべてを占めるビルマ軍将軍たちの手中にあった。のちにバングラデシュとなる東パキスタンとの国境は出入りが容易だった。たとえ事実がどうであれ、不法移民が難なくビルマに入り込んでいるという考えは確かにあったうえ、「ロヒンギャ連帯機構」はビルマ政府軍をしつこく悩ませていた。一九七一年、バングラデシュの建国とインド・パキスタン戦争にまつわる暴動に際して、東パキスタンから数百万人がインドに逃れた。そしてビルマにも、とりわけアラカンに、数知れない難民が流入した可能性がある。ビルマ軍はこれを受けて一九七八年に〈不法移民〉の根絶を目的とした「ナガミン」と呼ばれる軍事作戦（竜王作戦）を実行し、二〇万人近い難民がバングラデシュに逃れることになった。

一九八二年、新たな国籍法が施行された。社会通念では、ロヒンギャの人々はこの法律によって国籍を剝奪されたことになっている。だが、それは真実ではない。一九四八年に施行された旧法では、当時ビルマに暮らしていたほぼすべての人が、ビルマ国民として国籍を登録することができた。新法では、「タインインダー」である土着民族は自動的にビルマ国民になり、他の人々、たとえば以前の、よりリベラルな法律のもとでビルマ国民になったインド人移民なども、依然としてビルマ国民とみなされた。ただ、この状況を複雑にしたのが、土着民族とみなされていなかった多数の未登録の人々の存在である。アラカンにいたイスラム教徒の大部分もその例にもれない。もし彼ら自身あるいはその祖先がイギリスによる統治時代にビルマに到来した者（すなわち〈チッタゴン人〉）であったとすれば、〈ゲスト〉国民としてビルマに帰化することができる。そして三世代後の子孫は完全なビルマ国民とみなされる。そのため、独立後三世代七〇年の月日が流れた今日までには、最近流入した実際の不法移民を除き、ビルマ国籍はすべての人に平等に与えられているはずだった。だが、これはみな理論上の話で、現実の慣習は当時も今も理論とは異なり、差別的だ。

土着民族の一員であること、すなわち「タインインダー」であることは、国籍が取得できる唯一の根拠ではなかったものの、それは最良かつもっとも簡単な方法だった。いわば今や血筋が帰属を決めるようになったのである。一九八〇年代末までに、社会主義に対する熱意は急速に冷めはじめ、扉は将来に対する新たなヴィジョンに向かって開きつつあった。

ターニングポイントは一九八八年に訪れた。当時私はアメリカに戻っており、大学の最終学年にいた。その少し前、家族の知り合いのティンマウンウィンとイェーチョートゥーが、CRDBとして知られる「ビルマ民主主義回復委員会」を設立していた。二人は四〇代で、それぞれの父親は、国軍が政権を簒《さん》奪《だつ》する前、政府高官の地位に就いていた。私たちはヴァージニア州アーリントンにある食べ放題のシーフードレストランで会い、二人は私に、選挙によって選ばれた政府を取り戻すことへの熱意を語った——革命を通して奪還し、必要とあらば暴力革命も辞さないと。その後ビルマで繰り広げられるドラマティックな出来事でCRDBが果たした役割はごく小さなものにすぎなかったが、当時の私にとって彼らの思想は衝撃的で、不可能なことは何もない、ビルマは再構築できる、という思いを強く抱いた。

その夏、国連に関わりのあるジュネーヴのシンクタンク（「独立事務局」）でインターンをしていた私は、ロカルノ近郊にあるサー・ピーター・スミザーズと令夫人の自宅で長い週末を過ごしていた。サー・ピーターはイアン・フレミングの友人で、ジェイムズ・ボンドのモデルになった人物である。自宅は小さなイタリアの村々をふもとに見下ろす山の斜面に建てられ、日本式にあつらえられていた。サー・ピーターは着物を着てベランダに座り、小さな短波ラジオでBBCのワールド・サービスのニュースを聞くのを日課にしていた。私たちは、ビルマで勢いを増す抗議活動、ネウィン将軍の驚くべき辞任表明、そして複数政党政府への回帰を考慮しているというさらに衝撃的な彼の示唆を報じるニュースに耳を傾けた。ネウィンの子分たちは彼の辞意は受け入れたものの、緊急会議を開いて、民主主義移行へのいかなる動きにも反対する票を投じた。

ラングーンは爆発した。学生たちは反政府デモを組織した。何十人もの抗議者が殺害されたが、変化を求める勢いは増すばかりだった。一九八八年八月八日、抗議側はネウィンの独裁権力を打倒するための全国的なゼネストを呼びかける。治安部隊との初期の衝突では数百人が命を落とした。だが、八月の末までには、政権の終わりが間近に迫っているという考えに励まされ、数十万人が日々街頭に繰り出した。どこを見ても、民主主義を求めるバナーに埋め尽くされていた。そして、まず政府省庁、次に国営メディア、果ては警察までが、次々に抗議活動に身を投じた。行政はビルマ全域で崩壊した。数日の間、ビルマは革命前夜にいるように見えていた。

この大変化の一部になる機会を逸したくなかった私は、インターンを辞めて、バンコクに飛んだ。しかし、そこからさらにラングーンに飛ぶことになっていたまさにその朝、ラングーン空港がゼネストで閉鎖されてしまった。その二週間後、抗議活動は暴力化し、新たに台頭したリーダーたちが次にとるステップについて紛糾するなか、国軍が全権を掌握する。学生や一般労働者は取り締まりに抵抗し、数千人が銃撃されて命を落としたとされている。これが、「８８８８蜂起」と呼ばれることになる抗議活動の終焉《しゅうえん》だった。反乱は失敗した。だがそれまでの社会主義国家体制は正式に廃止され、国軍は今や、「国家法秩序回復評議会」（ＳＬＯＲＣ）と名付けた暫定《ざんてい》軍事政権を通して、直接支配権を手に入れたのだった。

私はバンコクで孤立していた。数日も経たないうちに、私と同年代のビルマの若者の波が、少数民族武装勢力の支配するビルマ・タイ国境全域のジャングルの砦《とりで》に押し寄せはじめた。数十人が数百人になり、一二月までには一万人を超えた。その翌年にかけ、私は海外在住のビルマ人から資金を集めて、彼らに食糧と医療品を届けた。「全ビルマ学生民主戦線」（ＡＢＳＤＦ）の創立会議にも参加した。目指していたのは革命だった。

極度の怒りと、どんな犠牲を払ってでも変化を起こしたいという思いにかられた最初の数カ月が経つと、私の考えはＡＢＳＤＦや他の革命家の卵たちのものとは離れていった。政府に対する武装反乱という考えが、突拍子もないものに思えてきたのだ。それでも、西側の民主主義国家から強い反応を引き出したいという思いは抱き続けていたので、それからの数年間、ワシントンとロンドンで最初のビルマ擁護活動の立ち上げに加わり、アメリカとイギリスの国会議員に対し、揺籃《ようらん》期のビルマ民主化運動を支援して経済制裁を科すことにより、新たな軍事暫定政権を最大限辱《はずかし》めて国際社会から疎外するよう働きかけた。

ラングーンでは、当時四三歳だったアウンサンスーチー率いる「国民民主連盟」（ＮＬＤ）が結成された。暗殺されたビルマ独立の英雄アウンサンの娘で、写真映えし、カリスマ性を持ち、オックスフォード大学を卒業して、海外生活から最近戻ったばかりだった彼女は、長年にわたる緊縮経済と孤立主義に対する完璧な解毒剤に見えた。

アウンサンスーチーがビルマで脚光を浴びるようになったのは一九八八年になってからである。それまでは、インド大使に任命された母親に伴って一九五〇年代にビルマを出国して以来、ずっと海外で暮らしていた。彼女はデリーで学校に通ったあとオックスフォード大学に進み、そこで英文学を研究したかったのだが、母親の勧めに従って政治・哲学・経済学（PPE）を履修することになった。

卒業後は国連に短期間勤めた後、イギリス人のチベット学者と結婚し、夫のあとについてブータンに赴いた（そこで彼は将来のブータン国王を個人指導した）。その後オックスフォードに戻った夫婦は穏やかな学究生活を送り、二人の息子を育てた。一九八八年に反国軍抗議運動が勃発したとき、アウンサンスーチーはたまたまラングーンにいた。病気療養中の母親の世話をするために一時帰国していたのだ。彼女は最初の演説を行い、国民の結束を訴えるとともに、民主化を求める人たちを強く支持した。彼女の存在は、おもに未熟な学生、元軍人、高齢の左翼インテリからなる当時のバラバラな反政府陣営に、若さと活力の息吹を吹き込んだ。国軍は市民の反乱こそ鎮圧したものの、彼女の人気と率直な物言いを恐れるようになる。かくしてアウンサンスーチーはレジェンドになった。

いや、より正確に言えば、レジェンドの継承者になったのだった。彼女の父親で同名のアウンサン将軍は、生真面目で断固とした一九三〇年代末の産物で、信念のよりどころを共産主義とファシズムに相次いで求めたが、結局のところ、どんな犠牲を払ってでもビルマの独立を勝ち取るという、シンプルでゆるぎない信念に落ち着いた。彼が創設した民兵組織（ビルマ国民軍）は、当初日本に与《くみ》したが、終戦間際の一九四五年春に寝返って同盟国に加わった。彼の大隊はのちにビルマ軍の中核をなすことになる。イギリスがビルマを手放す準備を整えたとき、適所にいた彼は権力を引き継ぐことができたのだった。

アウンサンはそのときまだ三二歳という若さだったが、人生最後の数カ月には、かなり穏やかな人物になっていたようで、もはや、サムライの刀を帯びた剃髪《ていはつ》の戦士ではなく、魅力的な機知に富む政治家として、イギリスのクレメント・アトリー首相や労働党政権閣僚との独立交渉に臨んでいた。アウンサンは、ビルマの将来について社会主義的なヴィジョンを抱いていた。すなわち、ビルマにいる数多くの異なる民族のすべてが居場所を確保できるような国家である。だが、主権の譲渡が実際に執り行われるほんの数カ月前、彼（と大部分の閣僚）は嫉妬にかられたライバルに暗殺されてしまう。

アウンサンの生涯はビルマの建国物語になった——ゆるぎなき信念を持って祖国独立の闘いに身を捧げ、ほぼたった一人で（と物語は綴る）イギリス帝国の強権を引きずり下ろした男の物語として。これに付随するのは、もし彼が生き延びていたら事態は変わっていただろうという仮想の物語だ。内戦は回避され、繁栄も保証され、今日のビルマは国際社会の中で誇らしげに立っていただろう——もし一九四七年七月に、あの運命の日が訪れなかったら、と。

アウンサンスーチーの登場により、人々は、今度こそハッピーエンドの物語として、この物語を再現することができるのではないかと思いはじめた。

西側諸国は二〇年以上にわたり、アウンサンスーチーを自由民主主義と人権の闘士とみなしてきた。それらの諸国にとって彼女は、世界の片隅で〈普遍的な〉価値を体現する非常に魅力的なアイコンだった。しかし、彼女の議論は、つねに、よりローカルな文脈の中から始まっていた。一九八〇年代に政治の世界に足を踏み入れる前、彼女は、ナショナリスト運動および「民族的・文化的アイデンティティを再主張するビルマの人々の進展する試み」に関して数編の学術論文を発表している。(2) そのなかで展開されたのは次のような主張だ。二〇世紀初頭の時点では、「ビルマ人の民族的生存」に対する脅威は「イギリス人からというよりも、二〇世紀のナショナリストにとってより目前の標的だったインド人と中国人からもたらされた。これらの移民はビルマ経済に牙城を築いただけでなく、ビルマ人女性と家庭を築き、ビルマ人男性の男らしさと民族的純潔の根源そのものを襲ったのである[3]」

アウンサンスーチーはまた、何よりもまず、個人の勇気と決意が社会変化を引き起こすという考えを重視した。それは、仏教に備わる勇気と決意の概念に結びついている。通常それは自分の内面の旅を指す概念だが、彼女にとって重要だったのは、個人の努力が社会に与える影響だった。それからずっと後の二〇一二年、あるブックフェスティバルで彼女は、テニソンの詩『ユリシーズ』に登場する人物には感心できず、『レ・ミゼラブル』のジャン・バルジャンのほうが好ましいと述べた。ジャン・バルジャンは、困難に際し、自分だけでなく、周囲の世界もよりよいものにしようと努めたからだという[4]。

アウンサンスーチーは父親を「真実と完璧さを追い求めた巡礼」者と見ていた。政治の道に進む前夜、彼女はこう書いている。父アウンサンは「その巡礼に祖国を背負ってゆく」ことを望んだ。彼は「人々」を信じ、「人々は、彼を完全に理解し、一致団結してその努力を支援することにより、彼に報いた[5]」。さらに彼女は、「人々の指導者」が「人々の熱望」を理解し、「内面の調和と霊的・身体的な活力が最高潮に放出される」という「歴史的に稀有な瞬間」について書いている。短期間に終わった彼女の父親のリーダーシップのもとで、「ビルマの人々」は「希望と、目標到達へのエネルギーに満たされ」、この記憶は今や人々の力の源泉である「強さと誇りの宝庫」となっている、と[6]。

一九八八年、アウンサンスーチーは「独立への第二の奮闘」について語った。それは、一九四七年に起きたこと——決意、国民結束力の強化、敵の敗北と友好的な退去——の新たなバージョンであるが、この二一世紀型バージョンでは、ヒーローは生き延び、国民をより明るい将来に導くことになる。彼女は民主主義についても語ったが、具体的な機構や政府の形態についてはあまり触れず、選挙で選ばれたリーダーを通じて権力が「人々のもとに」戻るという概念について多く語った。さらには、終始一貫して行動規範を守り抜くための規律とその意欲についても語った——結果は決して手段を正当化しないとして。

犠牲の概念もまた重要だった。ビルマの仏教徒は誰でも、ゴータマ・シッダールタ（釈迦《しゃか》）の話を知っている。より崇高なものを追い求めて、王侯貴族の暮らしを捨てた王子の話だ。仏教の僧侶は、より高い目標に達する道において家族や煩悩《ぼんのう》を捨て去る。精神的な探究に奉じるために物質的充足を断念するというのは、パワフルな概念だ。そしてビルマの人々は彼らの国民的英雄の娘であるアウンサンスーチーその人のなかに、個人的な精神的探究ではなく同胞を助けるために、イギリスで家族と過ごす快適な生活を断念する姿を見たのだった。一九九八年に夫ががんで最期のときを迎えつつあるとき、アウンサンスーチーは、ビルマに戻れなくなることを懸念して、夫に会うことをあきらめた。この特別な犠牲により、一般のビルマ人は、国軍の独裁政権を倒せるのは、確固たる信念を持つ無私無欲の彼女だけだと固く信じるようになった。

今やネウィンが去り、新たな世代の将軍たちが率いていた暫定軍事政権は、アウンサンスーチーが、ほどなくしてもう一つの民衆蜂起を引き起こすのではないかと神経をとがらせていた。一九八九年七月、アウンサンスーチーは自宅軟禁に処せられる。一九九〇年、暫定軍事政権は公約だった総選挙を実施するが、ＮＬＤが楽勝すると、新憲法の草案が作成されるまで権力の移行は行えないと宣言した。さらに勾留または投獄された人の数は、数千人におよんだ。その翌年、アウンサンスーチーはノーベル平和賞を受賞する。過酷な戒厳令による制限は何年間も続くことになり、五人以上の集会なども禁止された。

ちょうどそのころ、暫定軍事政権は〈ビルマ式社会主義〉を放棄した。その数年前、私はある国軍将校から、こんな話を聞かされていた。「われわれがほんとうに望んでいるのは、左翼の国際的に孤立した独裁政権から、右翼の親アメリカ独裁政権に移行することだ」。「８８８８蜂起」は民主主義こそもたらしはしなかったが、新たな軍事政権を誕生させて、社会主義者による国家の冬眠に終止符を打った。民間ビジネスの機会が一九六〇年代の初期以来初めて到来し、外国からの投資と貿易も数十年にわたる自主経済政策の後に再開し、外国人旅行者も熱心に歓迎された（ビザは〈二八日間まで更新可能〉になった）。闇市場の密輸業者は、国営メディアに〈国民的起業家〉と表現されるようになり、経済を再起動させて富を得ることに対する鬱積した渇望が突然湧きあがってきた。

それと同時に、土着主義も突然活性化した。暫定軍事政権は英語の国名を「ビルマ」から、古代ビルマ語の民族名の異形である「ミャンマー」に公式に変更した。この措置は後年、絶えざる混乱と議論を招くことになる。暫定軍事政権は、植民地時代の名残りを葬り去るためだと説明したが、実際には「ミャンマー」は多数派のビルマ人だけを指す言葉で、シャン族やカレン族などの少数民族は含まない。この措置はまた、ビルマ人仏教徒の民族と文化を中心に据えることに断固として根差したナショナリズムのリバイバルを示唆した。

この動きに沿って、旧マンダレー宮殿が再建された（元のティーク材の梁《はり》を、ペンキ塗りのコンクリートで再現するような、いい加減なやり方ではあったが）。仏塔も金箔が貼り直され、官報は定期的に、将軍たちがサフラン色の僧衣を着た高齢の僧侶の前にひざまずく写真を掲載した。さらに一九九二年には、エスノナショナリストたちからの信任強化を目論むかのように、「ロヒンギャ連帯機構」の反乱に対して弾圧作戦を行い、アラカンの二〇万人近いイスラム教徒がまたしても難民になった。このころまでに、ラングーンにおける社会通念は、北アラカンには過去二〇年あまりの間、バングラデシュからの大量の不法移民が押し寄せ、すでに存在していたイスラム教徒たちを飲み込んでしまった、というものになっていた。初期の民主化運動参加者の中で、彼らの人権について思いを馳せたのは、いたとしてもほんのわずかである。ただし、イランの外務大臣だったアリーアクバル・ヴェラーヤティーは「軍事政権によるビルマのイスラム教徒の集団殺害」をやめるよう国連に提訴している(7)。

一九九二年のロヒンギャ集団脱出のすぐあと、六〇歳になる上級大将タンシュエが暫定軍事政権のトップに収まった。どっしりした体軀の、えらが張ったタンシュエは、軍事独裁政権の創造者ではなく、その産物だった。彼は、イギリスによる植民地支配の終末期に、マンダレーのすぐ南にある村で生まれた。そこは乾燥した土地で、暑い時期に干からびる細い小川が走り、クジャクヤシがそびえ、小さな金色のパゴダが点在する場所だった。幼年時代は第二次世界大戦の最中で、一ダースを超える諸国の部隊が展開しており、もしかしたらアメリカのGＩさえ目にしていたかもしれない。彼が一〇代のころにビルマは独立し、その後すぐに無政府状態に陥った。一九五三年、内戦の真っただ中に、彼は将校になる訓練を受ける。指導官は旧日本帝国軍に軍事訓練を受けた者たちだった。彼はその後、半世紀近く軍に籍を置くことになる。

一九五〇年代と六〇年代のビルマ軍の暮らしは、将校にとっても過酷なものだった。一時に数年とまではいかなくても数カ月は、病のはびこるジャングルの中で乏しい補給品に頼って命をつなぎ、たいていの場合自分たちよりよい装備を備えている敵と戦わなければならなかった。一九五八年、タンシュエは陸軍省の心理戦部隊に配属された。その後ソヴィエト連邦で特別課程を受講したあと、別の旅団に属す心理戦将校になった。

ネウィン将軍が一九六二年に政権を掌握すると、タンシュエは新たに設立された中央政治学大学で教鞭をとり、ビルマ式社会主義を吸収した。一九八〇年代までには大隊長に昇進し、中国国境の山中にある反政府共産主義者の要塞を奪取しようとして不成功に終わったミンヤンアウン作戦〈敵征服王〉作戦〉に加わった。(8) ある元同僚は彼のことを、身をひそめて静かにふるまう、不平をこぼさない頼りになる組織人で、状況を虎視《こし》眈々《たんたん》と監視して待ち、つねに次の一手を慎重に判断する人物だと描写している。「8888蜂起」が起きたときには、タンシュエはすでに将軍になって国防副大臣の職に就くとともに、独裁者ネウィンの庇護を受けた五〇代の将校の一人として、与党の中央執行委員会のメンバーになっていた。そして一九九二年までには出世階段を上り詰め、国家法秩序回復評議会の議長になった。

タンシュエは新たな方向性を約束した。最初に手がけたことの一つは、ひそかにロヒンギャ難民のビルマ送還を国連に許したことである。他の変化も続いたが、それらはアウンサンスーチーや西側諸国が望んでいたものと必ずしも一致してはいなかった。外国からの投資は優先され、一九九五年は〈ヴィジット・ビルマ・イヤー〉と銘打たれた。国軍は一五万人ほどの軽歩兵の寄り合い所帯だったものから、おそらくは三〇万人以上を擁する、より大規模で近代的な軍隊へと変身した。この新たな国軍に備わったのは、新たな戦車や装甲車両、増強された海軍と空軍、何の良心の咎めもなく行われる強制労働、そして土地収用への貪欲な意欲だった。

タンシュエは、アジアの絶対的指導者たちが踏み固めてきた道に進もうとしていた。すなわち、政治批判を完全に封じて、輸出に基づく工業化を果たすというものである。この道は、韓国のような国では発展と民主主義を導き、中国やヴェトナムのような国では政治の自由化を伴わない経済発展を導いた。しかし、いかなる結果が導かれようが、それは結局、ビルマには閉ざされた道だった。

「8888蜂起」が失敗に終わってからほどなくして、アメリカはビルマに対するすべての支援を停止し、外交関係を格下げした。一九九〇年、ジョージ・ブッシュ大統領は、元CIAの秘密工作員で『ヴォーグ』誌の編集長だったダイアナ・ヴリーランドの息子、フレデリック・ヴリーランドを駐ビルマ大使に任命したが、この人事は承認されなかった。そのころまでには、上院議員のダニエル・モイニハンや他の下院議員たちが、ビルマ暫定軍事政権に対して強硬路線をとるようになり、不快感を示すための方法を探っていたからだ。

それから数年のあいだに、〈ボイコット・ビルマ〉運動がアメリカ全土に急速に広がった。南アフリカのアパルトヘイトに抗議する投資撤収運動が成功裡に終わり、新たなターゲットを探していた学生組織にとって、ビルマは恰好の対象だった。これらの運動は一九九〇年代半ばまでにインターネット運動になり、反ビルマ政府運動は、ワールド・ワイド・ウェブにより推進力を得た世界初の大義になった。ペプシ、リーバイス、ウォルマート、リーボック、エディ・バウアーなど、ビルマに敢えて進出していた数少ない米国企業も、一九九〇年代の半ばまでに、みなビルマからの撤退を余儀なくされた。そのほとんどが挙げた撤退理由は世論だった。(9)

一九九五年に上院議員のジョン・マケインがビルマを訪れ、スパイ組織のボスだったキンニュン将軍に会見する。その際キンニュンは、一九八八年に反政府抗議者たちが、政府の密告者と疑われた者を斬首したむごたらしい映像を見せた。マケインの妻シンディはいたたまれずに席を立ち、マケインは激怒した。「彼らはひどい人たちだ」とマケインは語り、制裁を強く求めた。(10)

その数週間後、アウンサンスーチーは自宅軟禁を解かれた。アメリカ合衆国国連大使のマデレーン・オルブライトが同年九月、北京で開かれた国連女性会議に出席したあとアウンサンスーチーのもとを訪れ、ヒラリー・クリントンがサインした会議のポスターと、ビル・クリントン大統領からの親書を手渡した。将軍たちについて、オルブライトはこう語った。「私がもっと友好的でなかったこと、そしてかなり厳しいメッセージを届けたことに驚いたかもしれませんね」

オルブライトのビルマ訪問を取材したAP通信社のクリップは、彼女がテーブルを挟んでカーキ色の軍服を着た将軍たちに向かい合っている姿をとらえている。全員無表情だ。次に、オルブライトがアウンサンスーチーと面談した様子が映し出される。今度はみな満面の笑みを浮かべている。そのあと映像は、オルブライトがビルマのどこかの村を訪れたシーンに切り替わる。村人たちは、男も女も子供たちも、笑いながらサンダルウッドのペースト〔伝統的な日よけペースト〕をオルブライトの顔に塗っている。彼女はこう尋ねる。「似合っているかしら?」すると村人たちは「フラーデ」〔「あなたは美しい」〕と答える。悪い将軍、非の打ち所のない偶像、そして救済を待つ純真な人々というこのイメージこそ、不動のものとなったビルマのイメージだった。

イギリスとアメリカにおけるビルマのイメージは、つねに一風変わったものだった。一九世紀には、イギリスの海外派遣軍が、かろうじて残っていたマンダレー王国を完全に破壊するまで、ビルマは天然資源豊かな、とてつもない可能性を秘めた国であるにもかかわらず、独裁的で著しく無能な王権によって発展を足止めされているとみなされていた。植民地時代のビルマのイメージは、同国に関する著名な書籍『学校にいる人々(A People at School)』〔H・フィールディング゠ホール著、一九〇六年〕の書名に端的に表れている。すなわちビルマは、快活で政治に不慣れな感じの良い人々の国で、自治権を渡す可能性を少しでも考慮するには、まず広い範囲にわたって指導することが必要である、というものだ。鉱山技師としてビルマで財を成したハーバート・フーヴァー〔第三一代アメリカ合衆国大統領〕は、「全アジアのなかで」ビルマ人は唯一「真に幸福な人々だ」と語っている。

一九九三年、タンシュエは新憲法草案策定のための国民会議を招集した。ＮＬＤ（国民民主連盟）も招かれたが、一九九〇年の総選挙で過半数を獲得したにもかかわらず、少数枠しか与えられなかった。一方、将軍たちはこれを妥協とみなしていた。実際、アウンサンスーチーを解放した直後、タンシュエと他の高位の将軍たちは、彼女と会食する機会を設けている。話し合いへの希望が生まれるなか、アウンサンスーチーは妥協点を模索しているそぶりを見せ、機会あるごとに、国軍（〈私の父の軍隊〉）を敵とは思っていないと口にした。しかしオルブライトの訪問のあと、世界唯一の超大国から確固たる支援を取りつけたという思惑に活気づけられたＮＬＤは強硬路線に転じる。一九九五年一一月、彼らは国民会議をボイコットし、その翌日、会議の代表資格を剥奪された。

「あなたたちの自由を使って、私たちの自由を促してください」。二年後アウンサンスーチーは『ニューヨーク・タイムズ』紙の論評コラムにそう書いた。[11] これを受けてクリントン政権は、ビルマに対するすべての新たな投資を禁止する。当時のアメリカは、ビルマに対する最大の投資国だった。アウンサンスーチー自身は、そのころまでにまたもや自宅に軟禁されていた。二〇〇〇年、ビル・クリントン大統領は、彼女に本人欠席のまま大統領自由勲章を授け、「可能性が内在する国」における専制政治を止めるまで、将軍たちは社会の〈のけ者〉になるだろうと警告した。アウンサンスーチーについては、「彼女の苦闘は続いており、彼女の精神は未だに私たちを鼓舞している」と語った。

こうしたことすべての差し引き結果は、膠着《こうちゃく》状態だった。過酷な抑圧に直面し、数百人の活動家が投獄された民主化運動は、ズタズタの状態だった。その一方、自宅軟禁下にあるアウンサンスーチーのほぼ救世主的なステータスの高まりとアメリカ政界トップたちからの声高な支援が合わさったことは、将軍たちの政治的アジェンダも簡単には前に進まないことを意味した。

しかしビルマの変化は起こりつつあった。ただしそれは、まったく異なる方向から押し寄せてきた。震源地はラングーンではなく、遠く離れた中国との国境沿いの丘陵地帯、植民地時代の地図製作者が〈非管理地域〉と記した場所だった。


一九八九年四月一六日、数十年にわたりビルマ最大の反政府組織だったビルマ共産党が瓦解《がかい》した。その四〇年ほど前、おもにラングーンに住む中産階級のビルマ人マルクス主義知識人からなる共産党が数百万人の支援を取りつけることに成功し、一九四八年に全国規模の反乱を起こして権力の掌握を試みた。しかしこの反乱は失敗に終わり、彼らは反体制ゲリラ武装勢力となって生き残った。その後、もはや壊滅寸前の状態に陥ったのだが、一九六〇年代末に、中国軍の直接支援を受けた数百人の中国人〈志願兵〉による重装備の共産軍が、中国から国境を越えて彼らの支援にかけつけ、ビルマ北西部の山奥にビルマ共産党の〈解放区〉が確立された。一九八〇年代までに他の地の共産党は消滅し、ビルマ共産党が支配する地域は、これら山中の拠点だけになっていた。そこは辺鄙《へんぴ》な土地で、多数派のビルマ人仏教徒の生活圏ではなく、独自の文化を擁するカチン族やワ族などが暮らす地域だった。共産党武装勢力のほぼすべてを構成するようになったこれらの高地民族は、共産党軍の〈弾除け〉として利用された。一方、かつて熱心な支援者だった中国は、鄧小平《とうしょうへい》のもとで改革路線に移行しつつあり、軍事支援は打ち切られた。

それでも共産党は依然として考慮すべき勢力で、二万人程度の完全武装の部隊とビルマ・中国国境沿いの縄張りを支配しており、その面積は、ウェールズやマサチューセッツ州に匹敵していた。地元の村民には、中国の支援打ち切りの損失の埋め合わせとして過酷な税金が課せられた。一部の指揮官が資金源として実入りのよい麻薬取引に頼るようになったとき、党執行部は〈厳しい措置〉をとると彼らを脅したが、指揮官たちは反乱を起こして、党執行部を打倒してしまった。

反逆者たち（こののち起こるドラマの重要人物になる）は党本部を急襲して武器庫を押さえ、党の資料を焼き捨てて、マルクス、エンゲルス、レーニン、毛沢東の肖像画を破壊した。党を率いてきたおもに七〇代のマルクス主義知識人たちは中国に逃れた。二万人ほどいた兵卒は分裂した。共産党軍はもはや潰えたものの、その代わりに次にとるべき手を計りかねている四つの手ごわい軍隊が誕生した。

同じころ、民主化デモを制圧したラングーンの暫定軍事政権は必死に延命手段を模索していた。国庫は空になっていた。将軍たちはまずタイにアプローチして、木材を売却する実入りのよい取引を取り付けた。タイの国軍にパイプを持つタイ企業にビルマ東南部の森林皆伐を許可したのだ。だが、暫定軍事政権延命の鍵となったのは、旧ビルマ共産党系武装勢力との歴史的な合意だった。この合意は、それ以降のビルマを形作る核となる。

仲介を担ったのは、コーカン族華人のローシンハン（羅興漢）という男だった。コーカンは中国国境沿いの山岳地帯にある小さな地域だ。住民は中国系で、一六〇〇年代に清による征服から逃れてきた、ある明《みん》王朝の支持者と、彼について来た無法者たちの子孫だと自称している。一九六〇年代と七〇年代、コーカン族は、ビルマ、タイ、ラオスにまたがる〈黄金の三角地帯〉のヘロイン精製所にアヘンを運ぶラバの隊列を提供していた。自らの民兵組織を持つローは、黄金の三角地帯の大ボスだった。

一九八九年、ローシンハンは、のちにジョン・マケインを苛立たせることになる例の暫定軍事政権のスパイマスター、キンニュンと手を組む。キンニュンは、暫定軍事政権の将来の成功には旧共産党系武装勢力と手を組むことが不可欠だとして、暫定軍事政権内の同僚を説き伏せた。他の内乱も抑え込まねばならず、民主化運動は未だに勢いを増し続け、西側諸国も脅威的な騒音を立てており、国内と海外のプレッシャーは高まる一方だった。ローの仲介で会合が開かれ、双方は停戦に合意した。双方はまた、旧共産党系武装勢力が邪魔立てされずにビジネスを行うことについても合意をみた。共産党軍が分裂してできた反政府軍の拠点は、それぞれ〈特区〉の指定を受けた。

それと同時に、中国との国境が開放された。一九八九年の天安門事件以降、中国政府は、政治的抑圧と市場経済とグローバル化を組み合わせるという決断を下す。その後成長は白熱化し、ビルマは世界史上最大の産業革命の裏庭となる。その結果は、ビルマの経済と社会の変革だった。

「ビルマ経済の創業資金はヘロインだ」と、ビルマ生まれのコロンビア大学経済学教授、ロナルド・フィンドレイは言う。「もしそれが誇張だとしても、過度の誇張ではない」と。[12] 黄金の三角地帯におけるアヘンの栽培とヘロインの精製は新しい話などではまったくない。だが、共産党反乱勢力の瓦解と新たに合意された停戦により、非合法麻薬取引は、明示的とまではいかなくても暗黙の公認を受けて、かつてないほど活気づいた。旧共産党系武装勢力に加えて、かつては共産主義者と闘うために国軍が創設したものも多かった数十の民兵組織も、新たな金稼ぎに手を染めた。国軍幹部が麻薬経済をはやらせて私腹を肥やそうとしたことを示唆する証拠はない。むしろ、彼らの動機は何よりも、政権の延命と国の安全保障への懸念だったと考えるほうが適切だろう。いずれにせよ、結果は同じことになった。

木材の伐採も、もう一つのビッグビジネスになった。一九九〇年代のビルマには、依然として広大な原生林が広がり、世界のティーク材産出量の九〇%を占めていたほか、他の多くの硬材も生産していた。しかし、森林は前例のない（そして持続不可能な）スケールで伐採されはじめた。

一九九四年には、ビルマ北部の奥地で最大一万人の兵力を誇るもう一つの反乱軍「カチン独立軍」が停戦協定に合意した。彼らは旧共産党系武装勢力とは距離を置き、住民の大多数を占めるキリスト教徒のコミュニティーから寄せられるかなりの支援を享受していた。カチン州には、伝説になるほど豊かなヒスイ鉱山がある。この鉱山は、「インペリアル・ジェイド」と呼ばれる、中国人の目利きにとってはダイヤモンドより価値のあるヒスイの唯一の産地だ。これらの鉱山は今や国軍の配下に下り、手数料として利益の一部をカチン軍が占めるようになった。そして、いずれかまたは両方の軍にコネを持つ企業が、中国向けの販売権を独占した。森林の伐採も拡大した。麻薬、木材、ヒスイからどれほどの利益が生まれたかを知るすべはない。だが、一九九〇年代から二〇〇〇年代にかけて、それが数十億ドル、あるいは数百億ドルに上ったことは間違いないだろう。そんなことが、国民の平均年収が一〇〇〇ドルに満たない国で起きていたのだった。

中国からは消費財の洪水が押し寄せた。これは一般の人々の多くにとってはよいことだった。やがて、手の届く価格のオートバイ、電話、扇風機、ソーラーパネル（多くの人にとって唯一の電源）をはじめ、ビルマの人々が買いたいと望むほぼすべてのものが手に入るようになる。しかし、輸入はまた、国内産業を壊滅に追い込んだ。

ビルマ式社会主義のもとでは、ほぼすべての人は、みな等しく貧しかった。政府高官でさえ、小さな家と車、それにおそらくエアコンとテレビぐらいしか所有していなかった。今や、金持ち、それも途方もない大金持ちになるには、少なくとも二つの道があった。一つ目の道は、北部と東部の高地にいること。そこでは軍を手中に収める大物の下で子分たちが不正な商売を行い、麻薬、木材、ヒスイに加えて、多くの違法・非合法ビジネスがはびこっていた。

リンミンシャン（林明賢）という男は、いみじくも「民族民主同盟軍」と名付けた旧共産党系武装勢力の一つを指揮していた。リンは中国人で、一九六〇年代の文化大革命時に紅衛兵を務めていたのだが、革命への情熱にあかしてビルマ共産党に入党し、プロレタリア独裁を目指す彼らの戦いに身を投じた。一九八九年にビルマ共産党が転覆された際、リンは反逆者側の一人だった。彼は後継軍を擁立し、ラングーンのビルマ政府と停戦に合意して、自らの封土となる「第四特区」を設立させた。ヒスイ鉱山から遠く、伐採する森林も乏しかった同地で、リンは利益を生み出す新たな道を開拓する――ギャンブルだ。第四特区の中心にあるモンラーは活況を呈するカジノタウンとなり、売春宿やエキゾチックな動物を食べさせる飲食店なども林立して、中国全土から無数のギャンブラーを呼び寄せた。

大金持ちになるもう一つの道は、ビルマ人国軍将校とのコネを持つことだった。それもできれば管理職にある高官で、大臣または地域軍事司令官が望ましい。一部の将軍はリベートの形で直接私腹を肥やした（最終的に汚職を咎められて解任された者もいる）。さらに多くの者は、自分の役職を利用して、妻や子供、取り巻きたちに利益を得させた。その方法は、政府からの受注を契約させる（道路建設の際に実際のコストの数倍の費用を請求するなど）、土地を利用させる（たとえば、政府が所有する土地を五〇年間賃借し、それを又貸しして相当の利益を上げる）、輸入許可証を与えるなどの方法があった。車一台分の輸入許可証は一〇万ドル以上の価値があり、道路建設契約は国庫から数千万ドルを引き出すことができた。そして、国家プロジェクトへのアクセスは、一ドル・六チャット（現地の通貨）の公式交換レートにアクセスできることを意味した。当時の市場レートは少なくともその一〇〇倍だった。

この二つの世界は相互作用した。〈黒い金〉（たとえばヘロインの収益）を手にした軍閥は、新たに設立された銀行を通して税金を支払う（三〇％ほど）ことにより、マネーロンダリングを行った。そのあと軍閥は高級車を山のように買う。すると今度は、車の輸入許可を得ていた〈国民的起業家〉が大儲けするわけだ。軍閥はまた、銀行口座から引き出した金で、ラングーンに邸宅を買った。するとラングーンの不動産業界にいる者が金持ちになる。一九九〇年代の末までに、旧共産党の後継勢力の一つである「ワ州連合軍」はラングーンにあるメイフラワー銀行とヤンゴン航空の双方を所有していた。

自らの共同体を守り、人々により明るい未来を授けるために戦った反乱軍の兵士もいるし、良い兵士として、できる限り最良の方法で国に奉仕していると信じていた国軍兵士もいる。だが、どちらの側にも、欲得ずくの動機を持つ者がいた。多くの者にとって、市場が開かれ、そこに富が待ち受けているなか、その誘惑に逆らうのはあまりにも難しかった。

経済セクターの相次ぐ規制解除に伴って新たな機会が浮上し、一部の企業人は巨大なポートフォリオを築いた。軍閥、大物、取り巻きに加え、規則通り真面目に事業を行い、軍との関わりをほとんど持たない企業人もいた（とはいえ、まったく関わらなくてすむ者は皆無だった）。彼らがよくあてにしたのは、新たな国外からの投資や、観光業などのセクターだ。浮き沈みもあった。一九九七年のアジア金融危機とアメリカによる制裁は多くの企業を破滅させた。とくに制裁は、より独立した企業人の存続をほぼ不可能にし、権力に近い者にのさばる余地を与えた。

二〇〇〇年代初期までに、そうした状況に、数十億ドルの価値をもたらす新たな海中天然ガス資源の発見が加わる。グローバル石油企業数社（特例としてアメリカの制裁リストから免除されていた）がこの天然ガス資源を発見して開発し、パイプラインを建設して、タイに輸出したのだ。この利益のビルマ側の取り分は、暫定軍事政権がコントロールしていた〈特別プロジェクト〉用のオフショア口座に直接振り込まれた。国軍と友好な関係を築くことは、実入りの良い特別プロジェクトにアクセスできることを意味した。

ラングーンは突然変異した。黒い金がその血脈に流れ込むにつれ、何百もの魅力的な植民地時代の平屋建て住宅が取り壊され、その建物と周囲の庭の跡地に、コンクリートと着色ガラスからなる巨大なマンションが建てられた(13)。古いホテルは改装され、新たなケーブルテレビ網がCNNとBBCのニュースを流し、光り輝く新空港からは、バンコク、シンガポール、香港行きのノンストップ便が毎日何便も飛び立った。

あらゆる土地は投機家が投機売買をしたため値上がりし、政策決定者の近くにいるものは将来の棚ぼた的利益を期待して、数百、ときには数千ヘクタールもの農地や森林を手に入れた。

一部の一般の人々も恩恵を被った。建設関係などの新たな仕事が生まれたからだ。わずかながら新たな中産階級も出現した。こうして、以前より多くの経済活動が展開したという狭い意味では、ビルマは発展したと言えるだろう。しかしそれと同時に、数百万もの人々が貧しくなった。土地が商品化されるにつれ、ビルマ全域の農家は、祖先の農地における所有権を失った（賄賂《わいろ》を使えば、他人の祖先の土地を、国が貸し出すことのできる〈空き地〉にすることができたのだ）。そうした農家は、家族の一人またはそれ以上の者が仕事を求めてラングーンやタイ、あるいは他の海外の場所に出稼ぎに行ったため、離散家族になってしまった。河川は鉱山からの流出物で汚染され、森林は途方もない規模で伐採された。魔手は虎にさえおよんだ。生息地が破壊されただけでなく、貪欲な中国市場に体の部位を売るために狩られたからだ。二〇〇〇年代までに、ビルマの虎は絶滅寸前に追いやられた。

ビルマでは一種の資本主義が復活したが、その前に形容詞をつけて、〈縁故資本主義〉〈停戦資本主義〉〈軍制資本主義〉と呼ぶ者もいる。それは世界経済フォーラムが推進したがるような社会的責任のある資本主義ではない。それは、植民地時代の制度とさほど変わらなかった。すなわち、公職者を最大限に利し、次に一握りの企業人を利し、輸出のためにインフラが築かれ、公衆の福祉を達成するための国家という概念がほぼ欠落している搾取的経済だ。

二〇〇〇年を迎えるころまでに、二〇世紀の大部分を支配していた政治理念である共産主義に関心を寄せる者はいなくなった。新たな流行語は民主主義だった。人々は変化と軍政の終焉を期待した。しかし暫定軍事政権の圧政により、少なくともラングーンにおける反政府活動は大規模抗議活動ではなく、たった一人の人物、すなわちアウンサンスーチーに象徴される抵抗運動になった。停戦、中国への門戸開放、西側諸国の制裁という組み合わせは、貪欲で飽くことを知らない新たな市場力学をもたらした。力と金はふたたびつながった。そして、民族とアイデンティティに関する古くからの概念に基づいたエスノナショナリズム的衝動も芽生えはじめた。これらすべての要素は、その後数年にかけて凝結することになる。

将来の見通しは暗澹《あんたん》としていた。しかし、それでも事態を好転させる機会は失われてはいなかった。

第3章　ディストピアへの漂流

モーモーミィンアウンは、一九七九年、ビルマ式社会主義の穏やかな停滞期にラングーンで生まれ、海からさほど遠くない、小さな木造家屋が川の近くに立ち並ぶ緑豊かな土地で育った。父親はカレン族のキリスト教徒で、母親は、マンダレー東方の高地に暮らすもう一つの少数民族、シャン族の出身だ。二〇一八年に出会ったとき、くっきりとした目鼻立ちの小柄でほっそりとしたモーモーは、きちんと髪を梳《と》かし、綿のロンジーとブラウスという質素なビルマの装いをしていた。(1)

彼女の人生に最初の大変革が起きたのは、一九八〇年代、小学四年生のときだったという。国軍は反政府デモを鎮圧したばかりで、さらなる動乱に備えて、数十万の人々を繁華街から何キロも離れた急ごしらえの郡区に強制移住させた。モーモーの家もブルドーザーで壊され、一家は新たに建設されたシュエピタ郡区（〈黄金快適都市〉）に移るよう命令された。そこは、あばら屋が寄せ集められたところで、電気も乏しく、水道も通っていなかった。

それでも学校はあった。その学校で、モーモーは医師になる憧れを抱く。「どんなお医者さんでもいいわけじゃなくて、軍医になりたかったんです。ビデオで映画を観たとき、前線で戦う兵士の手当てをするお医者さんの姿を見て、私もそうなりたいと思いました」。しかし七年生になったとき、父親が蒸発する。父親は「単純な人」で「悪い連中とつるんでしまった」そうだ。モーモーは三人きょうだいの長女だったので、できる限り母親を助け、弟と妹の面倒をみなくてはならないと感じた。「もう大学に行くことは考えられなくなりました。すごく貧しかったんです。売れるものはすべて売りました。何も口にできない日もあったくらいです」

一九九六年、一七歳になったモーモーは、アメリカにTシャツを輸出する縫製工場に職を得た。給料は一月二万チャット（約二〇ドル）。そのすべてを家に入れた。「辛い生活だったけれど、私は大丈夫だったし、母やきょうだいを養うこともできました」。しかし一九九七年、ビルマにおける事業展開に抗議する運動がアメリカで勢いを得て、クリントン政権が新たな投資を禁ずる制裁を科すに従い、縫製工場は閉鎖を余儀なくされる。

あちこちの臨時雇いの仕事でわずかな金を得る数カ月を過ごしたのち、モーモーは友人の助言に従ってビルマ最南部の街ヴィクトリア・ポイント（現在のコートーン）に向かい、狭い河口の対岸にあるタイの港街、ラノーンに渡った。ウエイトレスになるはずだったのだが、着いてみると、そこは男が金を払って女性と酒を飲むナイトクラブで、それ以上のことも拒絶できなかった。モーモーは、一カ月の給与は五〇〇〇チャット（約五ドル）だと告げられる。さらには、一年以内に仕事を辞めたらオーナーに三〇万チャットの〈補償金〉を支払わなければならないとも言われた。「ひどい日々でした。毎日、酔っ払った男たちと何時間も過ごさなければならなくて。男たちはビルマ人もいたしタイ人もいました」

一年が明けてすぐ、モーモーは店を去った。まともな勤め先を探そうと決心していた彼女は、しばらくのあいだ、ゴム農園や小さな飲食店で働き、タイ人の家でベビーシッターをしたりもしたが、ついに不法移民として逮捕されてしまう。

刑務所に収監されるのは、それが初めてだった。彼女は他の多くの女性とともに大部屋に入れられた。ほとんどの囚人は、麻薬がらみの罪で投獄されたビルマ人女性だった。タイ語がほとんど話せなかったモーモーは、看守と意思疎通を図ることができなかった。「はじめはすごく辛かったです」。だが、刑務所の職員は不親切な人たちではなかった。タイ語の習得を助けてもらったモーモーは、じきにタイ語のアルファベットが読めるようになり、漫画も理解できるようになった。二〇〇五年八月、タイ王妃の誕生日を祝う囚人恩赦の一環として、モーモーは釈放された。

「拘置所をたらい回しにされたあと、タイとビルマのあいだにある河口の水の中に取り残されました」。モーモーのような抑留者がよくそこに放置される理由は、入国管理当局と結託した〈ブローカー〉が、最近〈戻された〉不法移民を捕らえて、さらに不法就労をさせるためにタイに連れ帰るからだ。まさに不法商売である。今やタイ南部の不法移民界のならわしに通じていると考えたモーモーは、二度目はもっとうまくやれると思い、ブローカーと手を組んでタイに戻った。

モーモーは間違っていなかった。しばらく試行錯誤を繰り返したあと、リゾート観光地のプーケット島に行きつき、そこの衣料品工場で衣類を洗濯する仕事に就いた。ボスはいい人で、給料もよかった。数年間働いたあと、モーモーは、プーケットからビルマに戻る女性に家族への手紙を託した。その数カ月後、返事が届いた。母親は死去し、弟は国軍に入隊。残っていたのは妹だけだった。モーモーはそれまで貯めた金を手にビルマに戻った。

ラングーンへの帰郷には、良い面も悪い面もあった。良い面は、政府の電話局に勤める男性に出会って結婚したこと。悪い面は、政府の電話局の仕事では、一カ月に二万チャット（二〇ドル以下）しか得られないことだった。「家計をやりくりするのが大変でした。ほどなくして私の貯金もなくなり、月利二〇％の高利で借金しましたが、借金地獄から抜け出せるあてはありませんでした」

ビルマの銀行制度は機能不全に陥っていた。そもそも銀行口座を持っている者はほとんどおらず、公的融資を得る手段を持つ者もほとんどいなかった。貧しい人々は非公式の貸金業者に頼ったが、貸金業者自体、貸すことのできるいくらかの余裕のある貧しい人々であることが多いというありさまで、利子は天文学的な率。日歩二〇％を支払わされる人さえいた。つまり、朝、五ドルに相当する金を借りたら、なんとか手に入れた仕事場への往復で一ドルか二ドル分使い、夕方には六ドル分返済しなければならないことになる。自分自身や親類が病気になって薬が必要になれば、数百ドル分の借金をしなければならない。いったん借金したら、返済はほぼ不可能だ。

やがてある幼なじみが現れて、モーモーにラーショーでの仕事を紹介した。ラーショーは、マンダレーと中国雲南省を結ぶ旧ビルマ公路沿いの街だ。「高齢の女の人の世話をする仕事で、一月二〇万チャットもらえるって言われたんです。私の夢は一〇万チャットでミシンを買って、小さな商売をすることでした。どうしてもやりたかったんです。この仕事で、それができるようになると思いました」

ラーショーに行く途中、友人は小瓶の飲み物を飲むように言った。酔い止めだという。飲んですぐ、モーモーは深い眠りに落ちた。目覚めたとき、そこはビルマではなかった。

「周りの看板はみんな中国語で書かれていました。車の中にいた人たちも、みんな中国人でした。私は小さな村に連れて行かれ、そこに着くと〈身ぎれいにしろ、さもなければぶちのめす〉と言われました。それでもまだ、何が起きているのかわからなかったんです。そのあと、市場で売られる朝顔みたいに、やってきた男たちに売られるために引き出されました」。モーモーは裏口から逃げようとしたが、つかまってしまう。そして、その村に一カ月勾留されたあと、ある男に四万元で売られた。その男は彼女を一六〇〇キロ以上離れた上海近くの自宅に連れて行った。

「その人からひどい扱いは受けませんでした。私に好きにならせようとしてたんです。私は中国語が話せなかったので、話をする方法は、ジェスチャーしかありませんでした。その人の親戚が近くに住んでいて、村にはほかにもビルマ人の娘たちがいたけれど、話をするのは許されませんでした。そこにいたのは三カ月ほどです」

「ある日、ドライブに出かけました。あの人が大都会を見せてあげると言ったんです。ある場所で、あの人が指さして〈あれがジェット・リーの家だ〉って言いました。高速道路の料金所についたとき、私はお腹を指し、痛くてトイレにいかなきゃならないとジェスチャーで伝えました。私たちは車を降りました。そしてあの人が男性トイレに入ったとたん、私は全速力で逃げ出したんです。数分経って、本屋の中に逃げ込みました。私を見た店主は、何をやっているのかと訊いてきました。その人は私のことが理解できなかったし、私もその人の言っていることがわかりませんでした。それで、英語で〈バーマ(ビルマ)〉って言ったんです。本屋にいた年配の女の人が、私が言っていること、ビルマから来たって言っていることに気がつきました。そして隠れなさい、警察を呼ぶからって言ってくれたんです。私はみんなの話がわからなかったので、その女の人が私の代わりに話してくれました。本屋の人たちは卵と少しのトウモロコシと水をくれました」。その日の夕方、午後六時三〇分に警察がやって来た。

モーモーは留置場に勾留されたあと、上海から雲南に飛行機で連行され、そのあと、中国国境にあるビルマの街、ムセまで連れて行かれた。全行程を通じて中国人警官が二人付き添った。〈夫〉が連れ戻しに来るかもしれないから彼女を護送するというのがその理由だったが、ときおりビルマ人の娘が途中で逃げ出すことがあるせいでもあった。ラングーンに戻ったモーモーは、家族と再会した。そして、エイズにかかっていることを発見した。

モーモーミィンアウンの人生は、ビルマ全土にいる数百万の若い男女の人生とさほど変わらない。二〇〇〇年代初期、ビルマの一人当たりの推定GNPは、カンボジアやバングラデシュの半分よりわずか上、ラオスやヴェトナムの半分以下で、アジアの最貧国だった。主要都市以外に電気は通っておらず、都会でさえ、よくても一日数時間しか使えなかった。インフレーション率はアジア最悪で、年間四〇%近くに達した。衝撃的なことに、食費は平均的なビルマ人の家計の七三%までを占めていた（たとえば、バングラデシュでは五二%だった）。家族によっては、一〇〇%近くになる場合もあった。

貧困の急拡大は、栄養失調の急増をもたらし、五歳以下の子供の三〇%以上が低栄養状態に陥った。ビルマはまた、ビタミンBの欠乏がもたらす脚気《かっけ》が乳児死亡の主原因である世界唯一の国だった。極度の貧困は教育危機も悪化させた。親が制服や教科書の費用をまかなえなかったり、もっとも近い学校に子供たちを歩いて連れて行く時間が割けなかったりするためにドロップアウトする子供の割合は四〇%におよんだ[2]。

エイズも蔓延していた。二〇〇三年までに、ビルマは全アジアで、タイとカンボジアに次ぎエイズ感染率の高い国になっていた。もっとも深刻な地域の一部は、中国国境沿いにある鉱山町と密輸の拠点だった。そこでは国中からやってきた出稼ぎ労働者が夜な夜なヘロインを打ち、セックス労働者たちには性感染症の知識がほとんどなかった。抗レトロウイルス治療が必要な者たちのなかで治療薬が手にできたのは、推定わずか三％。死者数は年間二万人におよんだ。

一九九〇年代初頭、国連児童基金（ユニセフ）の当時のビルマ事務所長だったロルフ・カリエールが、ビルマの子供たちが直面している〈静かな緊急事態〉について警告した。彼は援助が必要なレベルの高さ、そしてビルマが受けている国際支援の乏しさに愕然《がくぜん》としていた。カリエールは異なるアプローチをとるよう熱心に主張した。すなわち、緊急支援を行わなければ、ビルマの子供たちの暮らしは悪化の一途を辿る、そして人道支援の提供は〈正しい政府〉が樹立されるのを待つべきではないと説いたのだ。だが彼の声に耳を傾ける者はほとんどいなかった。

今でも耳を傾ける者はいるだろうか？

将軍たちは近代的な未来を求めていた。だが彼らのヴィジョンは、〈国家〉の成長と発展にまつわるもので、ビルマの産業革命に拍車をかける大規模インフラ構築プロジェクトを通して、それを実現させようとしていた。個々の人々の生活は度外視された。不純な動機もあった。いずれにせよ、彼らの部下たちは、よくても怪しい寄せ集めの統計資料に基づいて、ビルマの経済は年間一〇％の高率で成長していると将軍たちに報告していた。

反体制派――ＮＬＤとその海外の支援者――は政治を優先した。政権交代のみが他の改善も導くと感じていたからだ。もちろん、その考えには頷《うなず》ける点もあった。組織的な変化は、たとえそれが革命であっても、よいことだったかもしれない。ただ、革命は不可能ではなかったが、実現の可能性は低かった。そして、政治の膠着状態が長年にわたって続き、無慈悲な資本主義体制が根付くなか、若い世代は将来の可能性――たとえそれがどんなものであったとしても――を急速に失っていった。

反体制派は、実際にどうやって事態を改善させるかについて何も理論を提示せず、二〇〇〇年初頭までは、将軍たちが従来にもまして確実に権力を握っていた。孤立（中国への裏口は除く）はむしろ、将軍たちとその取り巻きたちにとって非常に快適な環境を確固たるものにしていたのだ。それなのに、世界からの孤立を深めさせることは、果たして異なる機運を盛り上げることになっただろうか？

さらには、ビルマを民政移管に向かって準備させ、それが実際に可能になったときにその変化を持続可能なものにするには、どのような状況が最適なものであるかということもほとんど検討されなかった。極貧で教育が足らず、食べる物にも事欠く病気がちな人々の大群衆が、頑健な民主主義を支えられるとは考えにくい。それに、そもそも民主主義が、軍事独裁からの当初の移管形態としてふさわしいものなのかどうかについても検討されることはなかった。そうではなく、他の手段を組み合わせた形態があったのではなかろうか？　現地の共同体に実際に役立つ形の新たな停戦協定はなかったのか？　不平等を減らす経済改革と、公衆衛生と教育に的を絞った新たな国際支援は？　差別を克服し、民族とアイデンティティにおける根深い問題を解決する努力は？　もっとも貧しく、もっとも脆弱な人々の暮らしを中心に据えたビルマの将来に関する異なる会話をすべきだったのでは？　答えは誰にもわからない。しかし、そうした道を模索するには、将軍たちを巻き込むことが必要だった。そしてそれこそ、反政府陣営の多くの者たちがもっとも忌み嫌うことだった。将軍たちの関与はＮＬＤの立場を弱めるだけだとして。

ＮＬＤは苦境に立たされていた。数百人規模の活動家たちが一九九〇年代初期に収監され、未だに長年の実刑に服していた。もはや全国的な組織はなく、ラングーンに小さな事務所が一つあるだけで、動員力もさらに低下していた。そこかしこにあるスパイ網、長年にわたる潜伏疲れ、真夜中に扉がノックされる音への恐怖といった絶え間ない抑圧にさらされた多くの者にとって、理性的な行動とは、活動を止め、可能なら国を脱出して西側諸国に亡命を求めるか、あるいはビジネス活動などにこっそり鞍替えするか、のいずれかだった。それでも、ぶれずにあきらめない者たちもいた。彼らは堅固な意志を持った者たちで、最高の公益と信じるものを達成するには、どんな犠牲もいとわぬ覚悟だった。彼らはまた、アウンサンスーチーに絶対的な信頼を寄せるようになった。

二〇〇三年初頭、自宅でデイヴィッド・ロックフェラーとお茶を飲んでいたアウンサンスーチーは、将軍たちに〈忍耐強く〉接し、〈ゆっくり〉と事を進めるよう彼女に助言した人たちを茶化して、こう言った。「〈ゆっくり〉と〈カタツムリの歩み〉は別物です」。彼女は、長引けば長引くほど、新たな政府のもとに国を〈再起動〉することが難しくなるだろうと警告した。教育制度の状況にも危機感を抱いていた彼女は、ビルマは近いうちに〈無教養の人々〉の国になり、国家の政治・経済的な将来に恐ろしい結果を招くことになると懸念を表明した(3)。

彼女は正しかった。だが、だからといってＮＬＤに何ができるかは定かではなかった。アウンサンスーチーの中心的戦略は、一般の人々からの支持をはっきりと示し、将軍たちに会話を求めて、反応を期待するというものだった。しかし将軍たちにはそんな考えがまったくないことが、二〇〇三年までに明らかになる。

同年五月三〇日、マンダレーからさほど遠くないところにあるディベインという小さな町で、一群の男たちが、アウンサンスーチーと支持者を乗せた車列を奇襲した。おそらく薬を盛られたか泥酔していたかだろうと思われる男たちは、手製の武器を携えていた。アウンサンスーチーは二〇〇二年にもっとも最近の自宅軟禁から解放されており、全国を回って、軍制支配の終結を求める演説を戸外で行い、ゆく先々で熱狂的な歓迎を受けていた。この襲撃では数十人が殺害され、アウンサンスーチーは無傷で難を逃れたものの、その後ふたたび勾留されてしまった。

暫定軍事政権は限界を試していた。民主化運動はもはや事実上制圧されていた。外国は、それでも支援ができるのか、と。

ブッシュ政権は熱心にビルマに変化を起こそうとしていたが、その大きな理由は、ファーストレディーだったローラ・ブッシュの個人的な関心にあった。ブッシュのいとこで長年仏教に惹かれてきたエルシー・ウォーカー・キルボーンが、ローラ・ブッシュをチベット問題の活動家でビルマの大義についても活動していたミシェル・ボハナに紹介したのだ。ローラ・ブッシュはアウンサンスーチーが書いた物を読みはじめ、そのなかには、エッセイ集『恐怖からの自由（Freedom from Fear）』も含まれていた。それらはローラ・ブッシュに深い印象を残し、夫と彼の国家安全保障補佐官らの関心が中東情勢に集中するなか、彼女は自らの方法でビルマを支援しようとした。ローラ・ブッシュにとって、ビルマはアウンサンスーチーを意味し、彼女は〈裏ルート〉を使って、個人的な励ましの手紙と、ラングーンでは手に入らないと思ったもの——本、生地、そしてヨウ素が欠乏している〈刑務所にいるご友人〉とシェアするための海草の錠剤、〈けがを治すための〉アロエ——を送った。しばらくの間、こうした行動は、「手伝ってくださった方々を守るため」メディアには伏せられていた。(4)

ビルマの民主化運動への支援は超党派の取り組みだったが、それはまた、大西洋を挟んだ取り組みでもあった。イギリスのトニー・ブレア政権はアウンサンスーチーの忠実な支持組織で、あらゆる機会をとらえて、さらに厳しい制裁を科すよう欧州連合（EU）に働きかけた。支援活動を行う諸組織は、ビルマで事業を展開する企業を厳しく責めた。ノルウェーのノーベル賞選考委員会は一九九一年にノーベル平和賞をアウンサンスーチーに授与し、ノルウェー政府は彼女のいとこのセインウィン（彼の父親バウインはアウンサン将軍の兄で、弟とともに暗殺された）率いるビルマ亡命政府および、オスロに拠点を置くラジオ局「ビルマ民主の声」に財政支援を行った。二〇〇二年には、U2のボノが、アウンサンスーチーに捧げた曲『ウォーク・オン』でグラミー賞最優秀レコード賞を受賞する。

アメリカはちょうどアフガニスタンとイラクに侵攻したところで、西側諸国が連立を組めば、うまく世界に民主主義を採用させることができるという考えには、依然として勢いがあった。その約一〇年前には、政治経済学者のフランシス・フクヤマが「西側の自由民主主義の普遍化こそ人間の政府の最終形態である」と論じる本を上梓していた(5)。そして今や、自由民主主義的概念を世界に攻撃的に広めることへの欲望にかられたポール・ウォルフォウィッツのようなネオコン（新保守主義者）たちが、政権の最上部に陣取っていた。

アメリカは依然として世界唯一の超大国だった。ソヴィエト連邦は打ち負かされ、ロシアは西側諸国を受け入れることにやっきになっているように見え、中国はまだ、多国籍企業にとっての巨大な新市場にすぎなかった。一九九九年、北大西洋条約機構（NATO）が、国連安全保障理事会の負託なしに、人権擁護を目的としてコソヴォに軍事介入した。二〇〇三年には、サダム・フセインが捕らえられ、後に絞首刑に処せられた。世界中の独裁政治が終焉を迎える日は近いように見えた。

しかし、その後の数年間に介入主義者の勢いは弱まる。イラク軍の解体や他のイラク組織に対する傲《ごう》慢《まん》な態度は、イラクは単に新憲法と新たな選挙を必要としている〈白紙状態〉にあるのだと思い込んだアメリカの政策立案者の憶測に基づいていた。この憶測は誤りで、続く数年のうちに、国家構築における危機が顕在化する。アフガニスタンも簡単にいかないことが判明した。それはソマリアでもリビアでも同じだった。こうして、是正を必要としている国には、それぞれの歴史、そして表には出ない複雑な力学があり、どんな介入にも、善より害をなす可能性があるという理解が進んだ。

しかしことビルマについては、別の話だった。

イラク戦争の〈任務完了〉を宣言してから一カ月足らずの二〇〇三年七月二八日、ジョージ・ブッシュ大統領は世界でもっとも過酷な経済制裁をビルマに科す。「ビルマの自由と民主主義法案」は、ビルマからのあらゆる物資の輸入を禁止し、資産を凍結し、ビルマへの送金を禁止することにより、実質的にアメリカの銀行制度が関わるあらゆる金融取引を停止させるもので、世界銀行や他の国際開発銀行からのビルマに対するあらゆる貸付金の阻止もアメリカ政府に義務づけていた。すでにクリントン政権時代から継続されている制裁に加え、この新たな法律は事実上ビルマを世界経済から孤立させることになる。

さらにこの新たなアメリカの法案は、アウンサンスーチーの党であるNLDへの権力移譲の不履行、および自国民に対する「甚《はなは》だしい人権侵害」についても、ビルマを支配している暫定軍事政権を非難したうえ、現政権は民族浄化の罪を犯しており、それは「人道に対する罪」の一部であると表明していた。

人道に対する罪とは、一九九〇年代から二〇〇〇年代初頭にかけてのカレン族による反乱に対する国軍の攻撃に言及したものだった。カレン族はビルマ南部全域に広がって暮らす、一部キリスト教徒の少数民族だ。北部の旧共産党系武装勢力や他の武装勢力が停戦協定に合意したのにひきかえ、八〇〇〇人以上の兵士を抱えて地域の絶大な支持を得ていた反政府組織の「カレン民族同盟」は、停戦協定を拒絶したために過酷な反乱鎮圧作戦の矢面に立たされていた。数千人の一般市民が、国軍の補給物資運搬のために強制徴募され、推定七〇万人の人々が家を捨てて難民となることを余儀なくされたという。そのうち一〇万人は国境を越えてタイに逃れていた。

この法案は、アメリカ議会の上院・下院双方で圧倒的な支持を受けて通過した。法案のおもな発起人だったミッチ・マコーネル上院議員は次のように語っている。「われわれは、アウンサンスーチーが解放され、自由を求める闘いが終わるまで、長きにわたって苦しんできたビルマに正義をもたらす闘いの手を緩めてはならない」[6]。のちに上院多数党院内総務になるマコーネル上院議員はアウンサンスーチーの筋金入りのファンで、オフィスの壁には、その前年に彼の支援に感謝して彼女から送られた手紙が額に入れられて飾ってあった[7]。

この法案に署名する際、ブッシュ大統領は声明を発表した。「アメリカ合衆国は、ビルマにおける民主主義と人権の確立という大義へのコミットメントから決して逸脱することはない」。その目的は、単にならず者政権を罰することだけにあったのでなく、アジアの心臓部に民主主義を確立することにもあった。

ビルマは〈正しいことをする〉ことにおいて何らマイナス面のない場所のように思えた。ビジネス面での利害関係もほとんどなかったうえ、ビルマが戦略的に重要になるという打算も（まだ）なかった。イギリスにはまた、植民地時代の結びつきという楽観的なノスタルジアに加え、はるかかなたの地で最悪の悪党一味に立ち向かう、恐れを知らぬオックスフォード大学卒業生のアウンサンスーチーという個人的なつながりもあった。だが、権威主義のルーツについても、ビルマの複雑な民族間関係についても、分析しようという試みは一切なされなかった。さらには、ビルマの心の痛手となっているその過去も、植民地主義の遺産についても考慮しようとはしなかった。ビルマの無数の〈民族集団〉についてせいぜい考えがおよんだのは、彼らもまた国軍の圧政の犠牲者であり、〈民主主義〉の側に立っているというものだった。中国国境沿いの民族との停戦合意については目につかなかったし、気にもかけなかった。そそられるほど強力な二元論のナラティブは、他のすべての考慮すべき事柄を排除してしまったのである。

二〇〇一年の五月と九月、ペグー、トングー、プローム〔現在のピイ〕で、仏教徒対イスラム教徒の暴動が起きた。それは、アフガニスタンのバーミヤンで、タリバンにより仏像が破壊されたニュースが報道されたあとのことだった。それと同じ年、アキャブ（アラカンの主要都市で、シットウェとしても知られている）で、仏教徒とイスラム教徒の衝突が起き、国軍が仲介に入って、十数名が殺害された。ヒューマン・ライツ・ウォッチは「恨みは根深く、双方の共同体は、互いに相手に包囲されていると感じている」と報告した。(8) だがこの報告に留意した者はほとんどいなかった。

二〇〇五年一月、アメリカ議会上院の指名承認公聴会で、次期国務長官のコンドリーザ・ライスがビルマを、キューバ、イラン、北朝鮮、ベラルーシ、ジンバブエとともに〈暴圧政治の前哨基地〉と名指しして、もともとの〈悪の枢軸〉に加えた。ロンドンでは、活動家たちが、ビルマで芽生えつつあった観光業の芽を摘むために〈アイム・ノット・ゴーイング〉（行かない）〉運動を組織した。政党も党派を超えてこの動きに加わり、首相のトニー・ブレア、保守党党首のマイケル・ハワード、自由民主党党首のチャールズ・ケネディーが、イアン・マッケラン、オナー・ブラックマン、ロビー・コルトレーン、ジョアナ・ラムリーなどの有名人とともに、ビルマでの休暇をボイコットするよう促した。

こうして西側では、ビルマの民主化を求める声が一層大きくなっていった。

一方、ビルマでは、上級大将のタンシュエが、ひそかに退陣の準備をしていた。一九九〇年代、彼の地位は集合体の長というもので、暫定軍事政権内の他の将軍たちは、年齢にしてもランクにしても、彼よりわずかに低いだけだった。彼らのほとんどは、大臣と、国土の大部分を統括する〈地域軍事司令官〉を兼務していた。たとえば、トゥンチー将軍は商業大臣であるとともにマンダレーの地域軍事司令官、チョーバ将軍はホテル・観光大臣であるとともに北方地域の軍事司令官だった。彼らは絶大な権限を持つ総督で、膨大な財を蓄えた者もいた。

タンシュエは徐々に、かつ整然と、権力を握る他の将軍たちを排除していった。タンシュエにもっともランクが近く、もっとも腐敗していた将軍を皮切りに、将軍たちは次々に追放されていった。二〇〇二年、かつての独裁者、ネウィンが死の床についていたとき、タンシュエはネウィンの親族を逮捕する。傍観者たちはその時点に至るまで、ネウィンは未だに権力を温存し、彼の親族は今でも影響力を行使していると考えていた。しかし、タンシュエは、頂点にいるのが誰かをはっきりと示したのだった。

次に追放されたのは、国家情報局の長、キンニュンだった。髪をきちんと刈込み、眼鏡をかけたキンニュンは、多くの外国人にとって、ビルマ政権内でもっともなじみのある人物で、ジョン・マケインとマデリン・オルブライトが会ったのも彼だった。テレビで自分の姿を見るのが好きだったキンニュンは、国軍内部ですら恐れられていた熟練スパイと密告者からなる広大なネットワークを動かしていた。彼の下には五つの機関を傘下に収める戦略研究室があり、それらを通じて反政府勢力を監視し、戦略を立てていた。これらの機関に属する者のなかには、英語を話す洗練された人物で自らを改革派と称する者もいれば、拷問施設を運営している者もいた。公式名は国防省情報総局だが、かつてのイギリス統治時代の名残りに基づき口語的にＭＩと呼ばれていたこの諜報機関こそ、民主化を目指す反体制派を虐待するために使われた武器だった。

二〇〇四年一〇月一八日、キンニュンはマンダレー空港で国軍の将校に拘束され、ラングーンに飛行機で連行されて、自宅軟禁に処せられた。その翌日、国営メディア各社は、六五歳のキンニュン将軍が「健康上の理由により引退を許可された」と報じた。それから数週間のうちに、数百名におよぶ国軍の情報将校が逮捕・尋問され、経済犯罪や、ときには些細な罪（拳銃の不法所持など）により起訴されて、最高禁錮三〇年の刑に処せられた。一九六〇年代初期の軍政以来、抑圧の温床となってきた秘密警察制度は完全に解体され、情報局に所属していた三万人以上の下級将校や兵士も即座に解任された。かつてあらゆるところに掲示されていたキンニュンの肖像もすべて取り外され、彼の支持者は内閣と行政府から追放された。[9]

これほど強力な組織の解体は反発を招くのではないかと心配する向きもあっただろうが、今やタンシュエは盤石な支配に自信を抱いていた。その数日後には国を留守にしてインドを訪れることまでやってのけ、タージマハールの前で妻と一緒に写真を撮り、釈迦牟尼《しゃかむに》が悟りを開いた場所とされるブッダガヤの大菩薩寺院を参拝した。

こうして、かつての将軍集団は、タンシュエと彼の副官のマウンエイだけになった。スパイチーフだったキンニュンは、罷免前に「民主主義への七つの道程」（民主化ロードマップ）を発表していたが、それはそのまま引き継がれた。軍政府は、新たな憲法が作成され、新たな総選挙が行われたあと、（明示されていない将来のある時点で）民政移管が行われると約束した。アウンサンスーチーは含まれなかったものの政治囚も大勢解放された。二〇〇四年、タンシュエは軍の将校たちに、個人用のパソコンを購入してインターネットサーフィンを始めるよう命じた。

彼が行ったことは、もう一つあった。新たな首都、ネピドーの建設である。過去、ビルマの支配者はさまざまな首都を建設してきた。一八世紀に築かれたアマラプラと一九世紀に築かれたマンダレーは、特別なレガシーを残したいと望む王のプロジェクトだった。「ネピドー」は単に〈首都〉という意味で、通常は名称の一部として使われる（たとえば〈マンダレーネピドー〉など）。もしかしたらタンシュエは、もっと気の利いた名前がひねり出せなかったのかもしれない。場所については、ラングーンとマンダレーの中間地点にある、ビルマのまさに地理的な中心部を選んだ。そこは、西側にはティークが繁る尾根が、東側には石灰岩の断崖があり、一九四〇年代、内戦がもっとも激しかったときに共産党軍の拠点だった場所だ。

ネピドーは、ジョージ・ブッシュの軍艦が入り込める場所から遠く離れていた。アメリカによる侵略などという考えは、ニューヨークやロンドンでは一笑に付されただろう。しかし、二〇〇〇年代の半ばにすでに二つの国に侵攻していた国の政府が繰り出す厳しいレトリックの標的になっていたビルマにとって、それはまったく奇妙な考えとは言えず、もとより危機を毛嫌いする国軍にとっては、簡単に一蹴できる考えではなかった。巡航ミサイルがラングーンとおぼしき都市を攻撃するウェズリー・スナイプス主演の映画は、この危機を裏付けているように見えた。それは、ビルマのジャングルが舞台の映画『ランボー／最後の戦場』も同じだった。

ネピドーはまた、革命にも強い立地だった。人口密集地のはるかかなたにあるこの新たな首都は、ニューヨーク市と同じぐらいの面積を持つ。しかし住人はその人口のごく一部でしかなく、ほとんどが兵士と官僚だ。そこにあるのは、一〇車線や二〇車線もあるだだっ広い舗装道路、数百メートルも続く生け垣で区切られた巨大なコンクリート製の官庁（コストを削減した熱帯地域特有の〈残忍主義様式〉のようなもの）で、他にはほとんど何もなかった。一九八八年の街頭デモは、政府を転覆させる一歩手前まで行き、群衆は当時の貿易省を警護していた兵士から武器を取り上げ、もう少しで本丸の国軍参謀本部に突入するところだった。だが今や、そうした事態が繰り返される恐れはなくなった。

二〇〇五年一一月六日、占星術により縁起が良いとされた朝六時三七分、タンシュエ上級大将の命令により、一般大衆には何の予告もなく、官庁が引っ越しを始めた。ファイル、タイプライター、家具を満載した一〇〇〇台以上のトラックが列を連ね、未だに巨大な建設工事現場にすぎなかったネピドーに向かった。

今やタンシュエは全権を掌握していた。新たな憲法草案も近く仕上がることになっており、それは国軍と選挙で選ばれた組織が権力を分け合う折衷システムになる予定だった。計画は整った。だが、いくつかの事態がそれに横槍を入れることになる。

タンシュエの目の届かないところで、ビルマは深刻な人道危機に向かって突進していた。西側の各国政府から科された支援制限により、国際支援の額は年間一人当たり三ドルにまで落ち込んだ。その額は、バングラデシュでも九ドル、カンボジアでは三八ドル、ラオスでは四九ドル、ヴェトナムでは二二ドルだった[10]。それでも暫定軍事政権は、何の支援の手も差し伸べなかった。国庫は一九九〇年代初頭の破産寸前の状況よりは改善していたものの、教育と医療への支出はほぼゼロに近かった。二〇〇〇年、WHO（世界保健機関）はビルマの医療レベルを、アンゴラ、中央アフリカ共和国、果ては戦争で荒廃したコンゴ民主共和国より下の世界最下位に位置付けた[11]。

ブッシュが科した制裁は、揺籃期にあったビルマの製造業、とりわけ衣料品セクターに大打撃を与え、貧しい農村出身者がほとんどだった若い女性の少なくとも二〇万人が勤め先を失った。国際労働機関のラングーン支局長、リチャード・ホーシーはこう語っている。「仕事を失った彼らにはセーフティーネットがなかった。貯金のほぼ全額を家に送っていたからだ。大部分の者にとって、村に戻り、仕事を失ったことを明かし、それが家族におよぼす悪影響を見るなどということは、とても恥ずかしくてできることではなかった」。こうして多くの者がタイに渡った。

二〇〇四年、アフリカにおける国連活動のベテランで、ルワンダのジェノサイド（集団殺害）を現地で経験したチャールズ・ピートリーが、ビルマにおける最初の国連人道問題調整官に任命され、ビルマ全土の数十カ所におよぶ郡区において国連の支援が静かに拡大された。しかし暫定軍事政権は疑念を抱いた。以前は国際支援を要請していたものの、西側諸国の批判者たちがビルマにおける人道危機という概念を利用して介入を要求しはじめるにつれ、彼らは後ろ向きになっていた。チャールズ・ピートリーやラングーンにいた外国の支援コミュニティーは、際どいところで活動することを余儀なくされた。暫定軍事政権からは西側が求める政権交代に同調しているとして批判され、反政府勢力と彼らに同情的な西側の政治家からは、権力を牛耳る将軍たちと前向きに協調しすぎていると批判されたからだ。

ＨＩＶ／エイズ、結核、マラリアを克服するためにビル・ゲイツと複数のヨーロッパ諸国によって設立されたグローバルファンド（世界基金）もビルマ支援を開始していたのだが、西側の親民主派活動家からの強いプレッシャーにさらされて、二〇〇五年にビルマに対する九八〇〇万ドルの助成金を撤回した。

民主化運動の参加者のなかには、きわめて不安定な状況のなかで、できる限りのことをしようとした者もいた。二〇〇二年に、当時三〇歳だったピューピューティンは、ラングーン初のＨＩＶ／エイズ患者のためのホスピスを設立し、その後の五年間で、政府の病院からも国際機関からも見捨てられた一五〇〇名の患者の看護にあたった。ピューピューティンは、当局に一カ月以上拘束された経験があったにもかかわらず（アウンサンスーチーを支援するための祈禱《きとう》集会を組織したために拘束されたのだった）、喫緊の人道的問題と取り組むために政府と共同するのは可能だと信じていた。「ＨＩＶ／エイズを克服するためには、〔政治的な〕側に立っていてもかまいません」と彼女は語った。「政府のみならず、どんな組織とも協力を辞さないつもりです」(12)

今や数百万人の市民が移動を始めた。マウンタンもその一人だった。両親は貧しい農民で、一九八二年、彼が七歳のときに離婚していた。六年生で学校からドロップアウトしたあとは、生き延びるために何でもした。牛の世話をし、ラングーンの茶店で床を掃き、しばらく建設現場で働いたあと、南部に行って木材会社で伐採の仕事に就いた。ラングーンで仕事が得られる望みは薄かったため、二〇〇五年、彼はタイの漁船の求人に応募した。そして奴隷になったのだった。(13)

タイは世界第四位の海産物輸出国で、世界中のスーパーマーケットに魚介類を提供している。二〇〇〇年代にこの産業を支えていたのは、騙《だま》され、薬を盛られ、誘拐されて、過酷な環境で一回に何年間も労働を強いられた数千人のビルマ人だった。

漁船は、遠くインドネシアまで出航し、警察の船を見つけると、すぐ逃げ出すということを繰り返していた。マウンタンと他のビルマ人は、作業中以外は鍵のかかった二重ドアのある船室に監禁された。船長、副船長、操縦士はタイ人で、十数名の作業員はビルマ人だった。給与は二年間にわたって一切支払われなかった。食事も不規則で、つねに殴られ続けた。船長は何度か変わった。「人間的に扱ってくれた船長もいましたが、残忍な者もいました」とマウンタンは私に打ち明けた。「休みなしで一度に二四時間働き、それ以上働くこともありました。作業中に意識をなくした者もいます。網が破れたときには、何日も、文字通り何日もぶっ通しで働かされました。ときには交代で数時間寝られたこともありましたが、いつもコーヒーと覚醒剤を飲まされていたんです」。マウンタンは同僚のビルマ人四人が射殺されるところも見たという。最終的に彼は、ビルマ人の出稼ぎ労働者の支援活動を行っているＮＧＯの「イッサラ」とタイ国軍により救出された。奴隷になってから一〇年の月日が経っていた。

国連は、世界におけるその使命は紛争の防止と平和構築にあると好んで言う。参加国は複数の国連会議において、平和と発展と人権の尊重は互いに結びついており、〈ホリスティックな〉方法で取り組まなければならないと合意する。これらの崇高な理念は、数十年におよぶ、戦火に引き裂かれた社会の経験から導かれたものだ。しかし、ことビルマについては、そうした理念は投げ捨てられ、目標は民主化とされて、それ以外のことは重要視されなかった。

国連総会は毎年のように、ＥＵが草案を作成した決議案を可決した。それは実質的に、暫定軍事政権に対してＮＬＤに権力を移譲するよう求める決議案だった。武力紛争のことやビルマの悲惨な貧困のことには、ほとんど触れなかった。いわんや、制裁や支援制限がビルマを人道的な惨事に陥らせかねないことについては、議論すらされなかった。

国連には、ビルマに対する一連の特使や特別顧問が代々存在した。二〇〇〇年代初期の国連特使だったマレーシアの外交官、ラザリ・イスマイルは、アウンサンスーチーに初めて会見したときのことを、こう振り返っている。

「しばらく待たされたあと、彼女が現れた。冷静で落ち着いていて、伝統的な青いブラウスとサロンをまとい、ブンガメラー〔ジャスミンの花〕を髪に挿していた。こう言ってよければ、堂々とした登場だった。そのことは間違いない。彼女の周囲に漂うメラーの香りや何やらで、彼女は非常に魅力的に見えた。

会見の最初のほうで、私はつい、〈あなたは勇敢なだけでなく、魅力的です〉と口にしてしまった。それはどう考えても、もってのほかの無作法だった」(14)。イスマイルは、自分の役割は、アウンサンスーチーと将軍の話し合いを取りもつことのほぼ一点にあるとみなしていたが、その試みは進展をみなかった。

二〇〇五年四月、コフィー・アナンは、タンシュエ本人に会った最初の国連事務総長になる。場所は、インドネシアのバンドンで、非同盟運動を提唱したバンドン会議〔第一回アジア・アフリカ会議〕五〇周年の式典でのことだった。アナンは数十人におよぶ各国の政府首脳と会談する予定で、タンシュエとの会談では話の口火を切り、アウンサンスーチーのことに触れるのは、二〇分の会談の最後にするようにと助言を受けていた。時差ぼけと何時間にもわたる会議で疲れていたアナンは、まずタンシュエに口火を切るよう促した。するとタンシュエは、第二次世界大戦以来のビルマの歴史について〔国軍の観点から〕一時間近くも滔々《とうとう》と話し続けた。ようやく話に割り込むことができたアナンがアウンサンスーチーのことを尋ねると、タンシュエはメモ帳を閉じ、会談の終了を示唆した。

次の特使は、陽気なナイジェリア人の学者で元外務大臣のイブラヒム・ガンバリだった。彼が二〇〇五年に行った最初の訪問は成功のうちに終わり、タンシュエだけでなく、自宅軟禁下で連絡がとれなくなっていたアウンサンスーチーにも会うことができた。暫定軍事政権は譲歩したつもりだった。だが、その数週間後、ガンバリが安全保障理事会に状況報告をすると、将軍たちは激怒した。彼らにしてみれば、安全保障理事会でビルマに関する議論が行われることは、たとえどんなものであっても、国際介入を招く第一歩になりかねなかったからだ。コフィー・アナンはタンシュエに電話をかけたが、タンシュエは電話口に出ようともしなかった。

国連にも、民主派陣営から圧力がかかっていた。二〇〇六年五月、国務長官に就任してから一年と少し経ったコンドリーザ・ライスが、アウンサンスーチーの党であるＮＬＤに支援メッセージを録画したビデオを送った。アウンサンスーチーが自宅軟禁下にいたそのとき、ＮＬＤは、自らの運命をノーベル賞受賞者に託した、おもに元軍人からなる七〇代の〈おじ〉たちに率いられていた。彼らは、ライスのメッセージが「嬉しかった」と『ワシントン・ポスト』紙に語った。「彼女の言葉は、不安の中にいた私たちの士気を高めてくれた」と。彼らはまた『ポスト』紙に、もっとも重視すべき政治問題より人道支援に関心を示しているチャールズ・ピートリー〈国連人道問題調整官〉に不満を抱いており、コフィー・アナンについても「不満足だ」と述べた。「私たちを〈暫定軍事政権とともに〉会議室に入れてくれさえすればいいのだ。あとはこちらがやるから」と言って。

二〇〇七年七月、中国がこの論争に参入し、ビルマ政府とアメリカ政府が直接対話する機会を北京でお膳立てでした。この会談は、たいした成果は挙げられなかったものの、両政府は、必要であれば中国を仲介者としてふたたび対話の機会を持つことに同意した。それと同じころ、デズモンド・ツツ元大司教、ジミー・カーター元アメリカ大統領、コフィー・アナン元国連事務総長〈国連から引退したばかりだった〉らからなる新たなグループ「ジ・エルダーズ」〈〈長老たち〉の意〉も、ビルマに関与する方法を探っていた。

そんなおり、ビルマの一般市民が自らの声を届けようとして立ち上がる。

二〇〇七年初頭、ラングーンの貧困者たち――おもに、国軍とその取り巻きの資本主義者による土地没収により地方から移って来た者たち――は絶望的な状況に立たされていた。インフレーションは過去最高になり、物価はほんの一二カ月のあいだに五〇％近くも高騰した。「なぜエデンの園に深刻な栄養失調がはびこっていると思う？　それは人々が貧しいからだ」と、一九九四年以来ビルマで国境なき医師団を率い、医療を提供してきたオランダ人医師のフランク・シュミットハウスは、当時そう語っている。「人々の暮らしは一日三食から二食へ、そして一食になった。一日一食では到底やっていけない」(15)

その年の二月に小規模なデモが起き、四月にもふたたび起きた。物価の抑制と、健康、教育、電気事情の改善を求めた二四人が拘束された。デモ隊は「物価を下げろ」などと書かれたプラカードを掲げて行進した。八月一五日には、政府が予告なしに燃料価格を五〇〇%上げ、結果としてバスの運賃が高騰した。バスは、ほとんどの労働者にとって、職場に行く唯一の手段だった。

その数日後、一九八八年に学生として蜂起した世代が、ラングーンの大通りでデモ活動を行った。彼らは、もう少しで勝利するところだった8888蜂起を率いたかつての若者たちだった。今や四〇代になり、数年前に刑務所から釈放されたばかりだった彼らは、暫定軍事政権とアウンサンスーチーとのあいだの政治的行き詰まりを目にして新たな打開策を模索したが、失敗に終わっていた。彼らはまた、貧しい市民が直面している極度の苦境を目の当たりにし、将軍たちと反体制派の双方を巻き込んで国際支援を「惹きつけ、調整する」メカニズムを提案していた。それまでは対立を避けてきていたのだが、今や、いちかばちかの勝負に出たのだった。

彼らはすぐに逮捕された。8888蜂起のリーダーの一人、コーコージーは、自分を待ち構えているものが何であるかをよく知っていた。アパートに警察が現れたときには、すでに鞄に荷物を詰め終わっていたという。中身は、着替え二着、歯ブラシ、そしてオックスフォード現代英英辞典だった(16)。

散発的なデモは続いたが、当局は無慈悲に対応し、反体制派を一斉検挙したうえ、暴漢を使って集会を蹴散らした。状況は沈静化しつつあるように見えたが、そのとき事態は予想外の展開を迎える。

九月五日、ラングーンのはるか北、マンダレーからさほど遠くない、数十の僧院を擁する埃《ほこり》っぽい川岸の町パコックで、サフラン色と深紅の僧衣をまとった僧侶たちが、ラングーンで拘束されたデモ参加者への支持を示すために、自らの抗議デモを組織した。僧侶は一般市民と距離が近い。僧院はビルマ全土を通じて、国家がまかなわない社会福祉を提供してきた。孤児や、親が貧困のため世話をすることができなくなった子供たちには、教育を授けた。裁判所が腐敗しているところでは、人々の裁定を行った。活動資金はお布施に頼っていたが、それも今や枯渇しようとしており、僧侶たちには多くの市民の困窮状況がよくわかっていた。

警察は抗議活動に加わった三人の僧侶を殴打した。そのニュースはビルマ全土約四〇万人の僧侶のあいだに広まり、仏教徒の指導者たちは、九月一七日を期限として政府に謝罪を要求した。しかし期日が過ぎても謝罪が寄せられなかったため、僧侶たちはラングーン、マンダレーをはじめ、全国の町々で街頭デモを行った。僧侶たちはまた、政府の官僚、将校およびその家族たちに対して仏教儀式を執り行うことも拒否した。これは、非常に信仰心の厚いビルマ社会にとって、とりわけ深刻な動きだった。

九月二二日までには、頭を丸めた数千人の僧たちが、古代の慈経「メッタスッタ」を唱えながら、赤味がかった波となって、雨に濡れて光るラングーンの大通りを歩いていた。この経には、次の念仏が含まれている。

サッバサッタ―　バヴァントゥ　スキタッタ―（一切の生きとし生けるものは、幸福であれ、安楽であれ）

スキノ―ワ　ケ―ミノ―　ホ―ントゥ（一切の生きとし生けるものは、安全であれ、無事であれ）

一列の僧がアウンサンスーチーの家の前を通りかかった。自宅軟禁下にあった彼女は、ここ数年間、公衆の前に姿を現していなかった。だがそのとき、モンスーンの土砂降りのもと、彼女は門を開け、道端に立って、僧侶たちから祝福を受けたのだった。

それから一週間もしないうちに弾圧が始まった。国軍はデモ参加者に発砲し、僧院を強制捜査し、僧侶の特権を剝奪して僧侶たちを逮捕した。死者は数十人におよんだと思われる。だが、近年のビルマ史におけるほぼすべてのこのような出来事と同様に、人数は検証されていない。

このビルマの情勢が世界のメディアによって報道されたのは、ちょうど世界のリーダーたちが国連総会に出席するためにニューヨークに集まっていたときだった。ダライ・ラマは声明を出して、ビルマの仏僧たちとの連帯を表明した。俳優のジム・キャリーは、国連事務総長バン・ギムン（潘基文）への嘆願を録画して、ユーチューブにアップロードした。ジョージ・ブッシュは国連総会におけるスピーチの中心にビルマ問題を据えて、さらなる制裁追加を発表し、「ビルマ国民が変化を渇望していることはまさに疑いようがない」と語った。

国連の日（一〇月二四日）、チャールズ・ピートリーとラングーン駐在の国連機関が、ビルマ最貧困層の困窮に注意を促す声明を発表し、それこそが僧侶の抗議の目的だったと述べた。その声明には、政府が発表した貧困に関する公的な統計値よりはるかに悪い数値が含まれていた。その数日後、チャールズ・ピートリーはビルマ退去を命じられる。暫定軍事政権を真に苛立たせたのは、弾圧に対する批判よりも、経済的成果に対する批判だった。

抗議は貧困層の経済的絶望に根差していたにもかかわらず、西側諸国は一連の出来事を、民主派による抗議活動に対する国軍の弾圧ととらえることを選んだ。この抗議デモはのちに「サフラン革命」と名付けられる。それは、ウクライナの「オレンジ革命」や、旧ソヴィエト圏地域の他の「色の革命」〔非暴力革命〕になぞらえたものだ。ビルマで起きていたデモの経済的な側面は、ほぼ完全に無視されてしまった。

私がビルマのシーンに再登場したのは、このあたりだ。一九八八年から九一年まで、私はアメリカとイギリスの政府に対し、考えうる限りもっとも厳しい措置を暫定軍事政権にとるよう促す活動をしていた。だが一九九二年ごろまでには、支援制限と経済制裁に対して、しっくりしない思いをますます強く抱くようになっていた。その理由の一つは、それらの措置が意図せぬ人道的危機をもたらしていたことにあったが、それと同時に、ビルマをその殻から引き出せることなら、たとえそれがどんなことでも——たとえば適切な種類の貿易、投資、果ては観光業でも——ビルマにとって恩恵になると感じたからだ。私はこうした考えを記事にして発表したが、それは未だに禁輸措置を提唱する同僚たちを怒らせることになり、その後一四年間、ビルマについて公に発言することは控えた。その代わり、博士論文を仕上げ、その後、一九世紀のビルマ社会とその植民地政府統治への遷移に関する著書『近代ビルマの形成（The Making of Modern Burma）』を上梓した。私はイギリスによる統治がビルマに残した影響について研究を行った。一九九六年に、私はビルマ政府からビルマ訪問を八年ぶりに許可される。そして、二冊目の本『消え去った足跡の川（The River of Lost Footsteps）』の執筆を通じ、ビルマの問題の根源は国軍の独裁にあるだけではなく、戦火、孤立、貧困化を生み出した独特のナショナリズムにもあることをより明白に理解するようになった。ビルマに必要だったのは、単なる政権交代ではなく、より抜本的な変革プロセスだった。

そうした年月のあいだ、私は国連に断続的に勤務した。五年間にわたってカンボジアと旧ユーゴスラヴィアで国連平和維持活動（ＰＫＯ）に関わり、ニューヨークの国連本部には七年間勤務した。さまざまな部署を経験し、最終的には国連本部政務局の政策ユニット長になって、国際外交の仕組みや国際組織の限界などをじかに目にしてきた。

ボスニア戦争の際にはサラエヴォにいた。当時私は、残虐行為をやめさせて公正な解決をもたらすためには、何よりも、ボスニア政府の側に立つ北大西洋条約機構（ＮＡＴＯ）主導の軍事介入が必要だと考えていた。しかし二〇〇七年までに、外部からの介入は、それがすべての当事者によりすでに合意された和平協定の一部でない限り、たとえどんなものであっても、そしてどの地域においても機能しないのではないかという思いを強くした。私は、イラクへの介入は大失敗に終わるだろうと助言した。その理由は、アメリカにサダム・フセインを打倒する力がなかったからではなく、〈国際社会〉には、それが起きたあとに対処する能力がまったくなかったからだ。私の最後のプロジェクトは、国連が手がけている国について、国連自身の理解を深めることだった。このプロジェクトは失敗に終わった。理解を深めることは、さらに複雑な層を何層も加えることになり、そうしたものに対処する準備が国際組織にはなかったからだ。

そのころまでに私は、個人としてビルマを数回訪れ、親族や友人たちに再会し、国中の地域を可能な限り旅していた。近隣のアジア諸国の経済があれほど繁栄を続けている最中にビルマの極度の貧困を目にするのは辛かった。私自身の親戚も苦境に立たされている者が多かった。私が国連を去ったのは、官僚政治から一時離れて、何か違うことをやってみる機会を手にしたかったからで、一年か二年経ったら、また戻るつもりでいた。だが、ビルマの凋落、そして何より、自ら鎖国政策をとっている国家をさらに孤立させるという、西側諸国の完全に逆効果のアプローチを目にして平気ではいられなかった。私は革命が可能だとは思えなかった。だとすれば、現政権と何らかの方法で関わらなければならない。そこで私は、その一助になれないかどうかやってみることにした。

私のことを知る人は、ビルマにはほとんどいなかったが、元国連事務総長だった祖父については誰もが知っていた。かつて祖父の埋葬が抗議デモを引き起こしたため、祖父と関わる一切のことは（私と関わることも含めて）、潜在的に反体制的だとみなされていた。そのため、私が海外にいるビルマの外交官たちに接触しはじめたときには、みな用心して身を固くした。だが私が制裁に反対する論説を書きはじめると、政権は興味を示しはじめた。

僧侶の抗議デモが弾圧されてから一カ月後、私はネピドーに招かれた。当時新首都は未だに完成からほど遠く、やたらに広い場所だった。ホテルゾーンはニューヨークのアッパー・イーストサイドほどもあり、数十棟のホテルが建っていた。平屋建てのホテルが連なる場所もあったが、麻薬がもたらす悪夢を思わせる異様なドームや小塔を備えた建物もあった。あるホテルなどは飛行機の形をしていた。私が泊まった「ロイヤル・クムドラ」は、そこそこ快適なホテルで、カザフスタンの石油・ガス企業から来たロシア人の一行を除いては、他に誰も泊まっていなかった。私は現役の将軍一人、大臣一人、そして複数の上級官僚に面会した。みな慇懃《いんぎん》で、警戒を緩めず、私とどのような関係を築くか決めかねていた。将軍は、タンシュエその人の明確な指示のもとに私に会っていると言った。

彼らは、ほぼ全員が外の世界から隔絶されていて、西側の政治または政策については、ほとんど理解していなかった。ビルマの歴史に関する長い独白をしがちで、英語を理解する者はごくわずかだった。また、みな自分たちは根本的に誤解されていると考えていた。ある将軍はこう私に語った。「もし私が西側の為政者で、彼らのメディアが報じることだけを通じてしかビルマのことを知らなかったら、私も彼らと同じことをするだろう。私は、彼ら以上にビルマに厳しく接する！　だがメディアの報道は間違っている。われわれは彼らが思っているものとは違うのだ」

国連安全保障理事会は、反政府デモのあと、ビルマに関する初めての声明を出していた。私が会見したビルマの官僚たちはそのことについて激怒しており、自分たちはイブラヒム・ガンバリ特使と協調しようとし、数カ月前には彼の要請に応じて、アウンサンスーチーとの仲介者まで任命したと語った。私は彼らに、実際に起きたことと国際的感情の深刻さに鑑みれば、国連の声明がその程度だったことをありがたく思うべきだと伝えた。それは実際、ビルマが被りかねなかった痛烈な批判の最低限のものだった。この情報は彼らにとって初耳だった。

これら初期の面談からでさえ、彼らの本能は弱みを見せないことにあることがわかった。変化は可能で、望ましいものでさえある。だが、それはプレッシャーに屈したように見える形では受け入れられないものだったのだ。「われわれは戦場で暮らしてきた」とある上級将校が言った。「踏みとどまって死ぬまで戦えと、つねに言われてきたのだ」と。

その同じ月に、私はワシントン、オタワ、ロンドンのほか、ヨーロッパじゅうの首都に出かけて、各国の外相や開発相をはじめ、ビルマに関心を抱くあらゆる人と話をした。当時はあるシンクタンクにフェローとして属していたのだが、その肩書は使わず、国連で築いた人脈や窓口を通して、個人の権限で動いた。私は、制裁と支援の抑制は、単に機能していないどころか、貧困層を苦境に追い込むだけだと説いた。長年続く民族間紛争に取り組むことと貧困を終わらせることこそ、国際的な政策の中心に据えるべき課題であること、そして大きな壁はビルマの孤立状態の中で育った奇妙な心理状態であり、適切なタイプの経済関与を含めて、この孤立を打破する方法を模索すべきであると説得した。はっきりと反論する者は誰もいなかったが、敢えてビルマの大義のために波風を立てようとする者もいなかった。率直に言って、ビルマは重要視するだけの価値がなかったのだが、民主化運動への連帯を示すことは政治的には得策だったのである。結果はどうでもよかったのだ。

私が訪れたアジア各国では、シニカルなものであることについては変わりなかったものの、ビルマに対する見方は異なっていた。彼らはビルマの〈民主主義を推進〉させることには興味がなかった一方、何か革新的なことをビルマについてすることについても、たいした関心は示さなかった。大部分の者は、将軍たちはへまをしながらも、どうにか切り抜けるだろう、それだけのことだ、と感じていた。例外は中国で、彼らは自らを利する企てを着々と進めていた。

ビルマの新憲法の是非を問う国民投票の実施日は、二〇〇八年五月に設定された。反体制派と西側の支援者たちは、この憲法は軍政継続を覆い隠す〈イチジクの葉〉にすぎないと非難した。ジェニファー・アニストンとウッディ・ハレルソンは「ビルマ──待ったなし。二九日目」(Burma: It Can't Wait Day 29) と題した動画をユーチューブにアップロードした。五月一日には、ジョージ・ブッシュが新たな制裁追加を表明した。その翌日、ニューヨークでは、国連安全保障理事会がアメリカとイギリスの支援を受けた声明を発表し、ふたたびビルマ政府に対して〔来る国民投票と選挙について〕「態勢を確立し、包摂的で信頼性の高いプロセスを導く雰囲気を築く」ように求めた。それは、中国とロシアの承認を得るために和らげられた控え目な声明だった。にもかかわらず、世界から袋叩きにされることをつねに恐れているビルマの将軍たちは身構えた。

サイクロン「ナルギス」がラングーンに上陸したのは、その週の金曜の夜だった。

第4章　テンペスト

トゥラアウンは、ボガレーという町の近郊にある小村、アマカンで育った。イラワディ川の源流は、ビルマ北部の雪をいただくヒマラヤ山中にあり、南に向かって数千キロ流れ下るあいだに数えきれない分岐を繰り返して、暖かなベンガル湾に注ぎ込む。その河口には広大なデルタが広がっている。アマカンはデルタに刻まれた入り江の奥にある村だ。

ウェストヴァージニア州やイングランド南部に匹敵する面積を持つイラワディデルタは、かつては沼地だらけの僻地《へきち》だった。しかしイギリスによる統治時代には、イギリス領インドからの融資とビルマ人季節労働者という組み合わせによって、世界でもっとも収益性の高い稲作地帯になった。世界大恐慌に見舞われたあとはふたたび貧しい地域になってゆくが、それに反して人口は増えていった。土地が手狭になるにつれ、貧しい人々は、海と陸地を隔てていたマングローブの森を伐採し、海岸近くに移り住んだ。

トゥラアウンの一家は、一九九〇年代、彼が一〇代の若者だったときに、アマカン周囲の森林伐採に加わった。その後、ゴマの栽培を試みて失敗するものの、稲作に転じたのが成功し、一家は二〇ヘクタールほどの水田を所有するようになった。微笑みを絶やさない中背のトゥラアウンの子供時代は幸せなものだった。きょうだいはほかに四人。近くの学校に通ったあと、ラングーンのダゴン大学に進学して歴史を学んだ。歴史を専攻した理由は、一番楽な課程だったからだという。ラングーンでの生活はまったく新しい経験だった。それまで都会に出たことがなかったトゥラアウンは、ラングーンに着いたあとの数カ月、バスに乗るのを楽しんだという。大学の課程を終えたあとは、家族の農地を手伝うため、すぐにアマカンに戻った。

二〇〇〇年代半ばのアマカンは、人口およそ四〇〇人の村だった。大部分の農家は、四ヘクタールから六ヘクタールの水田を所有していたが、そのころまでにトゥラアウンの両親の所有地はその一〇倍ほどになっていた。農作業のシーズンが訪れると、田植えや稲刈りのために村の外から二〇人ほどの人々を雇い入れた。そしてその収益で、木と竹でできた家ばかりの村に、最初のレンガ造りの家を建てた。一日の終わりを過ごすたいした娯楽はなく、ビデオまたは小さなパラボラ・アンテナを使って映画を観た。一家にはカラオケ装置もあった。「当時それは最新流行の持ち物だったんです」。それから何年ものちにラングーンで会ったとき、彼は私にそう語った。そうしたものに使っても、一家には、まだ毎月一〇万チャットほどの金を貯める余裕があった。当時それは数百ドル分の価値があり、ビルマの村人の水準から言えば、彼らは富裕な一家だった。

二〇〇八年五月一日、トゥラアウンは小舟で数時間ほど行ったところにある祖父の村を訪れていた。道路と橋は主要な町しか結んでいないので、デルタの人里離れた地域に行くには、小舟が唯一の交通手段だ。トゥラアウンの祖父は彼に、村で商店を営む一家の娘、ワーワーカインと見合いをさせようとしていた。双方の家族にとってこの結びつきは良縁で、見合いの席では、カレー、サラダ、軽いスープからなるビルマの食事をとりながら社交辞令が交わされた。そのうち雨が激しく降ってきた。泊まっていくようにみなから勧められたので、トゥラアウンはそうすることにした。

翌日、雨の勢いは次第に弱まっていったが、トゥラアウンは村の近くの入り江の水位が上昇を続けていることに気がついた。本来なら、引き潮に伴って水位は下がるはずだった。この異常な現象は六年前の津波を思い出させ、また同じことが起こるのではないかという思いがよぎった。だが、二〇〇四年一二月二六日に起きた津波は、インドネシアとタイとスリランカに壊滅的な被害をもたらしたものの、ビルマの被害はそれほどではなかったので、トゥラアウンはとくに心配してはいなかった。

だが午後五時までに、風が猛烈に強くなった。トゥラアウンはまたもやアマカンに戻ることを延期した。そのうち小川の水が道にあふれてきた。ラジオを付けても何も聞こえなかった。次に電話回線が止まった。午後七時、突風が祖父の家の屋根を吹き飛ばした。海水が壁となって家に押し寄せるなか、トゥラアウン、祖父、おば、妹は、プラスチック製の椅子に座り、防水シートの下で体を寄せ合った。「外は真っ暗で、風の音と強さは、それまで経験したことのないものでした」と彼は言った。

それより三日前の四月二八日、ニューデリーにあるインド気象庁が、脅威になりそうな嵐がベンガル湾で発生しつつあることに気づいて「ナルギス」と名付けた。ペルシャ語で「水仙」を意味するこの言葉は、ボリウッド映画俳優の名でもある。インド気象庁は発達しつつある嵐を注意深く追った。当初はインドのコロマンデル海岸のどこかに上陸するのではないかと思われたが、それは勢力を猛烈に増しながら北に進路を変え、バングラデシュをパニックに陥れた(1)。

四月三〇日、バングラデシュの軍事政権が緊急会議を開いた。学校は閉鎖され、低平地に暮らす数十万人が避難した。だが五月一日、今や〈シビア・サイクロン〉に格上げされたナルギスは、突如進路を九〇度変えるという異例のふるまいを見せる。湯気の立つ海水を取り込み、勢力を猛烈に増しながら、まっすぐ東に向かったのだ。翌朝六時ごろ、ナルギスは最高時速三四六キロの猛烈な風力を保ったままビルマ南東部の海岸に上陸した。それに続いて巨大な高潮が襲い、高さ三・六メートルを超える水の壁が四〇キロ先の内陸部にまで達した。五月二日の夕刻、サイクロンはラングーンを通過する。勢力はやや弱まっていたものの、それでも豪雨と暴風がこの五〇〇万人都市を襲い、無数の木々をなぎ倒し、膨大な数の建物を破壊したあと、東の高台に消えていった。五〇〇万近い人々のほぼすべてが質素な木造家屋に暮らしていた平坦地のデルタ地域にとっては、ナルギスは壮絶なスケールの大災害だった。

その日の午後八時、トゥラアウンのいとこたちが小舟で祖父の家にやって来た。数キロ離れた彼らの村ではすべての家が全壊し、近隣住民がどうなったかはまったくわからないという。トゥラアウンは両親のことが心配になった。「そのときまで、実際に起こっていることを完全には理解していなかったんです。自分がいる狭い地域だけが影響を受けているのだとずっと思っていました」。トゥラアウンといとこの一人は、小さなLEDの懐中電灯を頭に取り付け、生存者を探すため外に出た。水の深さは一・五メートル以上もあり、流れも強かった。二人は力を振り絞り、ココナツの木を一本ずつ伝いながら、やっとのことでじりじりと前に進んだ。三〇〇メートルほど先にある親類の家に行きつくには二時間もかかった。家は痕跡すらなくなっていたが、その隣にあった穀物貯蔵庫の中に、二人の子供を含む四人の親類が身を寄せ合っていた。子供たちを肩に乗せ、全員がトゥラアウンの祖父の家に避難した。

トゥラアウンの祖父の家は今やもっとも安全な場所になっていた。裏手にある米の詰まった穀物貯蔵庫が、家を風から守るいくばくかの手立てになっていたからだ。心をかき乱されてむせび泣いていたトゥラアウンのいとこの一人が、もう一度外に出て、彼女の父親、つまりトゥラアウンのおじを探してほしいとすがったため、彼はふたたび外に出た。今度は一人だった。おじは見つからなかったが、その代わりに木の下で身を寄せ合っている七人の隣人を発見し、全員を祖父の家に連れ帰った。

今や水位は急激に低下していた。「でもそのときまでには、ほんとうに怖くなっていたんです。誰も、何が起きているのかわかりませんでした。あらゆることが非現実的でした」とトゥラアウンは振り返る。午前四時になって、ようやくみな数時間仮眠をとることができた。防水シートの下にいても寒さを感じたが、ロンジー（綿のサロン）を見つけることができたので、びしょぬれになった服の上に巻き付けた。真っ暗闇のなか、風がうなり声を上げていた。

夜が明けると、もはや雲はかかっていなかったが、大気はひどくかすみ、異様な灰色がかった光が差していたと、トゥラアウンは思い出す。親類が穀物貯蔵庫にあった米を炊いたものの、海水で炊いたので、トゥラアウンは食べられなかった。真水はどこにもなかったが、水分はココナツの汁で補うことができた。みな呆然としていた。多くの者は静かにむせび泣いていた。外で目に入るものといえば、破壊された家々の上に木々が積み重なっている姿だけだった。

トゥラアウンは、両親はまだ生きているだろうかと思いを巡らした。その晩、新たに四人がやってきた。近くの村の住人で、生き残ったのは自分たちだけだという。彼らはまた、アマカンは壊滅したとも言った。だがトゥラアウンは自分の目で確かめたかった。運よく彼の小舟は壊れていなかった。川に出て最初に出会ったのは地元の役人で、すべてが破壊されてしまったと言った。さらに進むと、岸辺に人々の姿が見えた。みな裸か、わずかな布を体に巻き付けているだけで、泥にまみれてボサボサになった髪をしている姿は、野蛮人のように見えた。彼はまるで夢の中にいるように感じていた。次の村ではアルミニウムの板を見つけた。それが両親の家のものであることがわかったが、家はまだ五キロ近くも先だった。焚火で何かを料理しようとしている者もいた。トゥラアウンは先に進んだ。水の中にも、岸辺にも、そこかしこに死体が転がっていた。幼い子供の遺体もあった。犬、水牛、役牛をはじめとする動物の死骸もあった。ほぼすべての木が倒れていたため、遠くまで見渡すことができた。

「ある場所で、裸同然の人たちが豚を捕まえようとして走り回っているのが目に入ったんです。なんでそんなことをしているのかと思いました。ほんとうにこの豚を食べようとしているのかって。まるで狂った人たちのようでした。私を見て声をかけてきたので、アマカンに行くところだと答えました。でも舟に乗せたくはありませんでした。気がふれてしまっているんじゃないかと思ったからです」。次の村では、生きた人には一切出会わなかった。そこにあったのは、死体と一本のマンゴーの木だけだった。トゥラアウンは船を停め、そこで初めてむせび泣いた。やがて一艘の小舟が現れた。何キロも漂ってきたという。それを聞いたトゥラアウンは、アマカンにも生き延びた人がいるというのはあり得ないことではないと思った。

ついに両親の家にたどり着いたとき、家は潰れ、片側半分だけが残っていた。だが、母親、兄、兄の家族はみなそこにいて、壁際に座り込んでいた。そのとき、父親も現れた。嵐が襲ってきたときボガレーにいて、今戻ったところだという。家族は米を海水で炊き、全員で食べた。

その後の数日間、トゥラアウンの家では、崩れ残った部分に二一人が避難して暮らした。訪れてきた人には乏しい米を分け与え、略奪者や暴力を振るう者のことを恐れながら過ごした。アマカン村民の約半数は、命を落としたか、行方不明になってしまっていた。五月七日、ようやくトゥラアウンは最寄りの街に出かけられるようになり、みなのために衣類と食料を買い込んだ。その翌日、兵士が米と豆を持って現れた。

ナルギスは、五月二日と三日の二日間に、少なくとも一三万八〇〇〇人の命を奪った。トゥラアウンの村の周辺だけでも、四万三〇〇〇人の住人のうち八〇〇〇人が亡くなっている。暴風に襲われたり倒壊した家の下敷きになったりして死んだ者もいるが、それ以上の者が、そのあとの洪水によって命を落とした。イラワディデルタの南帯からラングーンにかけて、倒壊した家は四五万軒、半壊した家は三五万軒。海水は六〇万ヘクタールの農地に浸水し、耕作に欠かせない水牛も六万頭が溺れ死んだ。(2) 地域の全病院と診療所の四分の三は瓦礫と化し、半数以上の学校も倒壊した。多くの村は、地上から完全に消えてしまった。沿岸のボガレーやラプッタのような町も壊滅的な被害を受けた。ラングーン市内の道路は泥でふさがれ、瓦礫が散乱した。あらゆる場所で停電が起こり、電話回線は不通になり、橋は倒壊し、道路は通行不能になった。多くの共同体で、死者の数が生存者の数を上回った。

それは、ビルマの歴史始まって以来、群を抜いて最悪の自然災害だった。情報が漏れ伝わりはじめるにつれ、世界は支援の準備を整えた。だがこれは、単なる自然災害ではなかった。ナルギスは、それ以外の点では問題のない土地を襲ったわけではなかったからだ。その後の三週間に、この自然災害は世界規模の政治的危機をもたらすことになる。ビルマの危機は、一年もあいだを空けずに世界のテレビ画面を二度占領して、世界中の政治家と外交官を引き寄せたのだった。

ビルマ政府がこの迫りくる大災害について、何をいつ知ったのかは定かではない。サイクロンが迫っていることについてインド気象庁から警告を受けていたことは間違いないだろう。だがその嵐はビルマに実際に上陸した日あるいはその少し前まで、バングラデシュあるいはバングラデシュとビルマの国境付近に上陸すると予測されており、デルタに上陸するとは考えられていなかった。五月一日、ビルマ国営新聞は、アメリカ大統領予備選の記事（〈オバマ、クリントンに肉薄〉）とイギリス王室の記事（〈イギリスのウィリアム王子、隠密にアフガニスタン訪問〉）、そしてオーストラリアのファッションウィークの写真を載せていた。猛烈なサイクロン級の嵐に関する注意も掲載されてはいたものの、それは天気予報欄の中だけで、しかも単なる広範囲な〈降雨または雷雨〉という予報だった。五月二日の朝には、ラングーンを避けるように民間航空機を誘導したが、それ以外の措置はほとんどとられなかった。

五月三日の朝までには、はなはだしい被害の全貌が明らかになってきた。通信手段はダウンしていた。ネピドーが受信できた情報は大雑把なもので、おもにラングーンからの情報だった。それでも、被害を受けたすべての地域に緊急事態宣言が発令され、部隊や車両をラングーンとその先のデルタ地域に向かわせる指令が下された。災害対応の統括を任された首相のテインセイン将軍は、その日のうちに関連大臣と官僚からなる委員会を設立した。[3] 保健相もラングーンの総合病院に危機管理センターを設置して、全国の医師と看護師にただちに出向するよう命じた。しかし災害の規模はあまりにも大きく、ビルマの脆弱な官僚組織は、動き出すことさえほとんどできない状況だった。国軍は群を抜いて装備の整った組織だったが、実質的に反乱鎮圧のための軍隊であり、災害救助の経験もなければ、訓練も受けていなかった。

兵士たちが大混乱に陥るなか、国軍指導者たちの最初の本能的な反応は支配権を確保することだった。だが、この支配の感覚はすぐ、対処すべき問題のスケールと、二一世紀型救援活動に対する要求と期待とに挑まれることになる。

五月三日から七日までの四日間にかけて、トゥラアウンとその家族が半壊した家の中で身を寄せ合うなか、国連、国際ＮＧＯ組織、ビルマ政府、赤十字は被害を査定し、緊急支援を可能な限り提供しようと奔走した。ラングーンは壊滅的な状況で、ただちに瓦礫を撤去して基盤インフラを修復させるための必死の努力が続けられた。数多くの現地の慈善団体も、数十万人の一般市民を動員して迅速に行動を起こした。それはまさに英雄的な行動で、ビルマの市民社会の粘り強さを示していた。民間企業、職業集団、非公式な町内会、学校、仏教の僧院、キリスト教の教会、そして自発的に形成された友人のネットワークなどが、みな募金を集め、あらゆる手段を使ってデルタに物資を急送した。

五月五日までに、沿岸地域における死者数の膨大さが明らかになってきた。ＮＡＳＡの衛星写真には、かつて村々や農地があった一万平方キロ近い地域が、一面の淡いブルーの海水に覆われている姿が写っていた。次に起こるべきは、二〇〇四年の津波の際のような大規模な国際救援活動だった。しかし、複数の要素が組み合わさってその動きは阻まれ、支援は遅延し、数週間にわたり外交活動が大混乱することになる。

その最初の要素は、ビルマ政府の反応の遅さと、その遅延に対する諸外国の捉え方にあった。この大災害にただちに対処する資源が手許になかったことについては、誰も暫定軍事政権を咎められなかっただろう。どんな国でも、たとえ主要先進国でも、同じ状況に陥ったにちがいない。だが、国軍の意思決定プロセスと情報システムの典型的な不透明さが、ビルマ政府自らの努力を見えないものにしてしまった。ネピドーの政権内部にいる者以外には、政府が少しでも何かをしているのかどうかを知るすべはまったくなかったのだ。そして、ビルマからの最近の大ニュースと言えば、二〇〇七年に暫定軍事政権が僧侶の率いる抗議活動を無残に弾圧したことだったため、疑わしきは罰せずというルールをビルマ政府の行動に当てはめようとする者はほとんどいなかった。こうして、ビルマ政府には、またもや〈悪党〉

というレッテルがただちに貼られてしまったのである。

外国の救助活動従事者がビルマに入国し、ラングーンを超えた地域に行くための既存の（そして煩雑な）査証取得手続きもそのままだった。災害発生後二四時間以内に、世界中のビルマ大使館の前では多くの災害救助専門家がビルマの人々を助けたい一心で列を作っていた。そして、それから四八時間以内に、ビルマに入国できないことにショックを受け、フラストレーションを募らせていた。ラングーンでは、国連の外国人スタッフが、もっとも被害を受けた町や村を訪れる許可をじりじりしながら待っていた。タイのバンコクには、数十社におよぶ国際報道機関のクルーが到着していたが、彼らもまた足止めを食らっていた。(4)

実際には、ビルマ政府は国際支援を要請しており、ビルマで長く活動を続けてきたユニセフ（国連児童基金）やワールド・ヴィジョン〔寄付・募金で世界の子供を支援する国際的な特定非営利活動法人〕などのNGOに特定の支援を要請していた。中国、インド、タイをはじめとする近隣諸国からの、食糧、水、他の緊急支援物資を満載した航空機もラングーンに到着していた。CAREオーストラリアのような慈善団体は、ビルマ政府の協力態度には問題がなかったと声明を出している。しかし、ニューヨーク、ジュネーヴ、バンコク、そして他の地域で待ちぼうけを食わされていた国連や西側諸国の災害援助専門家とジャーナリストを通して、ビルマ当局は、必要とされている世界からの支援を阻止し、またもやビルマ国民のニーズを冷淡に無視しているという話が急速に広まった。

五月五日の月曜日、アメリカ大統領夫人のローラ・ブッシュがテレビに登場して、ナルギス災害に対するビルマ政府の対応を批判した。それは「国民の基本的ニーズに応えられない暫定軍事政権の、もっとも最近の失敗例にすぎません」と彼女は語った。その翌日、公的に発表された犠牲者の数が、死者二万二〇〇〇人、行方不明者四万一〇〇〇〇人に急増するなか、ブッシュ大統領本人が、アウンサンスーチーに議会名誉黄金勲章を授与する記念式典を主催した。この勲章は、大統領自由勲章とともに、アメリカ合衆国が文民に授与する最高位の賞である。じつはこの叙勲自体は、はるか前から計画されていたものだったのだが、このアメリカ大統領の行為とローラ・ブッシュのテレビコメントという組み合わせは、〈アメリカからの支援イコール敵からの支援〉という思いをビルマの指導者に強く抱かせることになった。自然災害が生じたあとに災害対策専門家を現地に派遣して被害程度を査定するのは、アメリカがつねに行っていることだ。しかし暫定軍事政権は、彼らはスパイであり、地下の反体制活動家とチームを組んでナルギスによる緊急事態を利用し、政権変革という彼らの目標を推し進めるのではないかと恐れ、彼らの入国を拒否した。

ビルマ政府にさらに大きな疑念を抱かせたのは、沿岸に現れたアメリカの軍艦だった。ホワイトハウスでアウンサンスーチーの受勲式が行われたその日、アメリカ国防総省の報道官が、エセックス打撃群――強襲揚陸艦『エセックス』が率いる四隻の軍艦――と第三一海兵隊進攻部隊、および二三機のヘリコプターと一八〇〇名の海兵隊が災害地域の近くに待機しており「支援準備は整っている」と述べた。(5) 報道官はさらに、第七艦隊の旗艦である揚陸指揮艦『ブルーリッジ』、航空母艦の『キティーホーク』と『ニミッツ』も「すべて領海内にいる」と述べた。それらに搭載されていたのは、切に求められていた支援を超大国の効率で届けられる素晴らしい能力だった。だが、緊急支援の提供というこのアメリカの善意は、ビルマ当局にとっては、最悪の悪夢が現実になったものに他ならなかった。沿岸にあった自らの海軍の基地はナルギスにより粉砕され、今や、アメリカの海軍がラングーン目指して全速力でやって来ようとしていたのだから。

ほぼ誰もが驚いたことに、五月一〇日、ビルマ政府は以前から計画されていた新たな憲法に関する住民投票を予定通り実施した。政府を批判する者にとって（その数は多かった）、それこそまさに、一般市民の苦境に対する暫定軍事政権の関心の欠如を示すものであり、貴重な資源を今そこにある人道危機への対処に使う代わりに自らの政治的目標を推し進める手段に使おうとする暫定軍事政権の意欲を示すものにほかならなかった。

一方、現場では、すでに国内にいた支援機関、ビルマ人のグループ、現地の当局が支援を続けていた。だが、それは十分というにはほど遠かった。ラングーンは、ある程度までの正常さを取り戻しつつあったが、デルタ地域の状況は非常に異なっていた。犠牲者の数は急増して今や一〇万を超える人々が死亡または行方不明となり、二〇〇万以上の人々が支援を緊急に必要としていることが明らかになった。下部デルタは一面泥の海となり、道路も橋もなく、何百にもおよぶ小川や細い水路が縦横無尽に走り、数十カ所にわたって海が入り江をえぐっていたため、今や実質的に陸からは近づけない場所になっていた。空は黒い雲に覆われ、新たな嵐が沿岸を襲った。政府は道路にバリケードを築き、許可証を持たない者――実質的にすべての外国人――は一切ラングーン域外に出られないように図った。生き残った数十万の人たちがどうやって生き延びているのかは、誰にもわからなかった。サイクロンの襲来から一週間後、専門家たちは、飢餓が蔓延しはじめ、水を媒介とする病気がさらに数十万人の命を危うくする可能性があると警告した。

そこに登場したのが、ノーベル平和賞を受賞した国際人権団体「国境なき医師団」の創設者、ベルナール・クシュネルである。この団体は、紛争地帯における活動と、被害者の権利を擁護して声を上げることで有名だ。クシュネルは当時、フランスの新たなニコラ・サルコジ政権で外務大臣を務めていた。

二〇〇七年の反政府抗議活動の際に、タンシュエ将軍下の暫定軍事政権を激しく非難したクシュネルは今、ビルマ政府を通して支援を行うことは賢明なことではないかもしれないと警告した[6]。そのとき、フランスとイギリス海軍の軍艦も、アンダマン海にいたエセックス打撃群や他の船に加わって、上陸許可を待っていた。

五月七日、世界のフラストレーションは、不信感に、そして激怒へと変わった。そしてメロドラマティックなクシュネルは、〈保護する責任〉という新たな原則のもとに強硬措置をとるべしと、国連の安全保障理事会にぶち上げた。他の理事国も同意し、サイクロン上陸からほんの四日後に、世界中の評論家やご意見番たちが、ビルマ侵攻の是非について声を上げるようになった。

今こそ、ナルギスの被害者を救うために軍事力を行使すべきか？　ビルマ政府が十分迅速に対応していないことは明らかで、外部からの支援も制限しているものの、支援をスピードアップするために軍事力を行使するのは、果たして正しいことだろうか？　百万人の命が危機にさらされているなか、数千人の命を犠牲にすることは許されないだろうか？　ビルマ軍に対して軍事力を行使すること――たとえば一部の者が示唆しているようにデルタの一部を確保すること――は実質的に戦争を意味した。

それは倫理的なジレンマだった。そして究極的には机上の空論でもあった。実際には、アメリカもフランスもイギリスも、そしてその他のどの国も、ビルマで銃撃戦を引き起こす危険を冒したいなどと思ってはいなかった。イラクとアフガニスタンに深く関与していた西側諸国は、東南アジアで大規模な戦闘を始めることを真剣に考えていたわけではなかったのだ。数百の異なる民族と数十の武装勢力が存在し、ビルマ国軍以外には確たる国家基盤を持たない、人口五〇〇〇万人の貧しい国の責任を担うなどというのは、もとからあり得ないことだったうえ、戦争になれば、中国にビルマ政権を支持する義務感を抱かせる可能性があった。

結局、戦争を始める代わりに外交活動が活発化することになり、物事は落ち着くべきところに落ち着きはじめた。五月九日、アメリカとビルマは、支援物資を搭載したアメリカの貨物機一機をラングーンに飛来させることで合意を見た。まずアメリカの査定チームが最初に訪れることが必要だという初期のアメリカ側の主張は、ひそかに取り下げられた。五月一二日、アメリカからの最初の飛行機が到着する。それに積まれていたのは、支援物資に加えて、ここ数十年来ビルマを訪れたなかで最高レベルのアメリカ代表団だった。乗っていたのは、アジア太平洋地域に展開する全アメリカ軍を統括するアメリカ太平洋軍司令官のティモシー・キーティング海軍大将、アメリカ国際開発庁長官、国務省の東南アジア担当高官、そして将校と外交官たちだった(7)。

キーティング海軍大将の到来は、暫定軍事政権にとって予期せぬ事態だった。アメリカ側はその情報を隠しておこうとしたが、タイの外交官が、ビルマ外務次官チョートゥーとの会談の中でうっかり漏らしてしまった(8)。不安を抱いたチョートゥーはネピドーの上司たちに相談したが、彼らも海軍大将の訪問については何も知らなかった。阻止するように命令されたチョートゥーは、ラングーン駐在アメリカ代理大使(大使はいなかった)のシャリ・ヴィラローサに会いに行った。ヴィラローサはキーティング海軍大将の来緬は認めたものの、アメリカが望んでいるのは単に、空港での非公式な会談だけだと伝えた。さらなる国際非難を恐れた暫定軍事政権は譲歩した。

チョートゥーとともにアメリカ代表団との会談に送られたのは、ビルマ海軍司令官のソーテイン海軍大将だった。ソーテインには被害の程度がよくわかっていた。彼の軍艦は一隻のフリゲート艦を残して全滅し、西海岸にあった主要基地も壊滅した。ソーテインはまた、被災地域をテインセイン首相(彼自身の家族もデルタ地域の出身で、親類の家々が深刻な被害を受けていた）とともに車とヘリコプターで視察していた。ラングーンに急遽戻るようにという電話を受けたとき、ソーテインは逮捕されるのではないかと思ったそうだ。だが、それはキーティングに会いに行かせるためだった[9]。

社交辞令が交わされ、アメリカ側は、望みはナルギスの生存者を助けることだけだとして、ビルマ政府に善意を印象付けようとした。ソーテインと暫定軍事政権の同僚たちは、アメリカ人たちがやって来たら、居残って立ち去らなくなるのではないかと心配した。ソーテインは、支援を受け入れるのはやぶさかではないが、それはラングーン経由に限ると伝えた。彼らはまた、中国との微妙な関係も配慮しなければならなかった。

翌日の五月一三日、私はバンコクでキーティング海軍大将に会った。私はしばらく前からバンコクに移り、ビルマ国内をよく旅していた。ちょうど『ビルマ・ハイウェイ――中国とインドをつなぐ十字路』の取材と執筆を行っていたところで、インドとビルマと中国の国境地帯をよく回っていたのだが、それと同時に、少なくとも数カ月に一度は政府高官や国軍将校と会い、関係を構築して、ビルマで起きていることをよりよく理解しようと努めていた。ラングーンにある外国大使館のほとんどがビルマ政権との結びつきをほぼ完全に欠くなか、私は各国の要人がビルマを訪れるたびに、ビルマの政治的展望に関して意見を述べるよう要請されていた。

キーティング海軍大将は、ソーテインは良好な関係を築くことに関心があるように見えたが、他の将校は彼よりずっと内向きだったと私に明かした。もう一人のアメリカ海軍将校は「あらゆる可能性が検討された」と語った。私は、ビルマ国軍との対話が再構築できるかどうかを見極めるためラングーンに留まったジョン・グッドマン海軍大将とも話し合った。そこには、目下の災害への対処に加えて、アメリカ・ビルマ間の関係における、それまでとは異なるより良い一章――ビルマの将軍たちが恐れている侵攻ではなく、何か別のもの――への扉が開かれる余地があるという雰囲気があった。しかし確かなことは誰にもわからなかった。その一週間前、私はワシントンにいたのだが、上院外交委員会のメンバーは、ナルギス被害者への支援が、より大きな支援プログラムを導き、実質的に制裁措置政策を緩めることにつながるよう期待していると私に語った。

その次の一週間にかけて、一連のハイレベルの来緬者が、ビルマ外交において腕試しをした。タイのサマック・スントラウェート首相、EUの開発・人道援助担当のルイ・ミシェル委員、イギリス外務・英連邦省のアフリカ・アジア・国連担当マーク・マロック・ブラウン大臣、人道問題担当のジョン・ホームズ国連事務次長らが、次々に訪れては去っていった。私はバンコクまたはラングーンで彼らすべてに会い、将来のビルマ支援関係の可能性について私の最良の分析を提供した。彼らはそれぞれ、しかるべき国際支援活動を許可し、外国の災害救助専門家をデルタ地域に直接派遣すべき緊急の必要性についてビルマ政府を説得しようとした。突破口は開かれなかったものの、外交圧力は着々と高まっていった。ビルマの状況は依然として国際ニュースのトップを飾り、専門家は毎日、迫りくる破滅的状況について警告していた。

国営新聞では、こんな戯画が掲載されていた。笑みを浮かべたビルマの市民が、住民投票を通じ、高層ビルが林立する光り輝く都市に国軍によって導かれている（遠方に〈平和と発展〉と書かれている）。だが沿岸からは〈ナルギスと内外の破壊分子〉と書かれた暗黒の悪魔が近づいている……。

一方、アメリカを含む多くの国々は、ビルマ政府が望んだ通りに支援物資をラングーンに空輸しはじめていた。国連世界食糧計画はバンコクとビルマの間に空輸による輸送路を確立し、ラングーンからデルタ地域の主要な町々に直接支援物資を運ぶための重量物運搬ヘリコプターの導入許可を要請した。五月一八日、初めてタンシュエ将軍自身が被災地域に出向き、生存者に会い、救援活動を視察する様子が国営テレビで放映された。それでも未だに何も支援が寄せられていない住民は数十万人に上ると考えられた。被災から二週間近く経った時点でも、さらに失われつつある命がどれだけあるのか、あるいはまた、感染症勃発の危機が迫っているのかについて知る者はいなかった。そして西側諸国の軍艦は未だに沖合に停留し、ゴーサインを待っていた。

ターニングポイントは五月一九日に訪れた。シンガポールで開催されていた東南アジア諸国連合(ASEAN)の外相会議で、ビルマ政府は次の明確な選択肢を提示されたのだ。一つ目は、国連主導の人道活動を受け入れる。二つ目は、国連と他の国際機関が支援し、ASEANが主導する支援活動を受け入れる。三つ目は、ASEANはただ傍観し、西側諸国の圧力の行方を見極める。ビルマ政府は二つ目の選択肢を選んだ。この取り組みを監督する対策本部の長としてカリスマ性のあるスリン・ピッスワンASEAN事務総長が任命され、ビルマ政府の大臣たちと次のステップを検討するために、ただちにラングーンに向かった[10]。

次に訪れたのは、バン・ギムン国連事務総長だった。彼は一九七〇年に私の祖父がビルマに帰郷したとき以来、最初にビルマを訪れた国連事務総長になる。補佐官やニューヨークに拠点を置くジャーナリストなどの随行団とともに、彼はヘリコプターでデルタ地域の上空に案内され、整然とした政府運営の避難民キャンプを見せられた。国連総長は次にネピドーに赴いて、タンシュエの私邸で上級大将本人に面会した。そこしばらくの慌ただしい外交活動のあいだ、タンシュエは公の場に姿を現していなかったのだが、現地へのアクセス権を確実に取り付けるには、タンシュエの個人的な承認が不可欠なことは、誰もが理解するところだった。一時間におよぶ友好的かつ率直な会談のあと、世界最高の外交官は記者団の前に姿を現し、こう表明した。「上級大将と非常に有益な会談を行った結果、彼は、国籍にかかわらず、あらゆる救援活動従事者を受け入れることに同意しました[11]」

その二日後、バン・ギムンは、ビルマ政府が慌ててラングーンで開いた国際援助資金供与表明会議の議長を務めていた[12]。それは前代未聞の光景だった。垢抜けたセドナ・ホテルのボールルームでバン・ギムンの横に座っていたのは、ビルマ首相のテインセイン、ＡＳＥＡＮ議長国シンガポールの外務大臣で率直な物言いをするダイナミックなジョージ・ヨー、そしてアジアの友好国の政府を代表する高官たち。さらにその部屋には、西側諸国の開発担当相と支援担当の高官たちもいた。そのなかには、長年にわたってビルマの暫定軍事政権をもっとも声高に批判してきたイギリス、ノルウェー、スウェーデンからの使節も含まれていた。すべての訪緬者は、政治的な問題はしばらく脇にどけたことをビルマ側に示そうとし、一週間にわたる調停でようやくこじ開けられた脆い突破口を危機にさらすまいと懸命になっていた。こうして資金支援は表明され、握手が交わされた。

その週に開かれた安全保障会議で、暫定軍事政権は、国連、ＡＳＥＡＮ、ビルマ政府が協調してあらゆる国際支援を調整する機関のトップにチョートゥー外務次官を据えた。チョートゥーは、最高位の将軍たちの何人かに、自分には災害対応の経験がまったくないことを伝えたあと、やるべきことについて助言を仰いだ。すると彼らは互いに顔を見合わせて微笑んだという。国軍の序列ナンバー三の地位にいたシュエマンは、「われわれも同じだ。だからとにかくラングーンに行って、状況の理解に努め、できる限りのことをやりなさい」と言った。

ビルマを訪れたＶＩＰには、デルタ地域への視察が提供された。国連機関が要請していたほぼすべてのビザも数日以内に下り、国連世界食糧計画のヘリコプターがデルタ地域に直接飛べるようになった。

それは突破口のように見えた。そしてある意味、それはまさに突破口だった。外交的緊張は劇的に緩和され、ビルマのニュースが新聞の一面を飾ることももはやなくなった。しかし結局のところ、大騒ぎの末にようやく達成されたこと以外は、何も達成されなかった。あらゆる支援はラングーンを介さなければならず、それは初めから暫定軍事政権がもっとも要求してきたことだった。このことがさらなる危機をもたらさなかったのは、ひとえに、当初の大災害のあとに、被害者急増の〈第二の波〉がそれまでのところは訪れていなかったからである。

状況は依然、急を要していた。数十万の農民は種子をすべて失っており、数週間以内に新たな種子が手に入らなければ、植え付けの時期を逃して、新たな作物が収穫できなくなる状況に瀕していた。支援担当の高官の多くが長期的な計画を模索するなか、ただちに種子に注意を向けるように促したのはデビー・アウンディンだった。ビルマ系アメリカ人のアウンディンは、夫のジム・テイラーとともに、当時非常に少なかったビルマの農業を支援するNGO「プロキシミティ」を運営していた。ある支援調整会議の席で、彼女はこう言った。「いいですか、もし二週間以内に種子が提供できないのなら、災害査定やら何やら、やっても無意味です。それほど単純な話なんです」。そこにアメリカ国際開発庁（USAID）が支援の手を差し伸べた――しかも、アメリカ国旗を振りかざさない、目立たない方法で。彼らはプロキシミティを通じて、ただちに一二〇〇の村の五万五〇〇〇軒の農家に種子を配布した。それは重要な成功だった。その一カ月後、デビー・アウンディンはジョージ・ブッシュとの会見に招かれた。

ブッシュ大統領と夫人のローラ・ブッシュはタイを公式訪問中で、バンコクのフォーシーズンズ・ホテルに滞在していた。まずローラ・ブッシュに面会したデビー・アウンディンは、彼女から質問攻めにあったという。その翌日、ファーストレディーは、カレン族の難民たちに会うためにビルマとの国境に飛んでいった。アウンディンは、アメリカ軍の大佐とアメリカ国際開発庁の高官も出席した会議のなかで、大統領に向かって話す機会を一五分間与えられた。その会議は慎重にお膳立てされたものだったが、結局彼女は、四五分すべてを使って話すことになった。ジョージ・ブッシュに対する彼女の印象は「スーパーフレンドリーで、好奇心旺盛」というもので、彼は「ヘイ、君は私が初めて会うビルマから来た人だよ！」と言って、彼女を歓迎したという。

大統領は、デビー・アウンディンのように賢くて弁舌の立つアメリカ人が、実際にラングーンに住んでいることに驚いたようだった。「どうやってビルマで暮らしているんだね？」とブッシュは尋ねた。恐ろしい話しか聞かされていなかったからだ。「普通にです」とアウンディンは答えた。「自分の家に住み、子供たちを学校に送って、オフィスに出勤しています」。ブッシュは驚き、あれこれ質問を浴びせた。

「こうした事実を教えてくれて、ほんとうにありがたい」とブッシュ大統領は彼女に言った。「だが、それならどうして将軍たちはぐずぐずしているんだね？」彼は、援助活動に対する許可が未だに遅れ気味であることを知っていた。

「トップの人たちの耳にはグッドニュースしか伝わらないからです」

「なるほど！　ヘイ、もし君が私の立場にいたら、何をするかね？」

「制裁を解除します」

「だがわれわれが科したのは、標的制裁〔特定の個人、企業、物品などに科される制裁〕だけだが」

「いいえ、そうでもありません。貿易と投資に対する制裁も科されています。開発支援に対する制裁です」

ここで大統領は、アジア担当国務次官補クリス・ヒルに顔を向けた。「ヘイ、わが国はビルマに貿易制裁を科しているのかね?」

「その通りです、大統領殿」

ブッシュは、次に打つべき手について考えはじめた。「私はもうすぐＶＯＡ〔ボイス・オブ・アメリカ〕〔アメリカ政府の海外向けラジオ放送〕に出ることになっているんだが、何と言ったらいいかね」。彼はアウンディンに尋ねた。

「アメリカは、あなたがたのことを心配しており、助けたいと願っています、と」。彼女はそう答えた。その日遅く、ブッシュはラジオで、アウンディンの言葉通りに語った。彼はまた「われわれの支援は、人々に届いています」とも言った。そのコメントは重要だった。というのも、そのころ、あらゆる支援は国軍に盗まれている、あるいは流用されているという話が流布していたからだ。

会議後、デビー・アウンディンと亡命ビルマ人反体制活動家数人ととった昼食のなかで、大統領はこう振り返った。「ビルマから離れれば離れるほど、すべての事実は手に入りにくくなるな」

ついにわずかな支援がビルマ国内に入りだし、新たな大惨事は回避された。しかしそれからの年月、ナルギスの被災者は、もし政治状況が違ったものであったら受けられたはずの支援のほんの一部しか受けることができなかった。さらに制裁のせいで、受けられる支援のタイプにも制限があった。たとえば住宅支援は、西側政府にとって立ち入り禁止エリアだった。その理由は、それが緊急支援を超えるもののように見えたことと、禁止されていた開発支援にずるずる向かうことになると考えられたからである。

インドネシアのアチェ州には、二〇〇四年の津波災害のあと、数十億ドルの再建支援が寄せられた。ビルマに対する外国からの支援総額はナルギス後にやや増大したものの、二〇〇九年末までには一人当たり五ドル程度とふたたび減少する。これは隣国のヴェトナムとラオスの国民（両方とも共産党政権下にあった）に与えられた支援額に比べると、ごくわずかだ。西側諸国の政治家たちは、支援を届けるために軍事力を使うことを検討したが、いったん扉が開いたあとは、その案を支持する者はほとんどいなかった。[13] サイクロンから二年経っても、一〇万戸以上の家族は未だに屋根のない状態で暮らすことを余儀なくされていた。[14]

僧侶による抗議活動が暫定軍事政権の正当性を破滅させたものだったとしたら、ナルギスへの対応はビルマという国家の制度面における脆弱さをあらわにしたものだったと言えるだろう。外部の人間は、軍事独裁政権と聞くと、全権を握る警察国家を想像するにちがいない。だがビルマの現実は、それとは大きく異なるものだった。国軍と政府官僚には、求められていることを達成するための手段がまったくなかった。そこでパニックに陥った彼らは、取り巻き連中や他の事業家たちに頼り、それぞれに再建すべき郡区を割り当てたのだった。

将軍たちはまた、ビルマ国内の慈善団体と国際慈善団体の双方に、活動範囲の拡大を認めはじめた。これは非常に重要な展開で、ビルマのＮＧＯは国外から資金を調達して、組織力の強化を図ることができるようになった。

そうした現地の慈善団体の一つが、〈橋〉あるいは〈つながり〉を意味する「パウングー」だ。黒のＴシャツとジーンズを身に着けた創設者のチョートゥーは長身で、髪をポニーテールにまとめ、きちんと整えた髭を生やしている。同名の軍将校とは正反対の印象だ（この外務次官との血縁関係はまったくない）。彼は長年にわたり、少数民族の共同体とラングーン周辺の双方で、もっとも貧しい人たちを助ける活動をしており、自ら集めた資金の少額供与を通して、貧しい人々の自助ネットワークを強化してきた。彼が支援してきた人々には、セックス労働者もいる。彼女たちは、たとえば互いの子供の世話を担う私的な取り決めなどを通して、すでに互いを支え合うシステムを築いていたが、少額の交付金は、大きな違いを生み出すことができる。今やチョートゥーは、当局の用心深い監視のもと、海外から寄せられる資金を初めて活用して、デルタ地域の村々を支援する大規模な活動を組織していた。[15]

ナルギスから四カ月経ったある日、私は現役の将軍でもある社会福祉大臣に会った。彼は、暫定軍事政権は当初、ＮＧＯを恐れていたと言った。「彼らが何者であるのか、何をしようとしているのかわからなかった」のだと。しかし、それから数カ月が経過した今では、門戸をより広く開けることもやぶさかではないと語った。もう一人の大臣は未だに彼らを疑っていたものの、政府は新たな現実を受け入れなければならないと言い、「虎にエサをやるようなものだが」と付け加えた。

こうした背景のもと登場したのが、ノエリーン・ヘイザーだった。[16] ケンブリッジ大学を卒業したエネルギッシュなシンガポール人のヘイザーは、国連地域経済委員会の事務局長で、過去二〇年間ビルマに何度も足を運び、その貧困の深さをよく知っていた。彼女はまた、民主化の支持者でもあった。ヘイザーは以前に国連女性開発基金（ＵＮＩＦＥＭ、ユニフェム）の事務局長を務めており、一九九六年に北京で開かれた画期的な第四回世界女性会議のあとにニューヨークで大規模な展示会を開催し、〈恥の壁〉で世界中の女性が差別と抑圧にさらされていることを示すとともに、〈希望の壁〉にアウンサンスーチーを配した。それを知ったニューヨークの駐米ビルマ大使は、ヘイザーに〈希望の壁〉の展示を取り下げるよう通告した。ヘイザーは同意したものの、「国連の事務処理には時間がかかります」と伝え、結局、展示はそのままになった。今や彼女は、行き詰まりを解く鍵は、ビルマの暫定軍事政権の見地から物事を見て、彼らにわかる言葉で話すことにあると考えていた。目標は民主化だったが、ビルマの最貧層の生活を一刻も早く改善することにもあった。そしてヘイザーは、この大災害後の状況は絶好のチャンスになると考えていた。

二〇〇八年一〇月、ヘイザーはナルギス後の回復に関する大規模な会議を開く。国連の同僚たちは、危険な政治的領域に入り込もうとしているとして快くは思わなかった。ビルマに関するほぼすべてのことは、つねに大きなリスクを伴う。何をしても、政権あるいは政権を中傷する者から激しく非難されるのだ。この会議のおもな対談者はビルマ政府外務次官のチョートゥーで、そのとき彼は国際支援の調整にあたっており、ヘイザーとチョートゥーは親しくなっていた。チョートゥーは洗練された、リベラルな人物でさえあったが、あらゆる方面から投げつけられる批判の矢面に立たされて疲弊していた。

会議の前夜、ヘイザーとチョートゥーは活発な議論をした。チョートゥーは、国際社会はビルマ政府が行ったことの悪い面しか見ようとせず、良い面は無視すると不平をこぼした。それに対してヘイザーは、人々はビルマ政府が直面している問題については理解しているものの、主義の問題から妥協することができないのだと答え、会話は熱を帯びた[17]。

その翌日、チョートゥーは、彼がメインスピーカーを務める予定だったオープニングセッションに現れなかった。その場にいたビルマ大使館のスタッフさえ、彼の身を心配した。休憩時間が訪れたとき、ヘイザーはチョートゥーが廊下を行きつ戻りつする姿を目にした。彼は会議室に入ると、用意したスピーチ原稿を脇にどけ、外交官と支援担当の政府高官からなる満場の観衆の前で、みなビルマの人々を失望させていると本心を語った。彼はエアコンの効いた大広間にいる代表団の前に置かれたミネラルウォーターのペットボトルを指さして言った。「きっとあなたがたは、これに気づいてさえいないでしょう。あなたがたにとっては何の価値もないものです。しかしデルタ地域にいる何十万もの人々には、未だにきれいな飲み水さえありません」。それを聞いた観衆は涙ぐみそうになった。

当時、数カ月間にわたって、私はヘイザーと緊密に仕事をしていた。私はまた、チョートゥーにも何度か会った。二年間というもの、私は国連と外国政府の政策立案者にビルマの状況を説明しようと試みると同時に、ビルマの政策立案者にも国連と外国政府の状況を説明してきた。どうしたらビルマの方向性を変えられるかについて確たる考えはなかったが、彼らと交わるたびに、経済制裁と国際社会からの追放という現行のアプローチは、これまでも機能してこなかったし、将来的にも機能しないという確信をますます強く抱くようになった。数百万人の貧しい人々の生活は、支援制限の負の結果を日々被っていた。そしてナルギスは国家制度のもろさを明白に露呈した。ビルマは、外の世界の大部分の人が想像したより、はるかに精神的に孤立し、はるかに脆弱だったのである。

アマカンにいたトゥラアウンと彼の家族は、二〇〇八年の末と二〇〇九年を、可能な限り暮らしを再建することに費やした。現地の慈善団体といくらかの外国の救援活動家も訪れ、食糧や他の支援物資を届けてくれた。彼はナルギスが襲った夜に祖父の家で会った若い女性のワーワーカインと結ばれた。農地で働く人手を探すのは大きな課題だった。「生き残った人でさえ、たとえば子供たちや両親をすべて亡くしたような人でも、もう働こうという気を奮い立たせることができなかったんです」

「私たちの物の考え方は、ナルギスのあと変わってしまいました」とトゥラアウンは言う。「今では、できる限り金を貯めて、ほとんど使いません。またすぐ別の大災害がやってくるだろうと、いつも感じています。時が経つにつれて、村の多くの者がアルコール依存症になりました。気がふれてしまった者もいます」

二〇〇九年までに、ビルマは貧困にあえぐ国になっていた。経済システムは劣悪で、将軍、軍賊、少数民族の反政府組織が散在し、想像を絶する自然災害の痛手を受けた数百万人の人々がいた。だがその一方で、ビルマの孤立は、ほんの少しずつではあったが、徐々に改善していた。そして、災害支援の慈善団体としてスタートした市民社会のグループも、新たな政治環境のもと、手探りで進み出していた。

二〇〇九年一月二二日は、祖父ウ・タントの生誕一〇〇周年だった。彼の埋葬にまつわる一九七四年の抗議活動の後では、どのような形にせよ、敢えて公に彼の生涯を祝おうとする者はそれまでいなかった。家族と私は、外交官、国連の職員、そしてさまざまなビルマ人たち――作家、慈善団体の長、事業家、政治家ら――の数十人からなる簡素な式を提案した。暫定軍事政権はこの案に同意し、代表さえ送ってきた。その週、ノルウェーの国際開発大臣のエリック・ソルハイムが、それまでの数十年でビルマを訪問した最初の西側の大臣としてラングーンに滞在していたのだが、その彼も式に参列した。そうした会は、ほんとうに久しぶりのことだった。

ビルマは新たな方向に滑り出していた。そこには何か新しいことが起こる兆しがあった。だがリスクのほうも、かつてないほど募っていた。

第5章　攻撃のチャンス

これらすべてが起きているあいだ、アウンサンスーチーは、ラングーンのインヤー湖南岸に建つ植民地様式の風格ある邸宅に自宅軟禁されていた。一緒に暮らしていたのは、母親と娘からなる二人の女性スタッフ。かかりつけのティンミョーウィン医師も定期的に訪れて、外の世界のニュースと、海外の友人から送られてきた小包——おもに本——を届けていた。彼女は厳格な日課を守って暮らし、決まった時間にBBCとVOAの放送を短波ラジオで聞いていた。

ピアノも弾き、亡き母の形見だった古いヤマハのアップライトでさまざまなクラシック曲を演奏した。のちにある取材で語ったところによると、一番のお気に入りはバロック時代のドイツ人作曲家、ヨハン・パッヘルベルの『カノン』だったという。本も貪欲に読み漁った。そして、トム・ジョーンズからボブ・マーリー、グレイトフル・デッドにまでおよぶ現代のさまざまな音楽も幅広く楽しんだ。窓からは広大な湖のほとりに小さな遊園地が見え、壊れそうな観覧車に乗る子供や親たち、生のココナツジュースを売る行商人、土手のベンチで手を握り合う恋人たちの姿などを目にしたことだろう。

自宅軟禁は二〇〇九年五月二七日に解かれる予定になっていた。そのころ暫定軍事政権は、予定された総選挙の準備をぬかりなく整えることに腐心していた。アウンサンスーチーの釈放はとてつもなくリスキーだったが、法律で規定されている以上、彼女の軟禁を引き延ばすには相当な理由が必要だった。

二〇〇八年、ミズーリ州出身の退役軍人で心的外傷後ストレス障害（ＰＴＳＤ）を患っていた五二歳のジョン・イエットーが、一〇代の息子とバイクでタイを旅するあいだに、アウンサンスーチーに対する妄想を抱きはじめる。アウンサンスーチーを助けなければならないと思い込んだイエットーは、その年の一〇月にラングーンに飛んだ。そして暗渠《あんきょ》を泳いでくぐりぬけたあと低いフェンスをよじ上り、何とか彼女の家に入り込むことに成功する。だが家のスタッフに彼女との面会を拒絶されたため、『モルモン書』を残して立ち去った。当局は通報を受けたが、何の措置もとらなかった。

ミズーリ州に戻ったイエットーは、もう一度試みるようにと告げる幻影を見る。不安ではあったが、決意は固かった。イエットーは飛行機代を借り、ファストフード店『ハーディーズ』の無料Ｗｉ－Ｆｉを使ってマイケル・ブーブレの曲とモルモン教の説教をダウンロードしたあと、ビルマに向かって旅立った。

二〇〇九年五月四日、ジョン・イエットーはふたたびアウンサンスーチーの家まで泳いでいった。家のスタッフは警察を呼ぶと脅したが（一〇〇メートルも離れていないところに武装した守衛がいた）、イエットーが疲労と、脚のつりと、糖尿病からくる低血糖を訴えたため、アウンサンスーチーは折れて彼に会い、敷地内に一晩泊まることを許した。その翌日、イエットーは、近くのアメリカ人外交官の家に向かって泳いでいたところを逮捕され、〈非合法水泳〉を含む複数の罪により起訴される。

その九日後、アウンサンスーチーも逮捕された。そして自宅軟禁の条件に違反した罪で起訴された後、ヤンゴン北部にある悪名高いインセイン刑務所に収監された。数週間におよんだ公判は、世界中に大きな反響を呼んだ。イギリスのゴードン・ブラウン首相はアウンサンスーチーに宛てた公開書簡で「あなたの解放を要求する叫び声はヨーロッパ、アジアをはじめ、全世界で日増しに高くなっている」と書き、彼女の六四歳の誕生日が迫るなか、「今度の誕生日が、自由なきまま迎える最後のものになるよう、われわれはあらゆる努力を惜しまない」と約束した。デイヴィッド・ベッカム、ダニエル・クレイグ、ケヴィン・スペイシー、ジョージ・クルーニーも励ましの言葉を寄せた。

八月一一日、植民地時代に建てられた湿気でじっとりした法廷で、天井の扇風機が回り、詰めかけた外交官やメディアが見つめるなか、裁判長がアウンサンスーチーに判決を言い渡した――三年間におよぶ強制労働だ。しかしその数分後、内務大臣本人がドラマティックに登場すると、タンシュエ国家元首が個人的に彼女の刑期を半減し、残りの刑期をラングーンの自宅で過ごすことを許可したと宣言する。アウンサンスーチーは二〇一〇年一一月、総選挙の直後に解放されることになった。

ＮＬＤは厳しい状況に陥っていた。ビルマ国内で政治囚として収監されていた人は二〇〇〇人ほどいたが、そのうちの数百人がＮＬＤの党員で、アウンサンスーチーの補佐官の多くも含まれていた。今や彼らは遠方の刑務所に収監され、互いに連絡を取り合うのも不可能か非常に難しい状況にあった。

イエットーは七年間の強制労働を言い渡されたが、二カ月後に恩赦が下り、ビルマを訪問していたアメリカ上院議員のジム・ウェッブに付き添われて本国に送還された。のちに彼は『ニューズウィーク』誌の取材に応じ、アウンサンスーチーとの会話は〈私的な〉もので、いかなる者に対しても――たとえ彼の三人の元妻に対しても――決してその内容を明かすことはないと語っている。「私は感情的にも精神的にも、あの女性が自由になるまで、そしてあの国民が自由になるまで、心の平和を取り戻すことはできないだろう」。さらに、こうも付け加えた。「私は狂ってなどいないし、精神障害者でもない」

タンシュエ上級大将の退任準備は今や完了していた。暫定軍事政権は、ほどなくして解体され、新たな憲法に基づく政治機構にとって代わられることになっていた。この憲法の核心部は、国軍と一部選挙で選ばれた議会による権力の分担だった。国軍は最高司令官のもとに独立機構として留まる。二院制議会の七五％の議員は選挙により選出されるが、残りの二五％は国軍が自らのなかから任命する。議会は大統領を選出し、その大統領が大臣を任命する。しかしそのうち、〈国防大臣〉、〈国境大臣〉、〈内務大臣〉（警察および地方行政を担当する）は、最高司令官が指名する軍人だ。大統領はまた、ビルマの一四におよぶ州と管区域をそれぞれ担当する大臣も任命することになる。

この新憲法は、最初に一九九三年に国軍によって提案されたものと実質的に変わらなかった。NLDはこの最初の提案を拒否し、その後、双方が折り合える憲法の作成を国連が長年仲介してきたのだが、その努力は実を結ばなかった。タンシュエは今や、彼自身と他の将軍たちがつねに心に抱いていた憲法を押し通そうとしていた。

この新憲法は基本的権利を謳っており、言論の自由、結社の自由、そして平和的な集会における権利を法制化している。憲法はまた、〈民族、出自、宗教、性別〉に基づく差別も禁じている。ただしそれには、なんぴとも〈男性のみが就くべき地位に男性を任命すること〉を妨げてはならない、とする但し書きが付いていた。

新憲法はまた、アイデンティティについても関与し、数十年間にわたって醸成されてきたビルマ国民に関する概念を神聖化した。前文には、一九四八年までのビルマの歴史の概要が次のように綴られている。

ミャンマーは壮大な歴史的伝統を有する国家である。われわれ国民は、一致団結して一体感のもとに暮らしてきており、主権を有する独立国家を建国して誇り高く存在している。国民は植民地主義者の侵略により一八八五年に国家の主権を失った。その後、国民が一体となって反植民地運動および国家独立運動を立ち上げ、命を捧げた結果、一九四八年一月四日にふたたび独立した主権国家となった。

〈基本原則〉では、ビルマは「複数の国家民族が共存する国家である」と宣言している。〈複数の国家民族〉すなわちビルマ語でいう「タインインダー」は、今や国家物語の中心に据えられていた。この世界観によると、ビルマは平等な市民からなる一つの共同体というよりも、〈植民地主義者の侵略〉の時期を除いて太古の昔から共存してきた〈複数の国家民族〉の集合体である、ということになる。この結束を復活させて守ることは最重要課題だった。〈国家民族に関わる事柄〉は、外務および経済とともに最重要事項として憲法に列せられた。

一九九〇年代、暫定軍事政権は〈一三五の国家民族〉について語るようになった。しかしその内訳を示す確固としたリストは一度として存在せず、作られた複数のリストも統一性に欠ける無意味なもので、数十の方言と、それに重なり合う民族がごちゃまぜになっていた。重要だったのは、ビルマ国家はビルマ民族と他のいくつかの主要民族（ビルマ民族と等しい序列に列せられるべき民族）だけから成るのではなく、統一が必要な多くの小さな民族によって構成されているということである。

触れられなかったのは民族感情だ。〈ヨーロッパ人〉ははるか以前に去り、かなりの数のイギリス系インド人とイギリス系ビルマ人も一九四〇年代から五〇年代にかけて（おもにオーストラリアとイギリスに）移住したか、あるいはビルマ社会に溶け込んでビルマ人の名を名乗り、ビルマ人と結婚していた。こうして残ったのは、一三五民族の一部として受け入れられた者たちと、インド人または中国人とみなされて受け入れられなかった者たちだ。否定的アイデンティティは、すべての〈国家民族〉たちを一つにまとめた。〈国家民族〉は、「カラー」でも「タヨッ」でもなかった。これらの言葉は数百年前から使われてきたもので、「カラー」はベンガル湾からやって来た人々、「タヨッ」はシャン州や雲南の丘のかなたからやって来た人々を指す。「カラー」と「タヨッ」は、見かけもふるまいも〈国家民族〉とは異なり、こうした違いは言語、宗教、あるいは文化の違いに勝った。この分類は、二〇世紀初頭の人種科学によるようなものではまったくなく、アイデンティティと身体的な見かけ、および生物学的特徴と祖先との関連性に基づいたものだった。〈国家の〉を意味するビルマ語「ミョー」の語源は〈種子〉で、それは精液を表す古語の語源でもある。(1)

新憲法にはまた、門外漢には理解しがたい、民族にまつわる公式が含まれていた。「全国民の〇・一%を超える（二〇一〇年時でおよそ五万人以上）人口を有する」タインインダーは、州または管区域の立法議会で自らを代表する権利、および地域行政において大臣職に就く権利を有すると規定された。隣接する二つの郡区でタインインダーが人口の五〇%を超える場合には〈自治区〉の地位が与えられた。こうして、民族に基づくシャン州、カチン州および他の五つの州のほかに、ナガ、ダヌ、およびそれより小規模な民族集団のいくつかが〈自治区〉の地位を手にすることになった。

北アラカンに暮らすイスラム教徒を〈ロヒンギャ〉と呼ぶことにより「タインインダー」の地位を与えたら、自らの自治区を得る権利を自動的に与えることになると警告する多くのビルマ人の声を私は耳にしてきた。ある大学教授などは「ビルマの一部がイスラム聖法《シャリーア》の支配下に入ってしまう」と耳打ちした。北アラカンのイスラム教徒を〈国家民族〉の一員とみなすことは、民族と宗教の双方にまつわる不安を融合させることになる。〈ロヒンギャ〉という民族名は、この点から、とりわけ有害だった。というのも、それはまさしく〈アラカンの〉という意味であり、その言葉で呼ばれる人々は土着民族であると示唆することになるからだ。その半面、「ベンガリ」（ベンガル人）と呼ばれた場合、彼らは——生物学的にも文化的にも固有であると信じられている他の「カラー」や「タヨッ」と同様に——移民とみなされ、特別な保護と特別な権利を受けるに値する土着民族とはみなされないことになる。

タンシュエはまた、数十人の将軍を退任させ、その代わりに四〇代から五〇代の男たちを昇進させて新たな世代の将軍集団を築いた（当時タンシュエは七八歳だった）。これは彼の退任計画になくてはならないことだった。そうすれば、あの世に旅立つまでの見通し得る将来において、国家の暴力を取り締まる地位に就くのは、彼自身が引き立てた、どこまでも忠実な弟子たちになるからだ。彼らは鉄骨になるはずだった。新たな将軍たちは、新憲法の〈守護者〉になると言い含められた。そして、来る選挙に際して、新たな党「連邦団結発展党」（ＵＳＤＰ）が創設された。〈団結〉とは、「タインインダー」の団結を意味する。資金は潤沢で（暫定軍事政権の懐からまかなわれた）、ビルマ市民社会における可能な限り質の高い人材の選出を目指して、実業家、医師、教員、退職公務員などの地元のお偉方を口説き、ＵＳＤＰの旗のもとに立候補するよう促した。

二〇一〇年末までに、首都ネピドーは完成した姿を見せていた。まばらな訪問者は新空港に迎えられた（ちなみにそこは私が世界一気に入っている空港である。出発の二〇分前に到着すれば、チェックインと保安検査をスピーディーに終え、靴を履き直したあとに、慌てず美味なエスプレッソを楽しんで、飛行機に搭乗することができる）。動物園と〈ナイト・サファリ〉、複数のゴルフコース、大噴水、そしてそれよりさらに大きな、過去に帝国を築いてきた戦士王たちの像もある。ネピドーにはまた、レゴランドのような、三一棟からなる議会の建物群がある。それは宇宙のすべての存在が三一の段階に帰属するという上座部仏教の宇宙観に基づいたデザインだ。そこから一・六キロほど離れたところには、一〇〇の部屋と最新式のフィットネスセンターを備えた大統領府があり、そのメインホールには、かつてビルマ最後の王が使っていた黄金の王座のレプリカが鎮座している。

タンシュエは大統領になりたいとは思っていなかった。自ら設計した舞台で演じられるドラマの演技を袖から監視していたかったのだ。そこで彼は、大統領府の近くに私邸を建てた。そこからは、数百年前に建立されたラングーンのシュエダゴン・パゴダのほぼ完璧なレプリカである一一〇メートルの黄金のパゴダを見下ろすことができた。

ジンバブエのロバート・ムガベのように八〇代になっても権力にしがみつく絶対的指導者や、ムアンマル・カダフィのように追われて街頭で殺害される絶対的指導者がいた当時、タンシュエは自らの退陣を念入りに仕組んでいた。前任者のネウィン将軍は八年前に死去していたが、タンシュエが親族を逮捕することを阻めなかった。タンシュエはもう一人の軍事独裁者が自分のあとに現れ、自らの親族に同じことをするような事態は招きたくなかった。そのため非常に明確な政権移管をたくらむことを選んだのである――より分散され、より一般受けする権力構造への移管を。

タンシュエはしばらくのあいだ、残りの退任プランが計画通りに進まなかった際の保険として、〈防衛委員会〉を設立し、自らがその長となって国軍を監督することを考えた。しかし結局のところ、この案は実行に移さないことにした。物事が順調に進んでいるように思えたからだ。

ただし、〈ほぼ〉順調に、だった。アウンサンスーチーとジョン・イエットーが逮捕された数日後、暫定軍事政権の指導者たちとその妻たちが、ラングーン郊外にある一四世紀に建立されたダノクパゴダで特別な式典を催した。このパゴダはナルギスによる被害の修復工事が終わったところで、タンシュエの妻を含む要人たちが、ダイヤモンドをちりばめた新たな尖塔の取り付けを祝うために参集していた。六月六日、アウンサンスーチーの公判の最中に、このパゴダが不可解に崩落する。二〇人もの命が奪われ、負傷者も数十人におよんだ。広まった噂は、超自然的な力が働いたと示唆していた。非常に迷信深いこの国で、それは不吉な兆しだった。

さらに、二つの未解決の問題があった。どちらも見過ごせない問題だった。一つは中国の取り扱い、そしてもう一つは、それに関連する未解決のビルマ内戦である。

一九五〇年代初頭にタンシュエが最初に兵士になったとき、ビルマは国全体が反乱の海と化していた。その後、半世紀にわたって過酷な反乱鎮圧作戦が続き、二一世紀に変わるころまでには、ビルマ国軍が、単独でイラワディ渓谷全域を制圧していた。デルタと沿岸部のほぼ全域も将軍たちの手中にあった。インドとバングラデシュに向かう西側の地域には、いくらかの小規模な武装勢力が存在したが、「アッサム統一解放戦線」を含む大部分の勢力はインドと戦っており、ビルマ国内にある基地を使って国境の向こう側にあるインドの拠点を攻撃していた。タイ国境のビルマ南東部には、ビルマ国軍最古の敵である「カレン民族同盟」がいた。彼らは手ごわい相手だったが、国軍は一九九〇年代に司令部を制圧し、領地の大部分を占拠していた。
北部と北東部には、大規模な少数民族武装勢力が残存していたが、一九八〇年代と九〇年代初期にかけて、すべての勢力が停戦に合意したため、それ以降の戦闘は、あってもごく小規模だった。国軍にしても少数民族武装勢力にしても、その地域のエリート層の関心は金儲けにあり、中国との国境沿いの村落は新興都市に変貌していた。

この地域最大の武装反乱勢力は「ワ州連合軍」で、その規模は他に抜きんでて大きかった。旧共産党系武装勢力の最大組織であるワ州連合軍は、二万五〇〇〇人の完全武装兵を擁していた。ワ族は中国とビルマの国境に住む山岳民族で、ビルマ語または中国語よりも、クメール語〔カンボジアの公用語〕やヴェトナム語に近い言葉を話す。一部の住民は二〇世紀初頭にルター派のキリスト教に改宗した。麻薬――ヘロインと最近ではメタンフェタミン系の覚醒剤――がワ族のビジネスの大部分を占めるようになり、支配層は裕福だった。ワ州には独自のテレビ局、学校、病院がある。さらに重要なのは、北京のパトロンと友好な関係にあったことだ。〈ワ州〉は中国の電話網と電力網に組み込まれており、中国との行き来も自由に行えた。ワ族の観点からすれば、過去二〇年間は好調で、もっともやりたくないことは、ネピドーに権力を譲ることだった。二〇〇九年に会ったビルマ人の軍将校は、私にこんな話をした。

「西側諸国やアウンサンスーチーのことを思って眠れないようなことはないが、ワ族と中国人については、どう対処したらいいか、皆目見当がつかない」

二〇〇〇年代半ば、暫定軍事政権は、ワ州や他の地域の反乱軍が新たな憲法を承認して武装解除し、自らの政党を設立して選挙に参加するだろうと楽観的に考えていた。だが二〇〇八年までに、そうした事態にはなりそうにないことが明らかになる。そこで暫定軍事政権は反乱軍に〈国境警備隊〉の処遇を提案した。軍隊を一部解体し、残った部隊は依然として自らの将校に指揮されたままになるものの、最高権限はビルマ国軍に譲るというものだ。四つの反乱軍がこの提案を受け入れたが、一ダース以上の反乱軍は提案を拒否した。

二〇〇九年六月、スリランカのマヒンダ・ラージャパクサ大統領が、すでに緊密に結ばれていた両国の関係をさらに固めるため、ネピドーを公式訪問してタンシュエと会談した。訪問の目的は、タンシュエに助言を与えるためでもあった。その数週間前、ラージャパクサ政権の軍が、タミル人武装組織「タミルイーラム解放のトラ」を殲滅《せんめつ》し、四半世紀におよぶ流血の戦いを終結させていたのである。この武力衝突では、「タミルイーラム解放のトラ」の兵士以外に、四万人の市民が犠牲になった。ラージャパクサはタンシュエに、交渉など忘れて同じことをするように助言した。

国境警備隊になるという提案を拒否した反乱軍の一つは、「ミャンマー民族民主同盟軍」という、そそられる名前を持つ反政府組織だった。これは、コーカン族の軍閥でヘロイン製造の親玉、ポンチャーシン（彭家声）の民兵組織だ。二〇〇九年六月の会談で、ポンはビルマのある将軍に、彼の組織は現在の取り決めを変更する気などさらさらないと伝えた。だが組織の執行部のなかには意見を異にする者がおり、ポンは彼らを追放した。この分裂を好機とみなしたビルマ政府は、麻薬密売と非合法な武器製造に関する訴追手続きを開始する。こうして八月二二日、警察がポンと彼の二人の息子にビルマ裁判所への出頭命令を下したが、二人が拒否したため、逮捕状が発行された。

やがて、ビルマ国軍とポンの民兵組織とのあいだに激戦が勃発した。国境警備隊になる提案を受け入れたかった派閥は、ビルマ国軍側について戦い、中国に避難した市民の数は四万人におよんだ。タンシュエは個人的に攻撃を指揮し、戦場の大隊長に電話をかけることまでした。戦闘は、ポンの部隊の大半を占める七〇〇名のコーカン兵が国境を越えて中国に逃げ、中国人民解放軍によって武装解除されることにより終結した。

中国政府にとっては、この成り行きがはなはだしく不満だった。それまで国境沿いのすべての武装勢力と密接な関係を保ってきた中国は、ビルマ政府と武装勢力との停戦交渉が進むという展開を望んでいた。中華民族が難民となってコーカンから逃げる映像は中国のソーシャルメディアで広く拡散され、中国人をとりわけ苛立たせて、反ビルマの民族主義的感情が燃え上がった。

一方、ビルマ側も面白くは思っていなかった。中国とのこうした密接な関係こそ、武装反乱勢力をのさばらせているものと感じていたからだ。武力衝突が終結して数週間経った時点で、暫定軍事政権はラングーンにいる外国大使を集めてコーカンを視察する特別ツアーを組んだ。その際、中国大使館は、大使は内モンゴル自治区から来た文化使節団の世話で忙しいという理由をつけて、もっとも下級の外交官を送ってきた。その週、ラングーンの国営メディアは、台湾を訪問するダライ・ラマの記事を掲載した。ビルマの新聞がダライ・ラマについて言及したのは、二〇年ぶりのことだった。(2)

ビルマの内戦は一九四〇年代に、主としてビルマ共産党員の反乱から始まった。だがそのすぐあと、他の武装勢力もライバルのアイデンティティへの対立のもとで人々を結集した。ビルマのナショナリズムは、いにしえから存続するミャンマー国家に帰属するあらゆる人々を融合させると標榜している。だが、ビルマのナショナリズムはそれだけではない。たとえば、高まりつつあるカチン族の民族主義もその一つだ。〈カチン〉とは北部の丘陵地帯に住む人々を指すビルマ語で、彼らにはさまざまな言語がある。それらはすべてさまざまな程度でビルマ語に関連している。しかし、丘陵地帯の暮らしに根差す彼らの文化は、ビルマ民族のものとは大きく異なる。かつて精霊信仰を実践していたカチン族は、今では大半が、さまざまな宗派のキリスト教徒だ。ほぼどのカチンの村にも、一番よい場所に小さな木造の教会が建っている。

カチン族は、植民地時代の支配を、ビルマ人とは非常に異なる形で経験した。それまでカチン丘陵は、ビルマ人からも中国人からも、外部権力に支配されたことは一度もなかった。イギリス人の支配形態もこの丘陵地については緩やかなもので、ときおり〈視察〉をしただけで、他にはとくに何もしなかった。開発もほとんどされなかったため、資本主義の侵入もほぼ皆無だった。二〇世紀初頭には、アメリカ人の伝道師が大部分の住民をキリスト教に改宗させた。第二次世界大戦中は、イギリスとアメリカの特別部隊とともに日本軍と戦って優れた功績を挙げた（終戦目前の最後の数カ月まで枢軸国側について戦っていた、生まれたてのビルマ国軍とは立場を異にしていた）。ビルマ独立時、カチンの族長たちは、平等な待遇と自らの州が与えられることを条件に、ビルマ連邦の一部になることを了承した。それにより自らの州は得たものの、一九五〇年代になると、真の平等という夢が潰えてゆく姿を目にする。一九六〇年の総選挙では、ビルマの有力政党が仏教を国教とすることを政治要綱の一部に掲げて選挙運動を行ったため、カチンのキリスト教徒は憮然とした。彼らのなかには、ビルマ南部のカレン族の民族的反乱からインスピレーションを得た者もいた。こうして一九六〇年代初期に「カチン独立機構」が組織され、ネウィン将軍の独裁政権に全力で反旗を翻すようになる。

その後、三〇年にわたって血で血を洗う戦闘が続き、数千人の住民が死亡・負傷しただけでなく、さらなる数千人の住民が強制移住させられたり、強制労働に駆り出されて道路建設やビルマ国軍の戦略物資補給に使役させられたりした。そんななか、ついに一九九四年、すなわちビルマ政府と中国国境沿いの元ビルマ共産党軍後継勢力とのあいだに停戦協定が結ばれてから五年経った年に、カチン・バプテスト代表者会議元事務局長のサボイジュン牧師が、カチン独立機構と暫定軍事政権とのあいだに単独の停戦協定を取り付けた。彼の娘ラトー・ジャナンは、その後の一〇年ほどのあいだに、カチン族の民族主義的感情がそれまでになく高まったという(3)。

一九九〇年代末から二〇〇〇年代にかけて、ジャナンは、停戦ラインから数キロしか離れていないカチン州の州都ミッチーナー〔第二次世界大戦中、日本ではミイトキーナと呼ばれていた〕にあるカチン神学校で教師をしていた。名前こそ神学校とつけられていたが、そこでは英語から数学まで多くの科目が教えられ、カチン丘陵を越えた場所からも生徒を集めていた。暫定軍事政権は、神学校を反逆者の養成機関とみなしていたが、停戦協定は維持されていたため、しぶしぶ存続を容認していた。

「私たちは、聖書をこの土地の文脈で読んでいます」と、丸顔で穏やかな口調のジャナンは言う。「文脈化という神学の概念があるんです。私たちは、聖餐式《せいさんしき》では、パンとワインの代わりに餅と酒を使います。そして、私たちの周囲で起きていることを、聖書の話と結びつけます。ここの土地では、権利に関する用語は、キリスト教の信仰に基づいて発達しました。たとえば、マタイによる福音書に出てくる〈誰かが、一ミリオン行くように強いるなら〉という部分〔マタイによる福音書、五章四一〕は、カチンにおける強制労働という文脈に置き換えています。

私たちは米国北部バプテスト同盟〔現在の米国バプテスト同盟〕に属しています。より保守的な南部バプテスト連盟のメンバーではありません。ですから、マーティン・ルーサー・キング牧師の非暴力抵抗の概念とつながっています。〈社会権〉や〈公民権〉という言葉は日常語になりました。教師のなかには、放課後に自宅で正義について教える者もいました。子供たちはこれらのことを自分が育ってきたなかでの経験と結びつけます。カチンの民族主義は、こうした年月を通して育ってきたのです」

カチン族は、一九九四年の停戦がもたらした経済的変化に対応する準備が整っていなかった、とジャナンは考える。それまでのカチン族の関心事は、政治的課題と軍隊に関するもので、経済的課題に対する明確な計画はなかった。ヒスイ産業はブームを迎え、カチン独立軍は利益を手にし続けたものの、最大の分け前は今や外部に流れていた。巨大な採掘機械が中国からもたらされ、ヒスイ鉱山で働いていた、おもにカチン族の労働者は仕事を失った。商業伐採も指数関数的に増大した。土地もスイカとバナナのプランテーションを作るために没収された。新たな資本階級――停戦合意した両軍のいずれかにコネを持っていたカチン人、ビルマ人、中国人――が富を蓄積する一方で、それ以外の人々は貧しいままになった。

カチン独立機構は二〇〇九年まで、〈内側からの変化〉という考えを抱いていたとジャナンは言う。NLDとは異なり、彼らは暫定軍事政権の憲法制定会議に最後まで参加していた。さらには、サイクロン・ナルギスの翌日に開かれた住民投票にまで参加し、カチン独立機構の議長が、本部のあるライザの投票所で（憲法に賛成する）最初の一票を投じた。「カチン州進歩党」も創設された。だが、反乱軍を国軍指揮下の小規模な民兵組織に分割するという国境警備隊への改変については、二〇一〇年までに合意が形成されなかった。その結果、暫定軍事政権はカチン州進歩党の登録を拒否する。ジャナンは、政治に関する相違はあるが、ビルマ国軍とカチン独立機構の関係は、依然として友好的だと感じていた。「彼らは多くの事業を共同で行っていました」と彼女は言う。しかし、二〇一〇年の末までに、両者の緊張は急速に高まっていった。

中国は、国境沿いに新たな衝突が起こる可能性に苛立ちを募らせていた。彼らにはもっと大きな計画があった。それまでの過去二〇年に中国経済は飛躍的に発展し、今や世界の発展の多くを推し進める原動力となっていた。二〇〇八年に西側で起きたリーマンショックは、さらなる西側の衰退の予兆のように見えた。一九九〇年、習近平は中国人に「力を隠して、時間を稼げ」と命令した。だが今や中国はピッチを上げて、野望を世に知らしめていた。ビルマの改変は、そんな野望の一つだった。

地図の上では、ビルマと中国は隣り合っており、過去からずっとそのような状況にあったとみなしがちだ。しかし、両国の国境線が引かれたのは近年になってからである。ビルマにとって中国は、近年まではるかかなたの国であり、両国のあいだには、高山の谷間に、イ族、ダイ族、ナシ族などの、ビルマ人でも中国人でもない山岳民族の王国が数多く存在していた。ビルマからインドへは、温かい太平洋の水域を数週間船で進めば到達できたが、ビルマから中国に至るには徒歩とラバによる数カ月の困難な旅が必要だった。変化しつつあったのは、この地理的状況だ。二〇世紀まで、ビルマにもっとも近い中国の雲南省は漢人の少数民族が暮らす場所だった。それが今や、中華人民共和国に完全に統合され、工業化も急激に進んで、ビルマの市場に緊密に結びつけられていた。

中国は、二〇〇〇年代までに、ビルマ側からインド洋へのルートが提供されることを望むようになった。それは二〇〇〇年前に最初の中国人探検家が、今日の雲南からビルマを通ってインド洋に出る道を探索したときからの中国の野望だった。第二次世界大戦中、ビルマは中国に至る裏口として機能しており、重慶で包囲された蔣介石に軍事物資を届ける際、アメリカ人はビルマ公路をトラックで走り抜けた。一九九〇年代になると、中国の学者たちは自ら〈マラッカ・ジレンマ〉と名付けた概念について検討しはじめた。これは、中国の海運とエネルギー調達のほぼすべてが、アメリカなどの海軍に封鎖される可能性がある狭いマラッカ海峡の通行に依存している脆弱性を示す事実だった。中国政府は新しい恒久的なビルマ公路を、そしてそれ以上のものを欲しがっていた。

二〇〇九年一一月、ビルマと中国は、アラカンの港を雲南およびその先にある製油所に結ぶ石油とガスのパイプライン建設という二五億ドル規模のプロジェクトに調印する。これで、中国が輸入するエネルギーの一〇分の一がビルマの中央部を横切って運ばれることになった。新たに発見されたビルマの海洋ガス田からの天然ガスもこのルートを通って運ばれることになる。さらには新たな高速道路と鉄道路もパイプラインに並行して走る計画だった。これに加えて中国は、カチン州における三五億ドル規模の巨大水力発電プロジェクトに着手する。これはフーバーダムの四倍の規模を持ち、世界第一五位の巨大ダムになる予定だった。他にも、イラワディ川とサルウィン川に沿って多くのダム建設が計画されるとともに、一〇億ドル規模の巨大ニッケル鉱山の開発プロジェクトも計画された。

ビルマ国内では、中国の動きが、控え目に言っても物議をかもしていた。だが西側の制裁下にある以上、暫定軍事政権にほかの選択肢はなかった。暫定軍事政権は、一部のプロジェクトがもたらす環境破壊についても、それに伴う土地の没収についても良心の呵責《かしゃく》はまったく感じていなかったが、多くの一般市民は不安を抱いた。こうして、ビルマの国際的な脆弱性につけこむ貪欲な中国というイメージが根付いてゆく。

私は北京で、政府高官と分析者の双方に会った。彼らは西側の同じ立場にいる者たちより、起こりつつある変化について、はるかによく理解していた。私が出席したセミナーでは、ビルマを研究している学者がこう語った。「総選挙のあとには制裁が解除され、ビルマの国際的な立場の正常化が生じるだろう。西側はこのプロセスを容認するどころか歓迎して、ポジティブに反応するはずだ。何と言っても、ビルマは異なる党を含めて選挙を行おうとしており、筋書き通りのプロセスで行われるとはいえ、さまざまな結果が生じる可能性がある。これは、中国やヴェトナム(や北朝鮮!)が数十年かけてやることより、ずっとすごいことだ」。会場には笑い声がさざめいた。

その年の初めに、バラク・オバマがアメリカ合衆国の大統領に就任した。彼の政権の国務長官となったヒラリー・クリントンは、就任早々、「制裁を科すことによってわれわれがビルマに対してとってきた道のりは、暫定軍事政権に影響を与えていない」と言って、即座にビルマに対するアメリカの政策を見直すよう指示した(4)。タンシュエが彼の変革に着手するなか、アメリカも方針を変える方法を模索していたのだ。タンシュエが考えていたことは、ビルマ政権に対する新たな取り組みをアメリカに容易に正当化させるようなものとは遠く隔たっていたものの、それでも機会は浮上した。

二〇〇九年の春と夏にかけて、私はラングーンとネピドーに一二回以上足を運び、将軍たちや他の高官たちと会って、彼らが考えていることをより深く理解しようと努めた。フォーマルな会談では、彼らは新憲法、政権の経済実績、急速な発展の見込みに称賛の言葉を連ねた。だがインフォーマルな会談では、政権の意図は〈新たなシステム、古い人々〉だと言っていた。組織は真に新しいものになるだろうが、最初の五年、いや一〇年ほどは、元軍人たちが組織を支配して、それを履き慣らそうとするだろうというのだ。彼らは、改革が反乱を導かないこと、自分の家族が守られること、富が維持されることを確実にしたかった。すべての将軍が腐敗していたわけではないが、多くの将軍には、自らの地位から利権を得ていた家族がいた。そしておそらくは何よりも、自分たちのレガシーに敬意を払わせたがっているように見えた。とはいえ、それらを除けば、新たな考えにはオープンな態度を示していた。

ビルマでの会談で、私はできるだけ何度も私の主要なメッセージを伝えようとした。すなわち、たとえどのようなものであっても軍事独裁体制からの離脱は好ましいことであること。ただし、それは一般の人々に真に資し、数十年にわたる内戦を終わらせるような経済改革を伴うべきであること。私のメッセージが通じたかどうかは知りようがなかった。

それと時を同じくして、私は西側諸国とアジア諸国双方の首都で、一ダース以上の大臣たちと会談した。当時、国際メディアは、口を揃えるように、ビルマの新たな体制はタンシュエによる独裁支配の継続を覆い隠すものにすぎないという論陣を張っていた。私は、現在起きつつあることは、それまでの長い年月において、ビルマに影響を与えることができる最高のチャンスになると説いた。二〇〇九年六月にブリュッセルの欧州連合議会でスピーチをしたときも、新たな憲法の体制は民主化こそもたらさないだろうが、ここ一世代最大のビルマ政治秩序の大改革になるだろうと論じた。そして、この改革をうまく利用して、政治に関することだけでなく、経済と武力衝突のことにも留意すべきであり、ビルマの将来について分析する際には、中国の大きな影を考慮するようにと訴えた。

私は、ヴァージニア州選出上院議員のジム・ウェッブにも会った。ウェッブはヴェトナム戦争で戦った海兵隊の退役軍人で、元海軍長官だ。二〇〇九年、彼は対ビルマ政策の見直しに対する取り組みを率いていた。ウェッブは制裁を「圧倒的な逆効果」とみなしていた。彼はまた、中国のいや増す経済的影響を指摘し、アメリカは、単にビルマを西側諸国から孤立させるよりも、中国と話し合うべきだと主張していた。(5) そしてさらに、アメリカは非民主主義社会との関係について明確に規定された基準を作成する必要があると語った。「ミャンマーを無視する余裕はない」と題した『ニューヨーク・タイムズ』紙の論評で、彼はこう書いている。「国ごとに異なるわれわれの政策は一種の状況依存的な道徳規範を生み出しており、それは明晰な外交には結びつかない(6)」

八月中旬、ジム・ウェッブはビルマに飛び、タンシュエとアウンサンスーチーの双方に面会した最初のアメリカの政治家になった。当時はコーカン族との武力衝突がもっとも激しさを増していた時期で、それは中国政府にも何らかの影響を与えていたことだろう。アメリカに戻ったウェッブは、対ビルマ政策に関する公聴会を開いた。私も呼ばれて供述し、ビルマは重要な分岐点にあり、効果的な政策をとるには、七〇年間にわたる民族間の軍事衝突と半世紀にわたる孤立の問題に取り組むことが必要だと述べた(7)。

ノルウェー政府の動きも非常に活発だった。二〇〇九年初期に国際開発大臣のエリック・ソルハイムが、デンマークの協力開発大臣ウラ・トルネスとともにビルマを訪れて、サイクロンの大被害を受けた村々を視察した。二人は、ここ一〇年以上のあいだで初めてビルマを訪れたヨーロッパの大臣だったため、世間の批判を集めることになった。エリック・ソルハイムは、その一年後、ふたたびビルマに舞い戻る。彼はビルマの孤立を終わらせることが、あらゆる進展の前提であると確信していた。かつてビルマに対してもっとも厳しい態度をとっていたノルウェーは、新たなアプローチをとることに急旋回したどころか、同じ措置をとるようにとアメリカ政府に働きかけたのだった。

とはいえ、EUなど大多数の西側諸国は、それまでのアプローチを変えなかった。その理由は容易に想像がつく。暫定軍事政権の言うことを信頼する理由はどこにもなかった。彼らの英語はうまく通じず、通訳を介したところで、よくても要領を得ないレベルだった。ネピドーですでに起きつつあった小さな変化に気づいた者もほとんどいなかった。それでも、ジム・ウェッブやエリック・ソルハイムのような要人の訪問は重要な影響を与えた。独裁体制から脱却する最初のステップをとることは世界に認められるという事実をビルマ政権に明確に示したからだ。これらの初期の動きは、それから起こる変革の重要な要素になる。

新たな方略はビルマ国内にも出現しはじめていた。その中心的な人物は、元実業家で雑誌出版者、そしてシンクタンク創設者のネイウィンマウンだった。小柄で痩せていて、つねにタバコを放さず、始終チェインスモーカー特有の咳に悩まされていたネイウィンマウンは、社交的で陽気な男で、二〇〇〇年代末のころには、政治・経済的泥沼から母国を救い出す道を見つけるという大義にひたむきにのめり込んでいた。彼の人生の物語は、彼自身が果たすことになった役割とぴったり符合している。

ネイウィンマウンは一九六〇年代から七〇年代にかけて、チューダー様式を模した家屋とかつて手入れの行き届いていた芝生の庭がそこかしこに散在するメイミョー〔現在のピンウールィン〕で育った。そこは植民地時代のヒル・ステーション〔イギリス人が植民地における避暑地として開発した土地〕で、一世紀前にイギリス人たちが、ラングーンが暑くなりすぎると出かけていった場所だった。両親は、ビルマ版のウェストポイント〔米国陸軍士官学校〕やサンドハースト〔英国陸軍士官学校〕にあたる国軍士官学校の教官で、何世代もの国軍将校たちによく知られていた。ネイウィンマウンは満足のゆく程度には優秀な生徒だったが、反抗的でもあり、つねに教師や両親に疑問を突き付けていた。それは保守的なビルマ社会では珍しいことだった。ハロルド・ロビンズやアーサー・ヘイリーの小説を翻訳で読んだ彼は、のちに自らも小説の執筆に手を染める。大学では医学を専攻して卒業したが、医師になることはやめて、ビジネスに転向した。事業は、うまくいくときもあれば、いかないときもあった。ネイウィンマウンはビジネスの世界に魅了されていた――いや正確には、ビルマの機能不全のビジネスと、その背景にある機能不全の政策に魅せられていたのだった。

一九九七年、ネイウィンマウンは『リヴィング・カラー』という雑誌を創刊する。その内容はおもに経済に関する記事だった。民間出版社の創設は独裁政権下ではたやすいことではなかったが、この雑誌は人気を呼び、彼は幅広い人脈を築くことになる。経済的混乱を目にしてあきらめる者が多いなか、ネイウィンマウンは静かに方略を練りはじめた。正体不明の将軍たちは、彼にとっては正体不明ではなく、何人かについては、両親を通して面識があった。彼に欠けていたのは公共政策における実践的な知識だった。そこで二〇〇四年、イエール大学のモーリス・R・グリーンバーグ・ワールド・フェロー・プログラムからの申し出を受け入れ、四カ月間、フェローとして比較政治学における集中的な研究とディスカッションに没頭した。これが転機となる。

ビルマに戻ったネイウィンマウンは、かつての学友で魚類学者のティンマウンタンとチームを組んだ。ティンマウンタン本人の弁によると、彼もネイウィンマウンと同じように、ビルマ式社会主義体制下で育った〈絶望的な世代〉の一人だ(8)。ラングーンの大学を卒業したあと、水産養殖の研究をタイで続け、ヴェトナム、バングラデシュ、ラオス、カンボジアで働いたのち、ティラピアの養殖を進めるためにビルマに帰ってきたのだが、そのすぐあと、ビルマを変革しようとしているネイウィンマウンの計画に夢中になる。二〇〇六年一一月、ネイウィンマウンは「イグレス」という名のシンクタンクを設立した。ティンマウンタンも、エビの輸出業で成功した元政治囚のフラマウンシュエとともに創立メンバーに加わった。この二人も、それ以降のビルマの政治に重要な役割を果たすことになる。

私が初めてイグレスを訪れたのは二〇〇七年のことだった。それは、片側に映画館、もう片側に「365カフェ」がある、一九七〇年代に建築されて今や老朽化した「タマダホテル」（現在の「ホテルGヤンゴン」）のごちゃごちゃした部屋や廊下の奥にあり、道を隔てたところには赤レンガの長老派教会があった。イグレスの事業の一部は学校で、〈能力開発〉などの短期講座を開いていた。だがそれは実際には、比較政治学を教えていることを隠すために付けられた無難な講座名だった。この講座を受講した若者は数百名におよんだ。

講師の一人は、コーネル大学で博士号を取得した陽気で多弁なチョーインフラインで、海外での教職を辞して帰国したばかりだった。彼は、ビルマは「社会的・政治的膠着状態」にあり、「批判的かつ他人とは異なる考えを持ち、変革の担い手になる若者の最小必要人数《クリティカル・マス》」を確保することが喫緊の課題であると確信していた。フラインはアイデンティティの問題に的を絞った。「若者には、新たな考え方にアクセスする手段がなかった。軍隊を毛嫌いしていたものの、それでも考え方は、大昔からずっと変わっていないビルマ国軍のものと同じだった。何がイギリス統治の産物なのか、何がそうでないのかも知らなかった。私たちはそうしたことを話し合った。国境自体が新しいものであることについても話した。これは彼らの目を開くことになったね。気分を害した者もいて、〈違う、ミャンマーはいつだって、そこにあった！〉と言い張った。だがそのあと彼らは変わった。それに伴って、より実際的なアプローチを受け入れるようにもなった。とるべきアプローチは、輝かしい過去を取り戻すというようなことではないとね」

イグレスは、政策に影響をおよぼすことを目的にしたシンクタンクでもあった。「政権の情報システムはダウンしていた」と、あるイグレスの元メンバーが二〇一八年に私に語った。「情報部門がなく、選択肢について説明する者がいなかった。もしわれわれがその状況を操作することができれば、彼らを改革の方向にプッシュすることができる。だが、一度でもミスを犯したら、監獄送りだ」。そのころまでにネイウィンマウンは、政策のあらゆる面に関する考えを書き綴った短い論文を何百本も作成して、高位の将軍たちに送っていた。また週刊新聞『ヴォイス』も発行して、政府の考えに慎重に疑問を呈した。彼はタンシュエにさえ手紙を送った。そうした活動のほとんどが咎められずにすんだのは、ひとえに、将軍たちの多くがネイウィンマウンの両親のかつての生徒だったからである。ビルマでは、師弟（サヤー・ダベ）関係は、親子関係の次に尊重される。

民主化運動陣営にいる多くの者にとって、イグレスはまさに裏切り行為を代表するものだった。NLDとアウンサンスーチーがとりわけ脆弱な立場にある時期に、イグレスは新憲法を暗に了承することによって、NLDとそのゴールである革命に背を向けた。イグレスに疑念を抱いたことについては、もう片方の側でも同じだった。ネイウィンマウンとイグレスの職員は、警察の特別班《スペシャルブランチ》（反政府勢力を監視する部署）に何度も尋問され、二〇一〇年の夏には、短期間収監された。

そのころまでには、広がり続ける人の輪が非公式に共同で活動するようになっていた。その輪には、イグレス、ビルマ人亡命者、NLDに属さない政治家、ラングーンにいる西側外交官と支援活動家、そして各国政府の内勤者から大臣までのさまざまな人々が含まれていた。彼らは、制裁は逆効果であり、革命はすぐには起こらず、間近に迫るタンシュエの退任はビルマを改革派の方向に推し進めるために利用できる、という信念を共有していた。

イグレスはバンコクでも活動し、ビルマに戻ろうとしているビルマ人亡命者と一連の会議（〈バンコク・プロセス〉）を密かに開いていた。当時ネイウィンマウンは、躁病にかかっているかと思わせるような状態で仕事に熱中していた。つねに短パンを穿《は》くようにもなった。喫煙しながらキーボードを打っている最中に眠り込み、ラップトップを燃やしてしまったこともある。また、何の説明もなく、メールアドレスを bratpytt@gmail.com に変えた。そして毎日、私を含めた何十人もの相手にメールを送った。相手は、外交官、将軍、支援活動家、実業家、亡命者と多岐におよび、次に打つ手を的確なものにするため、彼らを慎重に操作しようとした。ネイウィンマウンの望みは二〇一一年に大々的な変革を起こすことではなく、二〇一六年までに民主化を達成するために漸進的な進化を遂げることだった。

一方、私の個人的な望みは、議論の対象が、政治だけにとらわれている現状から、経済と武力衝突の問題に広がることだった。当時私は――今でもそうだが――中心に据えるべき問題はもっとも貧しい人々の苦境、および民族とアイデンティティに対する新たな考え方であると感じていた。二〇〇九年五月、私はバンコクで、ビルマの経済改革を論じる最初の会議を開催し、国連、世界銀行、アジア開発銀行、ビルマ人の経済学者を国内外から一堂に集めた。さらに、「生計・食糧安全保障信託基金」（ＬＩＦＴ）の非常勤アドバイザーになり、バンコクからラングーンに毎週通った。ＬＩＦＴは、ＥＵ、イギリス、オーストラリアがナルギスの災害後に設立した数億ドルの基金で、その目的は、ビルマ農村地帯における極度の貧困の改善にある。私は基金とビルマ政府の橋渡しの役割を担い、これは良いことだと政府に納得させる努力をした。当時はまだ大部分の将軍が西側諸国を強い疑念の目で見ていたからだ。一方、西側諸国も、この支援が暫定軍事政権の現状をさらに強固なものにすることにはならない保証を求めていた。その意味で、ＬＩＦＴは試金石だった。ＬＩＦＴのメンバーとして、私はビルマ国内の最貧地域のいくつかを訪れた。そして、少なくとも数年のうちに、もっとも貧しい人たちの状況が改善されるよう願った。

海外では、一生に一度の機会が訪れようとしている可能性に気づいたビルマ人が、少数ではあったが徐々に増えていた。そんな一人に、当時アフガニスタンで支援機関の一員として働いていたミンゾーウーがいる。８８８８蜂起が不成功に終わったとき、彼は一五歳だった。すぐに地下活動に加わった彼は、その後タイとの国境に拠点を置く反乱勢力「全ビルマ学生民主戦線」（ＡＢＳＤＦ）に参加する。そして数年間にわたり、おもに現地の少年からなる寄せ集めのグループに加わって山中で暮らした。危機一髪の瞬間は何度も訪れた。国軍と戦闘を交えていたときには、六発の銃弾が頭のすぐ脇を通過して、真後ろにあったジャックフルーツの幹にめり込んだ。マラリアやチフスにかかって死にかけたことも一度や二度ではない。ミンゾーウーは考えはじめた――いったい自分はこの山の中で何をしているのだろう、と。アメリカ大使館をはじめとする西側諸国の大使館の多くは、ＡＢＳＤＦや国境沿いに存在する他の反体制グループと彼らのタイの連絡事務所を通じて頻繁に接触していた。ある日ミンゾーウーは、ＡＢＳＤＦの連絡事務所から、アメリカで学ぶための奨学金について連絡を受ける。「キャンプにいた者には二つの習慣があった。一つは、士気をくじかないために、故郷の家族の話はしないこと。もう一つは、将来について考えないことだ」。だがそのとき彼は、将来について考えることにした。そしてバンコクに赴いて申請用紙を入手し、泥だらけの山の中腹にある小屋の中で、それに記入した。

ほどなくして彼はメリーランド大学にいた。そこでは、政治学者のテッド・ガーが、国家の破綻に関する研究を行っていた。「当時はソマリアの問題がニュースで大きく取り上げられていて、アメリカ政府はソマリアに関連する〈国家破綻タスクフォース〉を立ち上げていた」と彼は言う。テッド・ガーはこの取り組みに関わっていたため、ミンゾーウーも関与することになる。のちにミンゾーウーは、ジョージ・メイソン大学から、紛争分析と解決の研究において博士号を取得した。

そのころまでにミンゾーウーは、制裁と孤立化政策はビルマを先に進める手段にはならないことを理解していた。二〇〇三年に起きた暫定軍事政権によるアウンサンスーチーの車列の襲撃は彼をひどく立腹させたが、民主化運動の衰弱はまた、戦略の見直しが必要であることを意味していた。「新憲法下の組織における国軍の計画を何らかの形で利用することが必要だ」とミンゾーウーは考えた。そんなおり、彼はロンドン郊外で開かれたある会議で、ネイウィンマウンに出会う。この会議には私も参加していた。ミンゾーウーとネイウィンマウンはその後も連絡を取り合った。二〇〇八年に、ミンゾーウーはのちに妻となる、アメリカ在住のビルマ人女性に出会った。彼はその女性に、自分は好ましいボーイフレンド、ひいては夫にはなれないかもしれないと伝えた。将来ビルマに戻って、政治活動にふたたび加わるつもりだから、と。

ミンゾーウーの考えは、どのような変革も、エリート主導の変化によってもたらされるだろうというものだった。そして、それには二つの条件があると感じていた。「よりオープンな政治的スペースと、変革の新たな担い手の出現」が必要であると。二〇一〇年までにミンゾーウーは、その両方が形をとりはじめるのを目にしていた。

二〇一〇年三月、数カ月続いた内部討論ののち、ＮＬＤの指導者のうち刑務所に収監されていなかった者が一堂に会して、来る総選挙のボイコットを呼びかけた。これは自宅軟禁中のアウンサンスーチーの意向で、彼女の主治医が皆に伝えたものだった。しかし少数の者がこれを不服として、ＮＬＤを離党し、新たな党「国民民主勢力」を結成する。これは暫定軍事政権にとってはグッドニュースだった。選挙に関する新たな法律により、あらゆる政党は選挙に参加することが義務化され、そうしない場合は、自動的に解党されることが規定されたからだ。ＮＬＤは公的に解散させられた。

ジャーナリストのウィンティンは、その信念のために一九年間刑務所に収監されていた。そのあいだじゅう、頻繁に殴られ、医療措置を拒否されて、ひどい状況に置かれたが、ついに刑期を終えて出所していた。すでに八〇歳になっていた彼は、ぼさぼさの白い髪を頭に抱き、未だに収監されている仲間との連帯を示すために、つねにスカイブルーの囚人服のシャツを身に着けていた。『ニューヨーク・タイムズ』紙の取材を受けたウィンティンは、総選挙に参加することは「われわれの政治的信条をすべて断念することになる」と語った。そして、国際社会に対し「ビルマ政府により大きなプレッシャーをかけてほしい」と懇願した。「私にとっては、今でも刑務所にいるようなものだ。まるで、国全体が収監されているように感じる」と彼は言った。

二〇一〇年九月、公的な選挙活動期間が始まった。登録されたのは、暫定軍事政権の「連邦団結発展党」(USDP)やNLDの分離政党である「国民民主勢力」をはじめとする合計四〇党。そのなかには、ネウィン政権の執政党だった「ビルマ社会主義計画党」が復活した「国民統一党」もあった。多くは少数民族の党で、いくつかは真に独立した党だったものの、地元の票を集めるために暫定軍事政権が設立した党もあった。

タンシュエの目論見は、自らの党であるUSDPが選挙に勝利することだったが、できれば圧倒的に勝ちたかった。勝算はすでにその方向に向かっていた。資金も潤沢にあった。それに、もはやNLDが消えたなか、全国的なライバルはほとんどいなかった。

選挙活動は本格的に行われた。しばらく前に退任した将軍たちは、今や議員候補者になっていた。制服に身を包んで人生を過ごしてきた彼らの一部は、一般大衆の前で民間のロンジー姿を見せるにしのびなく、サファリスーツを着込むことにした。そして選挙区を回り、市民と握手し、赤ん坊に口づけをして、より良い道路とより良い学校を作ると約束した。

二〇一〇年一一月七日、総選挙が行われた。結果は、タンシュエの党、USDPの圧勝だった。USDPに投票した者のなかには、ほんとうにこの政権を支持していた者もいただろうし、勝利する側につきたかった者もいただろう。そしてNLDが選挙のボイコットを呼びかけたことから、政権に対立する他の党の支持票も大きく失われたものと思われる。それに加えて、大がかりな詐欺行為と不正投票が行われた。そのほぼ大部分は〈事前投票〉(不在者投票)を通して仕組まれたものだった。ラングーンの主要選挙区をはじめとする多くの選挙区で「国民民主勢力」(NLDの分離政党)のかなりの勝利が予報されると、高位の将軍たちは手を貸すことをほのめかした。そして、翌朝までに、追加の投票用紙の波が押し寄せて結果を逆転させたのだった。その数週間後、サッカーの試合でミャンマーがヴェトナムに敗れたとき、ラングーンでは「ミャンマーは最初〇対二で負けたが、事前投票により三対二で勝利できた」というジョークが流行った。

総選挙はまた、北アラカンにいるイスラム教徒の共同体にとって、ある意味で分岐点になった。暫定軍事政権は彼らに投票権を与えただけでなく、票を得るために、将来の暮らしがよくなると約束したのだ。ロヒンギャの人々を動員するため、暫定軍事政権はラングーンにいるロヒンギャの不動産界の大物たちを利用した。結果的にUSDPは、ロヒンギャの人々が住民の大部分を占める三つの選挙区すべてにおいて勝利した。ロヒンギャの政治家たちは、ほどなくして新たな議会に加わることになる。

しかし、一部の者は、何かが少しおかしいことに気づいていた。ティンフラインは、アラカンの州都シットウェに暮らすイスラム教徒の実業家で、ロヒンギャとカマン族の血を引いている。おもにアラカン州南部に住むカマン族は、ロヒンギャの人々とは異なるイスラム教徒だ。シットウェで育ったティンフラインは、学校時代は「楽しいとき」としてしか覚えていないという。生徒の三分の二はイスラム教徒だった。「教師からも、他の子供たちからも、差別を受けたことはまったくありませんでした。あらゆる共同体やあらゆる背景の友人がいました。街ではときおり、バーなどで、宗教の異なる人たち同士の喧嘩が起こることもありましたが、深刻なものではまったくありませんでした。一九九〇年までは、ラングーンに出かけることも含め、自由に移動できていました。問題が生じてきたのは、一九九〇年代と二〇〇〇年代になってからです(9)」

ティンフラインはシットウェの大学に進学して数学を学んだ。その傍ら、本とインド映画を通してヒンディー語を学び、ほぼ完璧に話せるようになる。彼は英語も上手だった。この優れた言語能力のおかげでインドの大企業、ＥＳＳＡＲに職を得て、住宅供給と従業員雇用を助けた。

二〇一〇年の総選挙が近づくにつれて、状況は変わりはじめた。レストラン「メイユー」で食事をとっていたとき、ティンフラインは、アラカン人の主要な党「ラカイン民族開発党」が隣の部屋で催していた会議の声をふと耳にする。そこにはアラカン人仏教徒の指導者たちが、ラングーンや州内から集まってきていた。「彼らは〈ルーミョーセイッ〉〈民族の〉または〈国民の〉精神という意味で、ビルマ語では互換性のある言葉）の必要性について話し合っていました。そして、ここは自分たちの土地だ、ここは仏教徒の土地だ、と言っていました。すると何人かが〈カラーに注意しなければならない〉と言ったんです。この言葉を聞いたとき、初めて不安になりました」

その数カ月前には、駐香港ビルマ総領事のイェーミンアウンが、香港の諸外国公使館の全公使と現地メディアに書簡を送り、アラカンのロヒンギャ・イスラム教徒に対する差別を訴える報告に反駁《はんばく》していた。彼は、ロヒンギャの人々は「ミャンマーの民族グループ」の一員ではないとし、彼らの「濃褐色」

の顔貌を、ビルマ人の「色白で柔らかい美形の」顔貌と比較した。おまけに、自らの顔貌はビルマ人「紳士」として「典型的かつ正真正銘のもの」であり、「あなたがたの同僚であるミスター・イェが、いかにハンサムであるか認めざるをえないだろう」とまで記し、それに比して、ロヒンギャの人々は「鬼のように醜い」とした。(10)ミスター・イェは、叱責されるどころか、昇進にあずかったのだった。

総選挙から一週間ほど経った二〇一〇年一一月一三日、アウンサンスーチーは自宅軟禁を解かれた。彼女の家の門の外に集まった泣きながら喝采を送る群衆に向けて、彼女はこう語った。「人々は一致団結することが必要です。そうして初めて、私たちは目標を達成することができるのです(11)」。群衆の多くは、彼女の姿と〈アウンサンスーチーを支持する〉というスローガンが描かれたTシャツを着ていた。それから六週間後、アウンサンスーチーはインターネットへの接続を許された。BBCのインタビューのなかで彼女は、未だに「非暴力の革命」を望んでいると言い、それにどれだけの月日がかかるかはわからないが、「将軍たちと話し合うあらゆる機会を利用するつもりだ」と語ったあと、こう付け加えた。「私は国軍が破綻するところは見たくありません。国軍がプロフェッショナリズムと真の愛国主義の尊厳ある高みに達するのを見たいのです(12)」

舞台は整ったが、セリフは未完成だった。タンシュエと彼の取り巻きには、未だに政権移管を異なる方法で調整する余地が残っていた。彼らの心に重くのしかかっていた新たな要素は、毎晩テレビで注視していた〈アラブの春〉のニュースだった。二〇一一年一月、チュニジアのザイン・アル゠アビディーン・ベン・アリ政権が崩壊し、大統領は亡命を余儀なくされた。その一カ月後には、エジプトのホスニ・ムバラク大統領が失脚して収監された。三月にはシリアでバッシャール・アル゠アサドに対する反乱が勃発した。そしてその年の夏までに、リビアの独裁者ムアンマル・アル゠カダフィが、暴徒に襲撃されて命を落とした。これらすべてのことがネピドーにいた者たちの心にのしかかり、彼らには支援を受け入れる用意ができていた。

この時点で、ノエリーン・ヘイザー（国連地域経済委員会の事務局長で、ナルギス後に重要な役割を果たした女性）が、将軍たちとの対話を強化した。二〇〇九年にビルマ国内を視察したのち、彼女は将軍たちにこう言った。「あなたがたは、ほんとうに大きな問題を抱えています。子供たちは学校に行っていません。人々には十分に食べる物がありません。ダムを建設しているとのことですが、ほとんどの村には十分な水がありません。あなたがたは、ほんとうに安価な労働力と原料だけを輸出するような経済を求めているのですか？　何かもっとほかのものが欲しくはありませんか？　私たちは、世界最高の頭脳をここに呼んで、あなたたちに協力させることができますよ」

ヘイザーは、ノーベル賞を受賞した経済学者で元世界銀行チーフエコノミストのジョセフ・スティグリッツをビルマに呼んだ。彼は当時（も今も）ヘビー級の大物だった。将軍たちは来訪許可を出すことに躊躇したが、結局は折れた。これはとてつもなく大きなステップだった。彼らは、三年前にビルマの貧困状態が政権の認める程度よりずっと深刻だと言ったチャールズ・ピートリーを追放した将軍たちだったのだから。そしてそれは、ちょっと立ち寄るといった訪問ではなかった。スティグリッツは、ビルマの民間組織と政府の高官が参加する大々的な会議で発言することになっていた。将軍たちは不安に感じており、タンシュエがテインセイン首相の参加を許可したのは、ようやく開催直前になってからだった。

ネピドーにある、中国の資金で建てられたミャンマー国際コンベンションセンターで、スティグリッツツは参加者たちに、保健と教育への財政支出を増やし、農業と農村地域の開発に投資し、石油とガスからの新たな歳入を賢明に活用することの必要性を説いた。そして、最貧層の人々を支援する必要性を強調し、農村の信用市場の悲惨な状況に注意を促した。質問は多々寄せられた。その後シンガポールで開かれた記者会見で、スティグリッツは「そこには、これこそ国が変わる瞬間だという期待感がみなぎっていた」と述べた。

たいていの国では、著名な経済人によるレクチャーとディスカッションは、たとえそれがジョセフ・スティグリッツのようなノーベル賞受賞者によるものであったとしても、ニュースに取り上げられることは滅多にない。しかし、数十年間孤立状態が続いたビルマでは、それはティッピングポイントになった。重要だったのは、講演の内容よりも、政権の業績を暗に批判する分析が公表され、しかも報道されたという事実だった。それまでタブーだったことが、突然国営メディアで報道されたのである。この会議の開催を助けた元国連エコノミストのウーミンは後に開かれた記者会見でこう語った。「スティグリッツ教授のビルマ訪問は、知識を私たちに授けるためだけでなく、私たちおよびビルマ国内の変化を求める人々に、そうするための余地を築いてくださるためだったことが理解されるよう願っています[13]」

二〇一〇年が二〇一一年に変わるころ、ビルマは、宙ぶらりんの状態にあった。アウンサンスーチーは解放され、タンシュエは権力を手放そうとしていて、新たな政治体制も形をとりはじめていた。そして儲けをたくらむ者たちは、懐に利益を詰め込むのに忙しくしていた。国有財産が処分価格で売り出され、将軍に近い実業家は一等地の不動産を格安で手に入れることができた。森林も猛烈なペースで伐採された。私にとって、これは何らかの変化が起ころうとしている明らかな兆候だった。カエルが地震の数週間前に大気中の電荷を帯びたイオンを拾い上げるように、旧弊な慣行が終わりそうであることをもっとも明敏に察知するのは実業家たちだった。

これらの実業家たちは、実入りのよい数年間を過ごしてきていた。しかし、公平を期して言えば、それは、ほかの多くの者についても言えた。緩やかな経済成長は、目に見える変化をラングーンにもたらしていた。ホテルは小ぎれいになり、レストランの選択肢は増え、他のアジア地域にひけをとらない高級スーパーや、粋で効率的な空港ターミナルが登場した。新たな資金の大部分は、ヒスイ採掘と、それに関連するラングーンの不動産価格の高騰からもたらされた。価格上昇中の天然ガスの利益を一部財源とした新たな首都の建物建設も、選ばれた少数の者を豊かにした。一〇年前に二〇万ドルだった家の価格は一〇倍になった。生まれたばかりの中産階級へのトリクルダウン効果もあるにはあったが、それより下にはほとんど浸透せず、格差は厖大なままに留まった。

ビルマ式社会主義を放棄してからの過去二〇年間、金はビルマの政治的展望を形作ってきた。誰もが――兵士も一般市民も、政府も反乱軍も、ビルマ人仏教徒も少数民族も――市場に依存してきた。誠実に財産を増やした者も一部にはいたが、銃や高官にアクセスできた者の多くは、そうはしようとしなかった。結託と違法行為は、言語、民族、宗教の垣根を越えて蔓延していた。

だが、これから先は？

金は、ビルマ政治の次の段階を依然として形作り続けることになるのか？　それとも民族にまつわる考え方が、すべてに勝ることになるのだろうか？

一方、四〇年近くにわたる抑圧と貧困は、心理的な影響をもたらしていた。このことは私自身も、親戚や知り合いのなかにじかに見てきた。世代が下るごとに、手にできる機会は減り、その責任をとる者もいなかった。自由市場に対する不安は無力感と一体になり、多くの人々が仏教や他の宗教に救いを見出すようになった。二〇一〇年時のビルマは、かつてないほど敬虔な宗教社会になっていた。数百万の人々はまた、地元の僧院や教会、あるいはそこここにできた数多くの〈パラヒタ〉（「他人の幸せ」という意味）組合に出かけて、毎週慈善活動に時間を割くようになった。そしてそれよりさらに多くの人が、身をひそめて他人のことには干渉せずに、何とか日々を過ごしていた。

そうしたなか、将軍たちは閉じられた世界に暮らしていた。彼らは同じ場所に住み、妻たちは互いとだけ交流し、みな同じ宗教儀式に参加し、子供たちは同じ学校に通い、仲間内で結婚していた。そして自分たちこそ真の愛国者であり、その敵は反逆者だと自らに言い聞かせていた。

その冬、今や元将軍となった者の一部が新たな段階にこっそり進んだ。そのうちの二人は、ひそかにイグレスを訪れて講義を聴講した。楽観的な傍観者は、少なくとも何らかの経済改革がなされ、政治活動の制限が緩み、西側諸国との接触が図られるのではないかと期待した。だが次に訪れた状況は、あらゆる者の想像をはるかに超えていた。

第6章　星の並び

二〇一一年が明けてからの数カ月のあいだ、新憲法に基づく体制は見せかけだと撥ねつけた懐疑者たちは正しかったように見えていた。将軍たちの多くは、今や〈元〉将軍になっていたが、服装が変わったこと以外の変化の兆しはほとんど見られなかった。

ラングーンのゴシップの焦点は、新憲法のもとで、これらの元将軍のうちの誰が最初の名目上の文民大統領になるか、ということだった。タンシュエは非公式な会議のなかで、自ら最高位に就くことは望んでいないと明言していた。長年のあいだ、彼の唯一のライバルは副官のマウンエイで、タンシュエより数歳下のマウンエイは、実業界と国軍に自らのネットワークを持つパワフルな存在だった。タンシュエは、自分が退任するときには、マウンエイも確実に退任させることを目指していた。さらに、国軍と自ら作り上げた二つの新たな制度——大統領制と議会——とのあいだで、権力を分割することも目論んでいた。タンシュエは、新たな絶対的指導者が現れないことを確実にして、安らかな晩年を送りたかったのである。アウンサンスーチーについては、すでに打ち負かしたものとみなしていた。

下馬評に上っていたのは、暫定軍事政権の序列でタンシュエとマウンエイの次に付けていたナンバー三のシュエマンだった。一九四七年生まれのシュエマンは、人生の大部分を戦闘に費やしてきた。マンダレー南方のティークの森で共産党勢力と戦い、タイ国境近くの蒸し暑いマラリアが蔓延するジャングルでは、カレン族の反乱軍に対する血で血を洗う戦闘を率いた。彼はその武勲に対して〈勇敢〉を表す稀有な称号「トゥラ」を授与されていた。二〇〇〇年代中頃までには、あらゆる日々の軍事作戦を任されるようになり、タンシュエからもマウンエイからも信頼される次のリーダーとして、ますます目されるようになっていた。エラが張った顔つきの、柔らかな口調で話すカリスマ的なシュエマンは、まさに適任に見えた。二〇〇六年に彼と他の将軍たちに会見したある国連外交官は、シュエマンのことを友好的で好奇心旺盛な人物として覚えている。シュエマンは彼を質問攻めにして、こまめにメモをとっていたそうだ。彼こそ確実な後継者とみなしていた中国は、シュエマンが二〇〇九年に北京を訪れた際には、赤い毛氈《もうせん》を敷いて歓迎した。

シュエマンはネイウィンマウンとイグレスとも緊密に連絡をとっていた。ネイウィンマウンは少なくとも週に一度は、自動車輸入の自由化から新たなオバマ政権との関係まで、ほぼ考えうるすべての政策課題について彼にメモを送り、シュエマンの息子もイグレスの講義に出席し、講義を録音して父親に送っていた。二〇一〇年、他の多くの将軍と同様に、総選挙に打って出るために公職を退いたシュエマンは、順当に議席を獲得し、人生最高の瞬間を待っていた。

だからこそ、一月の末に議会が招集され、もう一人の元将軍、テインセインが大統領に選出されたときには、多くの者が困惑して頭をかいたのだった。シュエマンは、いわば残念賞とみなされる下院の議長職を拝命した。ネイウィンマウンは落胆した。私は、その数カ月前から、ネイウィンマウンと大統領候補について多くの議論を交わしていたが、テインセインについては、その可能性さえ口に上らなかったことを覚えている。

テインセインは旧政権で首相を務め、暫定軍事政権の序列では、シュエマンの次のナンバー四の立場にいた。物腰の柔らかい、眼鏡をかけた丸顔のテインセインは当時六五歳で、きゃしゃな彼は心臓病を抱えていた。野心的なシュエマンにひきかえ、テインセインはかなり前から穏やかに退官する道を探っていた。彼の評判は非常に勤勉だというもので、〈ミスター・クリーン〉という評判も手にしていた。家族に実業界との関わりがまったくない、非常に稀な国軍高官の一人だったからだ。

計画は着々と実行に移されていった。タンシュエは、権力を分割するという目的を遂げるため、野心のない男をもっとも強大な新しい地位に据え、より野心的な男をもっとも力の弱い組織の長に据えたのである。新たな内閣は元将軍でひしめいていた（全員がタンシュエによる選任だった）。なかには、旧政権のときと同じ職に留まった者もいたが、保守的なタイプには、変革に熱心な補佐官があてがわれ、変革に熱心なタイプには、保守的な補佐官があてがわれるという具合に、互いに相殺しあうタイプの人選が行われた。「彼はすべての者を固定してしまった。どんな変化も急激に起きないことを確実にするために」。ある晩、夕食の席で、実業家がそう驚きを口にした。

タンシュエは次に、暫定軍事政権を廃止し、公に職を辞して、自分より二〇歳若いミンアウンフライン将軍〔二〇二一年にクーデターを引き起こす〕を国軍の新たなトップに任命した。ミンアウンフラインはタンシュエの愛弟子で、その少し前にコーカン族の軍閥に対する軍事作戦を自ら指揮していた。〈新しい革袋に入れた古いぶどう酒〉を予測していた者は、的を射ていたようだった。

しかし、その後、政府の言葉が変わりはじめる。二月と三月、新たな議会の六〇〇名あまりの議員は、冷房の効いた巨大な議員会館に毎日のように集まっていた。ほぼ全員が中年か高齢の男性で、かなりの者が元軍人か実業家。そしてみな、白い綿のジャケット、絹のかぶり物、ベルベットの草履、ビルマ官僚が着る模様つきのロンジーを身に着けていた。議員の大半は与党の「連邦団結発展党」（ＵＳＤＰ）のメンバーで、残りは少数民族の党（それぞれのかぶり物を適切にかぶっていた）か、ＮＬＤから分離した「国民民主勢力」だった。そしてこれらの野党議員が、脱税、貧弱なインターネット接続環境、高額な学費、報道の検閲、果ては政治囚の恩赦の可能性まで、それまで口にされなかった繊細な議題を俎上に載せたのである。こうした議論は、自由に戦わされたどころか、そのほぼ一言一句が国営メディアにより翌日報道された。これは驚異的なことだった。なにしろ、ここ数十年にわたり、公的な立場にいる者が人々の直面している真の問題を口にするところを聞いた者など、誰もいなかったのだ。

大統領への就任を拒絶されて傷ついたシュエマンは、任された組織である議会が迅速に活気づく様子を示そうとしていたのである。

三月三〇日、新たな大統領が就任演説を行った。彼は「良い統治」と「清い統治」の必要性を強調し、自らの政権は「透明」で「説明責任を持つ」ことになると誓った。彼はまた、差し迫った経済改革の必要性を強調し、「未だに貧困と闘いながら暮らしている人々、その日暮らしの人生を送っている人々が大勢おり」、自分の主要任務は「貧富の格差を縮めることだ」と語った。さらには、環境保護を確実に行う必要性まで訴えた。

多くの国では、こうしたことは政治家が口にするごく普通の話だとみなされるだろう。だがこれは、支配者が半世紀にわたって現状に対する批判を一切封じてきたビルマでの話だ。テインセインはまた、他の政党との協力だけでなく、他の「政治勢力や善意の個人」とも協力したいと語り、暗にアウンサンスーチーと協力することを示唆した。一九八〇年代末にモスクワに駐在していたあるアメリカ人外交官は、グラスノスチ（情報公開）が始まったときのことを思い出すと私につぶやいた。

そして、さらに大きな転機が訪れた。外部顧問の任命である。一九六〇年代、当時の独裁者ネウィンは行政府を骨抜きにしようとして、ケンブリッジ大学やロンドン大学を卒業したトップ官僚たちを即座に解任し、彼らの多くは国外への脱出を余儀なくされた。アジアにおける他の軍事政権――たとえば〈バークレイ・マフィア〉（カリフォルニア大学バークレイ校に学んだエコノミストを中心とする経済官僚テクノクラート）の知識を活用した韓国やインドネシア――とは異なり、ビルマ政権はエキスパートの力を信用せず、外部からの助言を求めようとはしなかった。国軍は、つねに物事をもっともよく知っていることになっており、インテリ層を敵視する本能は強力だった。

そのため、バークレイで教育を受けた元国連エコノミストのウーミンが主席経済顧問（および、新たな外部顧問の一人）に任命されたときには、大地震の前触れとして、大地が揺れはじめているという感覚があった。というのも、ウーミンは単なるエコノミストではなかったからだ。彼はアウンサンスーチーの友人で、暫定軍事政権の政策を手加減せずに批判していた。縁故主義とハイレベルの腐敗についてもオープンに語り、数カ月前に開かれたジョセフ・スティグリッツを招聘した会議では、ノエリーン・ヘイザーと緊密に連携して準備を整えた。大統領は今、彼に経済改革の計画策定を託したのだった。

スティグリッツの会議を踏まえて、農村地域の開発と貧困削減に関する二度目の会議が五月に開催された。銀行と通貨の改革から、海外からの投資の奨励や環境保護までを含む、ありとあらゆる改革に関する新たな政策文書、ワークショップ、コンサルテーション、大統領による決定、そして必要であれば新たな法律の制定についての過密スケジュールが組まれた。ムードは一変した。公務員たちも、そのキャリアにおいて初めて、現状に異を唱え、敢えて代替案を提示した。そして政府の外にいる人々も、変革が必要な事柄に関する自らの意見を、メディアに対してもオープンに表明しはじめた。

それでも懐疑派は、依然として疑念を抱いていた。ジョン・マケインはビルマ政府に警告した。「進化のための改革を避ける政府は、やがて究極的に革命という変化に直面することになる。この選択肢を先送りしたり、遅延させたりすることは可能かもしれないが、拒絶することはできない」[1]。旧政権とは異なることを示したかったビルマ政府は、マケインのこの発言すべてを国営メディアで報道するという対応をとったのだった。

七月初旬までに、言葉は行動に移り出していた。大統領は、国民年金を大幅に増額すると宣言し、輸入製品にかかる関税も大幅に削減しただけでなく、輸入免許制度も自由化した。そしてもっとも重要な、通貨改革に向けて第一歩を踏み出した。一見すると技術的な改変に思えるこの最後の三つの措置は、実際には政権の既得権益に対する直接攻撃だった。ビルマ通貨の公的な為替レートは、一ドルにつき六チャットだったが、市場での為替レートは一ドルにつき七五〇チャットにもなっており、一ドルを六チャットで買える順当なコネのある者は、そのたびに大儲けしていた。通貨改革はまた、年間数十億ドルにおよぶ天然ガスからの政府の歳入を適切に説明するために欠かせない最初の一歩となった。大統領は正式に国際通貨基金の支援を要請した。政府内と議会からは猛烈な抗議の声が上がったが、それでも大統領はこれらの改革を断行したのだった。

あらゆる人にとって、これほどの変化は数十年来初めて目にすることだった。経済面の大胆な改革を望んでいた者たちは大いに励まされた。だが、政治面においては、どうだったのだろうか？　このような変化は少しでも期待できたのだろうか？

二〇一一年の春と初夏にかけて、アウンサンスーチーには、真の変化が生じている事態を受け入れる用意がまだ整っていなかった。彼女は精力的に働いていた。何年にもわたる分離のあと、党員（すでに出所していた者たち）と情報を交換し、ＮＬＤの本部で多くの時間を過ごしていた。ＮＬＤ本部は、家具店の隣にある地味な小さい建物で、電線はむき出し、埃っぽいテーブルには書類が高く積みあがり、ガタつく階段が二階にある彼女の小さなオフィスに続いているというところだった。主治医のティンミョーウィン医師は定期的に彼女の血圧を測り、疲労で倒れることを防ぐために、ときおり「点滴カクテル」――ビタミン、タンパク質、ブドウ糖をブレンドしたもの――を投与していた。(2)

アウンサンスーチーには、次にとるステップを慎重に調整して、最近の展開が、予想していた表面的な変化以上のものをもたらすかどうかを判断しなければならないことがわかっていた。一部の支持者は、新たな政府に対して、もっと挑戦的な態度をとることを彼女に望んでいた。ラングーンから外遊することも考えたが、過去にそれは逮捕のきっかけになった。また他の支持者は、彼女が政府に対してより融和的な態度をとり、西側諸国の制裁解除を求めるように望んでいた。この新たな大統領は、協力できる人物なのだろうか？　そこには罠の恐れがあった。

七月中旬、私はアウンミン大臣とソーテイン大臣の双方に初めて会った。二人ともかつて高位の軍人だった人物だ。アウンミンは退役少将で、長年にわたり鉄道運輸大臣を務めており、ソーテインは海軍参謀長を退任してからの数年間、工業大臣の職を任されていた。二人は今や、ビルマをまったく新しい不確実な道に進ませようと目論んでいた。

アウンミン大臣については、ネイウィンマウンから聞きおよんでいた。ネイウィンマウンは数カ月ものあいだ、何度も私にこう言っていたのだ。「鉄道運輸大臣にはぜひとも会うべきだ。彼はほかの将軍たちとは違う。人の話に注意深く耳を傾け、あらゆることについてメモをとる。会ってみればわかるさ」と。私は鉄道運輸省にある階下の会議室でこの二人の大臣と会見した。壁には大きな鉄道の絵が掛かり、目の前のコーヒーテーブルの上には、ミルクがたっぷり入った甘い紅茶と小さな野菜の揚げ物が置かれていた。この二人に会うのは初めてだったので、会談中ずっと、どちらがどちらなのか見当がつかなかった。

二人はまず、彼らは私の「パレイタッ」〈聴衆〉だと言って、口火を切った。のちにソーテインだとわかったほうの大臣は「われわれはあなたの本や論文を読んだ。われわれはこれまでの人生にわたってずっと隔絶されてきたから、新たな概念や新しい知識を必要としている。どうかわれわれが知るべきことを教えていただきたい」と私に言った。これは警戒心が解かれる前ふりだった。彼は続けた。「われわれは今、国家の歴史における非常に重要な局面にいる。何が起きてもおかしくないが、変化は起こさなければならない。半年後にわれわれがどこにいるかはわからないし、刑務所にいる可能性さえあるが、それでもやってみることが必要だ」。二人は、〈改革派〉の方向に迅速に動くよう大統領を説得することが重要だと説明した。

もう一人の、口数の少ないほうの大臣アウンミンは私をじっと観察していた。彼は歩兵師団司令官になる前に情報将校を務めており、素朴な兵士であることに誇りを抱いていた。「私は教養ある人物ではない」と彼は言った。今やアウンミンの関心は友であるテインセイン大統領を支援することにあった。彼と大統領は数十年来の知己で、共に共産党勢力と戦い、辺鄙な村で過ごした仲だった。

大統領は、アウンミンを与党の幹事長にしたかったのだが、[3] 他の将軍たちは、アウンミンには将来の政策課題についての十分な知識がないとして反対した。自分に疑念を抱いた者たちが誤っていたことを証明したかったアウンミンは、何カ月にもわたって、自宅の裏側の部屋でひそかにネイウィンマウンやイグレスチームの面々と会い、考えられる限りのあらゆるトピックについて毎日説明を受けていた。「そこはまるで集中治療室だった」とあるイグレスのメンバーは言う。「彼を座らせ、プロジェクターを使って、一日何時間も次から次へとパワーポイントを見せたんだ」。アウンミンは、今度は私から話を聞きたがっていたのだった。

「旧い物の考え方は克服しなければならない！」とソーテインが言った。二人は、私の〈欲しい物リスト〉は何かと尋ねた。私はそれまでの三年間に、何人もの将軍に会ってきていたが、将来の課題のような物事について尋ねてきた将軍は、ほかに一人もいなかった。何も用意してきていなかった私は、ただ、新たな政府が多くの異なる分野においてイニシアティブを一度にとることがベストだと示唆した。すなわち、政治囚の解放、アウンサンスーチーとの話し合い、経済改革の継続、新たな和平交渉の開始、国際ジャーナリストへのビザの発行などである。「国内で起きていることを外の世界に理解してもらうことが必要です」と私は主張した。だが、私のどの提案も鉄道運輸省の小さな会議室より先に行くとは期待していなかった。

「ビルマでは〈バイン〉になるのは罪の因果だ」とソーテインが言った。「バイン」は〈王〉という意味だ。彼は、国の問題を解決するのは、ほぼ不可能だと示唆したのである。ソーテインは、新たな立憲政体は、軍事政権と同様に、何よりも安全保障を優先させなければならないと感じていると言った。そこで私が、安全保障の概念は、人間の安全保障として、より広くとらえることが可能であり、気候変動に対する新たな取り組みなども含まれると答えると、二人は、この考えが気に入ったようだった。

二週間後、私はふたたび二人に会った。今度の場所は、ラングーンにあるアウンミンの自宅だった。驚いたことにそれは質素な家で、アメリカ郊外の中産階級の平均的な住宅より小さく、高い壁に囲まれていた。到着したときには、すでにソーテインとネイウィンマウン、および大勢のイグレスのメンバーが集まっていた。そこでは、さまざまな進行中の改革プロセスや次にとるべき一手についての議論が活発に交わされていた。アウンミンとソーテインは、新大統領の行動を歓迎する外国ニュースのプリントアウトを入れたルーズリーフのバインダーを私に見せた。このバインダーは大統領にも見せたという。それは、彼がさらなる行動をとることを励ます手段の一つだった。アウンミンはまた小さなメモ帳を取り出して、二週間前に私がした提案を一つ一つ読み上げ、そのすべてについて検討中だと言った。

この二人は、起こりつつある変化を実際に中心となって引き起こしている大臣なのだろうか？　私が知ることになったイグレスの人々と彼らのほんとうの関係は何なのだろうか？　これはみな取り込み詐欺のようなものなのか、それとも歴史的な政治の変革の始まりなのか？　私には確信が抱けなかった。はっきりしていたのは、アウンミンとソーテインは、今やイグレスと緊密な協力のもとに行動していたことだ。そして、私にも彼らに加わって西側諸国と関わり合う最善の方法を指南するように望んでいたのだった。

その場の雰囲気は肩肘張らない率直なものだった。ダイニングルームには、空腹な人が食事をとれるようにインド料理が用意してあった。みな元将軍と元海軍大将に敬意を示していたが、思うところは隠さず率直に話した。大統領の計画を頓挫させようとすでに動き出していた〈強硬派〉や〈腐敗権益者〉の話も出た。アウンサンスーチーは潜在的な仲間とみなされていた。

七月一九日、アウンサンスーチーは、毎年ラングーンで開かれる「殉難者の日」の式典に招かれた。この式典は一九四七年に暗殺された彼女の父親と同僚を追悼するものだが、自宅軟禁下の年月、彼女は参加を禁止されていた。さらには、それまでの二〇年間、NLDの行進は、警棒を振りかざす警官に襲われるか、さらにひどい運命が待っていたものだったが、NLD党員と支持者にも式典会場の霊廟まで行進する許可が下りた。その翌日、アウンサンスーチーにラングーン近郊の都市ペグー〔現在のバゴー〕を訪れる許可が下り、彼女は集まった一〇〇〇人以上の支持者の前で野外演説を行った。彼女のスタッフは国軍と共同して安全確保に努めた。民間の新聞と雑誌にも、アウンサンスーチーの動向を報道する許可が初めて下りた。

数カ月前には考えることもできなかった変化が次々に起こっていた。八月中旬には、大統領はすべての〈武装勢力〉を和平交渉に参加するよう招き、ほどなくして交渉チームを任命する予定だと表明した。さらには、国外退去処分になっていた国連人権委員会特別報告官のトマス・キンタナをふたたび迎え入れた——キンタナはそのしばらく前に、前暫定軍事政権を戦時犯罪法廷にかけるよう訴えていたにもかかわらず。赤十字は国内の刑務所訪問を許された。それと同じ週、テインセインは、ビルマの慈善活動組織と活動家組織〔反体制派に密接な関係を持つ組織を含む〕を集めた前例のない集会において、亡命者の帰国を促し、殺人などの重大な罪を起こした者以外は、訴追を恐れる必要はないと語った。

次に訪れたのは、重要な分岐点だった。元国連職員で今や大統領のチーフ経済顧問を務めていたウーミンが、「国家経済開発改革における国家ワークショップ」を組織し、アウンサンスーチーを招聘したのだ。数日にわたる静かな熟慮の末、彼女は八月一九日に、特別班〔秘密警察〕トップが護衛する公式パレードによって初めてネピドーを訪れた。このお膳立てに力を貸したのは、イグレスのリーダーであり、かつて政治囚だったエビ輸出実業家のフラマウンシュエだった(4)。

ネピドーに着いたアウンサンスーチーは、テインセインと彼のオフィスで一時間以上にわたり二人きりで会談を行った。のちに報道機関に公表された写真には、彼女の父親の写真のもとで笑みを浮かべて並んで立つ二人の姿が写っている。そのあとテインセインは、彼女を自らの私邸に歩いて連れて行き、自らの家族に紹介した。テインセインの妻は彼女を抱擁した。アウンサンスーチーはそのあとジャーナリストに、この最初の邂逅《かいこう》は「幸せで満足のゆくものだった」と語っている(5)。

ワークショップ自体も大成功だった。政府官僚、実業家、そして数日前まで国外に逃亡していた学者を含む数百人の参加者が集まり、オープンで、しばしば熱のこもった議論が戦わされた。アウンサンスーチーも二つのセッションに参加し、その傍らには満面の笑みをたたえたウーミンが付き添っていた。コーヒーブレイクの最中、彼女はアウンミンとソーテインに別々に会った。二人の大臣はそれぞれ、ノーベル賞受賞者と共に働きたいと語った。「どうしたらお手伝いできるか教えてください」と二人は彼女に告げたという。

その翌月、私も二十数年ぶりにアウンサンスーチーに会った。彼女は一九六九年から七一年までニューヨークの国連に勤めており、私の最初期の記憶の一つは、彼女がリヴァーデイルのわが家を訪れたときのものである。一九八〇年代には、オックスフォードにいた彼女のもとを何度か訪れた。そして一九九六年、一九八八年の「8888蜂起」後に初めてラングーンに戻ったときも、私は彼女に会おうとした。電話で話したあと、翌日の昼食に招かれたのだが、彼女の家の近くの軍の検問所まで行くと、それ以上近づくことは許されないとはっきり告げられたのだった。暫定軍事政権は、いかなる手段によっても絶対に彼女と連絡をとらないことを、私がビルマを訪れる条件にした。

二〇一一年のその日、私はアウンサンスーチーとＮＬＤ本部の二階にある彼女の小さなオフィスで再会した。彼女はリラックスして親しげで、私の家族のこと、とりわけニューヨークでの日々に同年配の友人として親交のあった私の両親のことを尋ねた。そして「ちゃんと近況報告がしあえるように、近いうちにお食事にいらしてくださいな」と誘ってくれた。私はできる限りの支援を喜んでもすると約束した。

ビルマ国内のほぼすべての人が、今やポジティブな勢いを感じていた。決して開かないと思っていた扉は開錠されつつあった。だが疑問は依然として消えなかった。ビルマを真の民主主義国家に移管するというテインセインの渇望——生え抜きの元ビルマ国軍将校で元暫定軍事政権の一員だったテインセインの渇望——は、果たして本物なのだろうか？

テインセインは、イラワディデルタ西端の入り江の隣にある、海からさほど遠くない小村で生まれた。そのすぐ先にあるネグレイス島は、一七五九年にビルマ王によって一〇〇名を超えるイギリス人交易者とそのアフリカ系の使用人が虐殺された場所だ。一年の半分、村は照りつける陽に焼かれる。残りの半分は、モンスーンの豪雨が果てしなく続く水田を氾濫させ、道路を泥の海にする。テインセインが少年期を過ごした一九五〇年代には、電気はまだ通っておらず、家屋はみな、木と竹でできた小屋だった。彼の両親は土地を持たない貧民で、他人の家で雑用をしてしのいでいた。テインセインは三人きょうだいの末っ子で、上に兄と姉がいた。(6)

村の僧院の学校で学んだテインセインは成績が優秀だったため、僧たちは彼を近くの町、バッセインに送った。だがそこでの暮らしは不安定だった。五年生になったときには学資が支払えなくなり、一時村に戻って働かなければならなかった。ついに学校を卒業したとき、大学の授業料が高すぎて支払えないと思った彼は、国軍士官学校の試験を受けた。テインセインは合格し、将校となった。

一九六〇年代末の士官学校卒業以降、彼の人生は軍一色になり、ビルマのさまざまな地域に派遣された。一九八〇年代には、中国が後ろ盾についていた共産党勢力との長期にわたる大規模な戦いに加わった。初めてアウンミンに出会ったのもそのときである。一九九五年に、彼は最初の地域司令官の任務を拝命する。その場所は、ラオス国境近くの東部高原地域だった。そのころまでにテインセインは、各段階でタンシュエに引き立てられ、軍の序列の高位につけていた。タンシュエは、テインセインに憲法を起草する全国党大会の議長を任せ、二〇〇七年には彼を首相に任命した。テインセインは政権の日々の運営管理を行い、国中すみずみまで出かけていった。[7] 二〇〇八年ごろ、私はある実業家からこんな話を聞いた。テインセインは、村を訪れると、ときおり彼に電話をしてきたという。村人の困窮具合を説明したあと、手立てのための予算がまったくないので緊急の寄付をしてくれないか、と頼んできたそうだ。この実業家は、こんな要請をしてきた将軍はほかにはいなかったと言った。

ナルギスが襲ってきたとき、テインセインの村は甚大な被害を受けた。彼自身はすでに暫定軍事政権の序列ナンバー四につけていたとはいえ、親族は未だに故郷の村に住む普通の村人で、ひどい苦境に陥っていた。テインセイン自身も災害救助の責任者になり、日夜を問わず緊急会議に明け暮れた。彼は、サイクロンの被害の甚大さと、必要な支援を提供できない政府の無力さの双方にショックを受けたという。テインセインを知る多くの人々は、ナルギスは彼の精神的なターニングポイントになったと語った。

テインセインは一度として大統領になりたいと思ったことはなかった。彼の妻も、心臓にペースメーカーを埋め込んでいる夫が、新体制への移管とともに引退することを望んでいた。「だが、私は兵士であり、与えられた任務を引き受けて、最善を尽くす義務がある」と彼は言った。そんな彼は今、疑似民主主義揺籃期の大統領という立場にいた。「私には民主主義の経験がまったくなかった」とテインセインは私に語った。「一九五〇年代のこと〔暫定軍事政権が権力を掌握する前のこと〕は幼かったから何も覚えていない。大統領に就任した当初は、何をしたらよいのかわからなかった。だから自問したのだ。人々がほんとうに求めているのは何か、と。そして、普通の人々にとってもっとも重要なことは、十分な食べ物があること、金がなくても子供たちを学校に通わせられること、それと医療が受けられることだと感じた。村で貧しく育った私が一番やりたかったのは、村人たちの暮らしをよくすることだ。それが私の心底からの願いだった」

木造の小屋で育ったテインセインは、今や、二一部屋もある大統領公邸に暮らしていた。オフィスとプライベートな居住空間へはエレベーターが通じ、そこで妻と娘の一人と孫たちと暮らして、参謀将校並みの厳格な日課を忠実に守っていた。五時に起床して散歩し、七時に朝食をとり、八時にオフィスで書類仕事をしたあと、正午に昼食をとって、午後は大臣や他の官僚との会議に費やした。彼は経験豊かなマネージャーで、不必要な会議は可能な限り削減した。そして午後五時にはつねにオフィスを去ることにしていた。自分がそこにいる限りスタッフは帰宅しないことがわかっていたし、スタッフには家族と過ごす時間を持ってほしかったからだ。テインセインの部下たちは、彼が怒ったところを見たことがないと言う。彼はまた、人の話をよく聞く人物だった。

テインセインは忠実な公僕で、できうる限り最善の仕事を国民のためにしようとしており、アウンミンやソーテインのような大臣やウーミンのような外部顧問に促され、改革に向けてますます大胆な措置をとり続けていた。しかしテインセインは革命家ではなかった。彼にとって国軍に仕えた過去は誇るべきものであり、否定すべきものではなかった。邪悪な体制の転覆を目指していたわけではなく、旧政権の良いレガシーであると自らみなしたものを改善しようとしていた。タンシュエが彼に任せた役割は、そこそこの程度まで改革を進めることだった。この一線は後に試されることになる。

大統領とアウンサンスーチーとの会談から数週間経ったころ、ミッソンダムの問題が沸点に達した。このダム建設は、旧暫定軍事政権が承認した中国の投資による大規模プロジェクトのうち最大のものだった。完成時には、今後数十年間のビルマの電力需要がまかなえる可能性があり、余剰電力を中国に売ることによる数十億ドルの歳入も期待された。だが反対派はぞっとした。このダムはシンガポールの国土に匹敵する面積を浸水させ、四つの村落を潰す計画で、すでに一万二〇〇〇人近い人々が強制移住させられている最中だった。また、ヒマラヤから流れ落ちる川が合流してイラワディ川になるダム建設予定地は、カチン族にとって大きな文化的重要性のある土地だった。ダム建設に反対する活動家たちは、ビルマの生命線であるイラワディ川自体にもたらされる厖大な環境被害についても注意を喚起した。契約書に何が書かれていたのかを正確に知る者はいなかったが、多くの者は、契約条件は中国を優遇するもので、国軍の将軍たちとその取り巻きの実業家たちには賄賂が渡されたものと信じていた。それまでは起きていることを受け入れる以外の選択肢がなかった一般民衆にとって、この問題は新体制の真正性を測る手段となった。(8)

二〇一一年九月、「イラワディ川が永遠に流れることを願う者たちより」と銘打った請願書に、政治家、作家、映画スター、芸術家を含む一六〇〇名近くの影響力を持つビルマ人が署名して、テインセインに提出した。(9)「イラワディ川を救え」運動も盛り上がった。NGO「パウングー」を率いるポニーテールのチョートゥーのようなNGO界で注目を集める者たちも、ダムに反対する支持者を動員する草の根活動を根気強く進めた。

ほんの九カ月前までいかなる政治集会も治安部隊の暴力的な弾圧を受けていたラングーンでは、二〇〇七年に起きた僧侶による抗議の四周年を記念するデモ集会が許可された。その際には、多くの者が「ストップ・ミッソン」Tシャツを着ていた。「アンチ・ダム」美術展も開催され、アウンサンスーチー自らが会場を訪れて、「望むことを達成するには結束が必要です」と訴えた(10)。

テインセインは苦境に陥っていた。彼はデモを許可して、この雪だるま式に高まる国民感情を引き起こしてしまっていた。アウンサンスーチーが率いる集団抗議活動は悪夢そのもので、それが起きたら、自分の政権は引きずり下ろされてしまう可能性があると思った。その一方で、ダムは彼の元ボス、タンシュエと中国が合意した計画だった。テインセイン自身はダム建設がよいことだと考えていたし、元ボスを怒らせることも、かつての独裁者をふたたび関与させるようなことも一切したくなかった。さらには、中国がトラブルを引き起こしかねないこともわかっていた。この問題は、彼が大統領任期中に下したもっとも困難な決断となる。テインセインは寝ずに一晩考え抜いた。そして翌朝の九月三〇日、自らの在任中はダム建設を凍結するという声明を議会に対して書き綴ったのだった。

それは爆弾だった。そして、それは、テインセイン政権が一般民衆の懸念に応えることを示した最初の明白なサインだった。アウンサンスーチーはメディアに対し「人々の声に耳を傾けた政府は素晴らしい」と語った(11)。中国政府はショックを受けて激怒した。テインセインは、凍結を宣言する前に、中国に連絡さえしていなかった。だが彼らの不満のうなり声は無視されたように見えたため、中国はとりあえず後ろに引き下がった。これはやがて深刻な結果を招くことになる。

テインセインは政権に対する一般民衆の高まる信頼に支えられて、猛烈な勢いで改革を進めていった。

その時点までは、何百というビルマから亡命した者たちのニュースサイトや海外に住む反体制派支持者に関連するサイトが禁止されていたのだが、インターネットにおけるすべての制限が撤廃された。数週間後には新たな労働法が発効し、労働者たちは一九六二年以来初めて組合が持てるようになり、その翌年にかけて一〇〇以上の組合が結成された。一〇月には、およそ二〇〇名におよぶ政治囚が釈放された。

それから間もなくして、テインセインは政党登録法の修正案を承認した。この法案はＮＬＤとの交渉の末に成立したもので、ＮＬＤがふたたび合法的な組織になることを可能にするものだった。その後アウンサンスーチーは他のＮＬＤリーダーたちと話し合い、修正法の下で政党として登録することで意見の一致をみた。これは、長年にわたって彼らとその支持者が反対してきた草案と実質的に変わらない新憲法を事実上容認したことを意味した。今やＮＬＤは、春に予定されている補欠選挙に政党として参加し、アウンサンスーチー自身も議員になる門戸が開かれたのである。

ここで一歩下がって、これが歴史的な妥協であったと確認するのは重要なことだ。この妥協は、ビルマを前に進めると同時に、将来の不和と不確実性の種をまくことになる。二〇〇〇年代の中ごろ、テインセインは憲法会議の議長を務めていたが、ＮＬＤはこの憲法草案を、民主主義の基準をまったく満たしていないという理由で断固拒否していたのだった。そのあと、テインセインと彼の大臣たちが一連の自由化措置の実施に着手したため、アウンサンスーチーはその見返りとして彼女の党を登録し、新体制に参加することに同意したのである。しかしＮＬＤの見地からすれば、この合意は目的を達成するための単なる手段であり、まだ最終段階に至ったわけではなかった。ＮＬＤが新体制に参加を決めたのは、政府は改革を進めるだけでなく、憲法そのものをも改革すると信じていたからだった。

抵抗勢力は両方の側に存在した。反体制派の一部は、袋小路に誘導されてしまったと恐れ、反対側の将軍たちと元将軍たちも、テインセインと一部の大臣が元の筋書きから離れすぎつつあることに不安を抱いていた。その筋書きには、アウンサンスーチーはまったく登場しないことになっていた。

この時点で状況を変えたのは、西側の複数の国の政策だった。変化が訪れつつあることを察したノルウェーは、たとえそれが一時的で不完全なものだったとしても、ビルマにとってここ一世代最大の希望になると信じ、二〇〇〇年代末からビルマ政府内外との結びつきを慎重に育んできた。そして大臣のエリック・ソルハイム、ヨナス・ステーレ、エスペン・バート・アイデが矢継ぎ早にビルマを訪れて、改革推進派を支援した。オーストラリアも同じだった。外務大臣（そして過去と将来の首相）のケヴィン・ラッドが個人的にビルマを訪れてじかに状況を評価し、オーストラリアの支援の意思を示した。テインセインと彼のチームにとって、この初期の西側二カ国からの励ましは、改革を前に進めるために何よりも必要としていた精神的な支えをもたらしてくれた。

こうした数カ月のあいだ、この西側諸国との突然の親交関係の確立を最大限にするために、私は大統領府と緊密に働いた。ビルマを訪れる外国の大臣との会談の大半に同席し、ときにはアウンミンとソーテインのための通訳も担った。だがたいていの場合は、外国から来訪した大臣と最初に会い、ビルマ国内で起きていること、そしてその理由について私の分析を提供した。ビルマでは、個人的な感情は、つねに組織に対する忠誠心に優先する。そして私には、これらの新たな関係がビルマ人にとっては個人的なものであることが見てとれた。ビルマの大臣たちには、ノルウェーという国と他のヨーロッパ諸国との違いについての感覚がほとんどなく、判断材料は個人に対する感情だった。大臣たちは、西側から来る一部の対談者は説教をするだけのためにやってきたと感じていた。だが、ノルウェー人のビルマを助けたいという思いは誠実なものだった。ビルマの視点を理解しようと努めた当時のノルウェー大使、カーチャ・ノルガードは、ビルマの友人とみなされた。

それは、新たなアメリカのビルマ特別代表で、ほどなくして二〇年ぶりの駐ビルマ・アメリカ大使になるデレク・ミッチェルについても同じだった。各国大使とのハイレベルの会談は、すべてその機会のためにあつらえられた部屋で行われた。そこには凝った装飾が施されたティーク材の椅子が向かい合うように二列置かれ、列の端には二つのやや大きな椅子が斜めに配置されていた。そのため、ビルマの大臣と訪問してきた海外の大使は、このぎこちない角度で会話しなければならなかった。ところが、ミッチェルとアウンミンおよびソーテインの最初の会談については、この通常の儀礼を撤廃して、ビールを飲める場所で行うことが（アメリカ側から）提案された[12]。ビルマ側は不安だった。アメリカの大使と、しかも最初の表敬訪問の場でビールを酌み交わすなどということは前代未聞だったからだ。だが彼らは危険を冒すことにし、結果的に、打ち解けあうことができた。デレク・ミッチェルはその後の数年間に非常に難しい会話をアウンミンとソーテインと交わすことになるが、それでも彼は、つねに友人とみなされたのだった。

ノルウェーとオーストラリアは、ビルマの扉をこじ開けるのに貢献した。今度は、アメリカがその扉を開け放つ番だった。二〇一一年一一月、この年の東アジア首脳会議においてアジアに対するアメリカの〈戦略的基軸〉を宣言するために、バラク・オバマがバリに飛んだ。彼に近い副補佐官のベン・ローズは、のちにこう綴っている。この基軸と「アメリカの経済戦略を示す環太平洋戦略的経済連携協定（ＴＰＰ）、安全保障へのコミットメントの強化を示すオーストラリアへの海軍の配備、そして民主化の促進と東南アジア関係拡大へのコミットメントを示す対ビルマ関係拡大は……広く、そして正しく、中国に対する挑戦と解釈された[13]」と。

その三週間後、ヒラリー・クリントンは、一九五五年のジョン・フォスター・ダレスの次にビルマを訪問したアメリカ国務長官となった。アメリカ政府は依然として、ビルマの改革が〈本物〉であるかどうかを測りかねていた。そこでオバマは、バリからアメリカに帰る途中、エアフォースワンの機内からアウンサンスーチーに電話をかけ、まず彼女が政権を是認しているかどうかを確かめた。アウンサンスーチーはテインセインについて好意的に語り、アメリカは「罰ではなく褒美」をもたらすことを考えるべきだと言った。クリントンはビルマに向かう機内で、リュック・ベッソン監督が撮った聖人伝とも言える『引き裂かれた愛』を観た。それには、アウンサンスーチーが残忍な将軍と闘い、民主主義のためにすべてを犠牲にする姿が描かれていた。

クリントンの最初の訪問地はネピドーで、飛行機は日没直前に同地に着陸した（当時はまだ滑走路照明がなかった）。彼女とテインセインとの会談は友好的な雰囲気のもとで、話題は多岐にわたった――二人とも〈政策マニア〉だったのだ。大統領は「国交における新たな一章を開く」ことを願っていると述べた。[14] 西側諸国とのより緊密な結びつきを望んでいたアウンミンやソーテインのような者にとっては、これは大きなステップだった。だが、ビルマ側には、アメリカを疑う者が大勢いた。アウンミンはのちに、ビルマ国軍では、何かがうまくいかなくなるときは、よくＣＩＡのせいにしたと私に説明した。何と言ってもアメリカは、数十年にわたってビルマの政権移管を支援してきた国だった。その日のネピドーには、訪問中のベラルーシ首相〈〈ヨーロッパ最後の独裁者〉と呼ばれるルカシェンコ首相〉を歓迎する掲示板が並んでいた。

ヒラリー・クリントンはシュエマンも訪問した。下院議長のシュエマンは、議会を軌道に乗せるのに忙しくしていた。海外から議会運営手続きに関するエキスパートを招聘し、ワークショップを開いて、率直な議論を奨励した。彼はまた、党派を超える協力も促していた。「議会は、ときおり開かれる会議に一五分だけ集まって、ただ議案を追認するだけの機能しかないと思っていた者もいたが、私は議会に、抑制と均衡を図るシステムの一部として、真の力を持たせたかった」。シュエマンもクリントンと長い会談を持った。二〇一八年に私と会ったとき、シュエマンはクリントンが彼の成功を褒めたことを振り返った。「すごく驚いたものだ。そんなことを私に言ったアメリカ人は、それまで一人もいなかったのだから」。シュエマンがクリントンに、アメリカ議会から学びたいと告げたとき、彼女はそれはやめたほうがいい、と答えたという。

ネピドーでの会談が友好的なものだったとしたら、アウンサンスーチーとの会談は、まるで長らく音信不通だった友人との感動の再会のようなものだった。この二人の女性が会ったのは、そのときが初めてだったにもかかわらず、会ったとたんに抱擁しあい、頰に口づけして、共同会見時には手を握り合い、別れの挨拶として抱擁しあう前には破顔した。クリントンはアウンサンスーチーのペットの犬にまでお土産を持参していた。二人は起こりつつある変化について、その後の長い道のりについて話し合った。だが重要だったのは、二人が何を話し合ったかではなく、ヒラリー・クリントンとアウンサンスーチーが幸せな一時を過ごす姿が世界中に配信されたことだった。それは、三段階の展開の最後を飾るものだった。すなわち、テインセインによる社会経済政策の自由化、アウンサンスーチーによる新憲法の容認、そして今や、この鮮明に示された西側による承認である。[15] 制裁はほどなくして撤回されはじめることになる。その先陣を切ったのはノルウェーだった。[16] 二〇一一年を通して起きたことは、民主主義への移行ではなく、より大きな政治的自由と、それに伴う西側諸国との和解だった。

二〇一二年の元日、ネイウィンマウンが心臓発作を起こしてこの世を去った。四九歳の生涯だった。それまでの改革プロセスにおいて、彼は欠くことのできない触媒の役目を果たしていた。さらにはコーディネーターでもあり、大統領の最側近であるアウンミンとソーテインの信頼される補佐役ともなっていた。彼は、新たな議会の活性化に努めるシュエマンも支援していた。ネイウィンマウンはこれらもっとも高位の指導者たちに、民主的な政府の仕組みが学べるようにと、『ザ・ホワイトハウス』のＤＶＤボックスセットを送っていた。私は彼と毎日連絡を取り合い、頻繁に会っていた。そうした者たちは、外交官や国連職員も含めて、ほかにも大勢いた。

その数カ月前から、ネイウィンマウンは努力が実を結ぶ姿を目にしはじめていた。その結果、さらに自分を追い込んだのだった。死をもたらした日の未明に心臓発作が起きたあとも、携帯電話を使って、翌日に予定されていた大統領とジョージ・ソロスの会談に関する助言を行っていた。シュエマン、ソーテイン、アウンミンは、ただちに弔辞を送った。アウンサンスーチーは数日後に、彼に敬意を表すため、そして彼の元教え子たちがネイウィンマウンの生涯をまとめた写真展示を見るために、イグレスの事務所を訪れた。彼の死とともに、ビルマの分断された派閥をまとめる力を持っていた数少ない人物の一人がいなくなってしまった。それは取り返しのつかない喪失だった。

それでもしばらくの間、ポジティブなニュースは続いた。一月一二日、アウンミンが率いる政府のチームが、ビルマ最古の反乱軍かつ世界最長の反政府武装活動を行っているカレン民族同盟との停戦合意を取りつけた。その翌日、ソーテインが導いた別のプロセスによって、数百名の政治囚が解放された。そのなかには、一九八八年に起きた「８８８８蜂起」の主導者たち、二〇〇七年の「サフラン革命」を率いた僧侶たち、そして多くの異なる少数民族の活動家たちが含まれていた。同じく一月に解放された者には、二〇〇四年以来収監されていた元スパイチーフのキンニュンもいた。それからほどなくして、政府は公のブラックリストから、それに載っていた二〇〇〇名のほぼ全員の氏名を削除し、最近まで国家安全保障に対する脅威とみなされていた者を含め、実質的に誰でも自由に査証を取得して、国の内外に出入りできるようにした。

二〇一一年から一二年にかけての改革の多くは、新たに生まれた原動力を活用し、ビルマにとって何かポジティブなことを成し遂げようとした個人たちの努力の賜物だった。アウンミンとソーテインは、テインセインに改革のリスクをとらせるうえで欠かせない人物だった。しかし、重要な役割を果たした者はほかにもいた。たとえば、当時、労働・雇用・社会福祉大臣を務めていたアウンチーもその一人だ。元将軍の彼は、今や旧政権最悪のレガシーである強制労働を根絶しようと全力を尽くしていた。その慣習は長年のうちに大幅に低減されたものの、強制労働を可能にする法律は未だに残っていた。そしてそれがあったがために、ビルマは国際労働機関の規制対象になり、それがEUによる制裁をもたらしていた。アウンチーは、テインセインおよびシュエマンの双方と連携してこの法律を改正し、そのあとジュネーヴに赴いて規制撤廃の交渉を行った。その成功は間一髪の出来事だった。なぜなら、アウンチーが法律改正の決定的な重要性を知ったのは、ジュネーヴに出かける四八時間前のことだったのである。しかも、ビルマを訪れていたイギリスの外交官から、たまたまそのことを耳にしたのだった。アウンチーは空港に駆けつけて、中国外遊に出かけようとしていたテインセインをつかまえた。こうして、法律改正はぎりぎりのところで間に合ったのだった[17]。

イェトゥッも重要な役割を果たしたもう一人の人物だ。元国軍将校だったイェトゥッは当時情報副大臣で、そのすぐあとに大臣兼大統領の報道官になる。彼は二〇〇八年以来、ドイツの財団の支援を受けて、よりオープンなメディア環境で働く方法について省内のスタッフをひそかに訓練していた。さらには、ノルウェーに拠点を置くラジオ局「ビルマ民主の声」をはじめとする亡命ビルマ人の報道機関とも連絡をとった。そして二〇一二年初頭、亡命ジャーナリストをラングーンに集めて会議を開いたのである――彼らは、ほんの一年前まで、ビルマ国内で逮捕されたら刑務所に送られる運命にあった者たちだった。その年の末、あらゆる検閲は停止された(18)。

二〇一二年のあいだに、強硬派――自由化改革に反対していた者たち――は脇に追いやられた。そのなかには、副大統領で、強力な経済会議の議長だったティンアウンミンウーが含まれていた。彼はトップレベルの会議で、「われわれの敵は未だにわれわれの敵だ」とテインセインに言い放った。彼は、トップグループにいた何人かの者たちと同様に、外部顧問に頼るテインセインは誤っていると考えていた。外部顧問など信頼できない、テインセインは西側諸国とねんごろになりすぎて内部事情を漏らしすぎている、と。他の強硬派と同じく、彼の批判は戦略的分析や明確な代替行動計画などに基づいたものではなく、単に本能的直観から導かれたものだった。

その年の春、ついに衝突のときがやってきた。アウンミンが、すでに進行中の改革がさらに強化されないなら、辞任すると表明したのだ。大統領は彼を支持した。それを受けて副大統領のティンアウンミンウーは不安になり、逮捕される事態を恐れて、五月に仏教の僧院に隠遁し、僧侶になった。

今やテインセインは、より自由に動けるようになり、改革派のアジェンダは勢いを増した。アウンミンとソーテインはそれぞれの省（鉄道運輸省と工業省）を離れて〈調整相〉として大統領府に所属することになり、アウンミンは和平プロセスのすべての局面を統括し、ソーテインは経済界の帝王になった。「われわれは大統領のための保護層になった」とソーテインは説明した。この組織再編はまた、大統領をもっとも戦略的な課題に集中できるようにした。膨大な決定事項に押しつぶされそうになっていた状況が、一日最大一〇件ほどを処理すればよくなったのである。[19] それと同じころ、経済に関するシンクタンクとして「ミャンマー開発研究所」が創設された。さらに大統領は、「国家経済社会諮問委員会」を新たに設立するにあたって顧問団を拡大し、私を含めた新たなメンバーを採用した。これは私にとって、最初の公的な辞令となる。最初の会議で私は、新たな国際支援の適切な取り扱いが重要であり、これらの支援は貧困の克服を目的とした政府の明確な行動計画に結びつけることが必要だと主張した。私はまた、ビルマに対する国際社会の関心は長続きしないだろうから、適切に物事を進めるための機会は、おそらく一年ほどの短期間しかないだろうと伝えた。

そのすぐあと、大統領府の戦力は、シンガポール経営大学を卒業したばかりの弱冠二二歳、ウェーヤンモートンタンの採用により増強された。ウェーヤンはアウンミンとソーテイン双方のアシスタントとして働き、ラングーンにいた私や他の顧問と毎日、ときには毎時間ごとに連絡をとった。彼の小さなオフィスは大臣たちのオフィスから一〇メートルと離れておらず、オフィスの裏の小部屋の床には、マットレスが敷かれていた。ビルマ語と英語の双方に堪能なウェーヤンは、文字通り二四時間体制で働き、西側政府からの電話に夜を徹して応えた。

外国政府は、アイデアや支援を提供しはじめた。それは個人も同じだった。ジョージ・ソロス〔アメリカ国籍の著名な投資家で慈善活動家〕はテインセインと会談し、もっとも役に立つのは何かと尋ねた。ソーテインは、国家財政の立て直しを支援してくれるエキスパートの派遣を求めた。トニー・ブレア〔一九九七年~二〇〇七年までイギリス首相を務めた〕は、内閣の手続きから情報伝達方法までのさまざまな課題について提案を寄せてきた。そのなかには、大統領府に短期間、情報伝達分野を含むさまざまな分野のエキスパートを派遣するという提案もあった。私はある同僚に、大統領府に外国人を入れるのは、安全保障の見地から賢明だろうかと尋ねた。すると彼はこう答えたのだった。「心配するな。ここで実際に起きていることを外国人が理解するには、最低五年はかかるさ」

二〇一二年四月一日、補欠選挙が実施され、NLDは四五議席のうち四三議席を占めて圧勝した。アウンサンスーチーは、ラングーンの南にある小さな町コームーから立候補して当選した。この選挙は何よりも、半世紀におよんだ軍の支配に対する住民投票として機能した。人々は、自由に投票できること、そして将軍たちにさげすみをぶつけられることに感激した。元将軍のテインセインに対する尊敬も不本意ながら高まっていたものの、彼に対する称賛は、アウンサンスーチーに対する称賛の足もとにもおよばなかった。投票日に至るまでの日々に明らかになったのは、ほんの一年前まで蔓延していた恐怖感が霧散したことだった。私は、勝利を確信して熱狂するNLD支持者たちが、トラックの荷台に乗って、歓喜の声を上げながらラングーンの繁華街を乗り回す姿を覚えている。一般の人々と外国のオブザーバーたちのあいだにも、ビルマのあらゆる問題がほどなく解消するのではないかという期待が高まっていた。アメリカもEUも、ただちに制裁をほぼ緩和し、ビルマは国際社会に復帰しつつあった。

その後、アウンサンスーチーは、ウィニング・ランの外遊を行った。皮切りはタイで、国を出たのは一九八七年以来初めてのことだった。慢性的な電力不足に悩まされるラングーンを飛び立ち、タイ航空のパイロットに操縦席に案内された彼女は、バンコクの明るい光を目にして「完全に魅了された」という。世界経済フォーラムの東アジア会議にも出席した彼女は、基調講演のために会場に姿を現したとき、スタンディングオベーションで迎えられた[20]。

ほどなくしてアウンサンスーチーは、一九九一年に受賞したノーベル賞をついに直接受け取るためオスロに飛んだ。受賞以来、二〇年以上の月日が経っていた。オスロ郊外で、彼女は和平交渉に関する会議に出席した。私もソーテインも、その場にいた。他の参加者の一人だったU2のボノは、元暫定軍事政権幹部から改革主義者に転じたソーテインに興味を示し、個人的に話をしたいと彼に求めた。ソーテインの頼みに応じて、会談には私も加わることになった。こうして、明るい照明に照らされたノルウェーの森を窓辺に見下ろす小さな部屋で、ソーテイン、ボノ、私は、ビルマとそのポテンシャルについて語り合った。ボノは胸を躍らせて、世界中の天然資源管理の改善を目的とするイギリス主導の取り組み「採取産業透明性イニシアティブ」についてとくに注意を促した。「われわれはすでにそれと取り組んでいますよ、ミスター・ボノ!」とソーテインは答えた。「どうかビルマに来てください、ミスター・ボノ。そしてわれわれを助けてください。われわれは全力を尽くしていますが、あらゆる支援が必要です」と。

その後、ボノはアウンサンスーチーを彼のプライベート・ジェットに乗せてアイルランドに連れて行き、彼女は満席のダブリンの劇場で、アムネスティ・インターナショナルから賞を授与された。授賞式のあとには、ボノの歌とリバーダンスを含む特別公演が三時間にわたって催された。ボノは彼女に夢中になったと告白した。それから数日後、六六歳の誕生日を迎えたアウンサンスーチーは、オックスフォード大学から名誉博士号を授与された。その日、同じく名誉博士号が授与されたジョン・ル・カレは「夢見心地だった」と語った。同じく同席していたMI5〔イギリス情報局保安部〕の元長官、イライザ・マニンガム=ブラーも「涙を浮かべていない人はいなかったと思う」と語っている。(21)

ロンドンでアウンサンスーチーは、イギリス議会の貴族院・庶民院の双方でスピーチを行うという非常に稀な名誉に浴した。庶民院の議長、ジョン・バーコウは彼女のことを「国の良心、かつ人道におけるヒロイン」と形容した。イギリス王室の住居、クラレンスハウスでチャールズ皇太子と会見した際には、記念の樹木を庭に植樹する彼女を一目見ようと、ほぼすべてのスタッフが外に集まってきた。皇太子は「きょうはみな、オフィスの仕事がないのかね」と冗談を言ったあと、アウンサンスーチーに向かって「みな、あなたにお会いできてほんとうに喜んでいます」と声をかけた。

アウンサンスーチーは九月にはワシントンにいた。ホワイトハウスで、オバマ大統領は彼女の「勇気、決意、個人的犠牲」を称賛した。そしてアメリカ連邦議会議事堂にひしめくアメリカの政治指導者たちの前で、アウンサンスーチーに議会名誉黄金勲章が授与されたのだった。それはアメリカ合衆国が文民に授与する最高位の賞で、その四年前に彼女に本人不在のまま授与されていたものである。過去の受賞者は、ジョージ・ワシントン、ダライ・ラマ、そしてローマ教皇ジョン・パウロ二世だけだ。「友よ、あまりにも素晴らしくて、信じられないほどよ」とヒラリー・クリントンは言った(22)。ジョン・マケインは彼女のことを自らの「ヒーロー」と呼び、ミッチ・マコーネルは、彼女をガンディとマーティン・ルーサー・キング牧師に比した。ローラ・ブッシュもそこにいて、暫定軍事政権の「正統性を打破した」のは彼女の功績だと称えた。アウンサンスーチーは、「私の人生でもっとも感動した日の一つ」だと述べた(23)。彼女は独裁政権下の暗黒の日々を通してゆるぎない支援を寄せてくれたすべての人に感謝したうえ、「ウー・テインセイン大統領がもたらしてくれた改革措置」について丁重に感謝した。その日、他の要務でワシントンに滞在していたアウンミンも、脇から彼女を見守っていた。

西側諸国には、二〇一一年のビルマの改革は、中国の影響から離れようとする切望の結果だったとする神話がある。真実は、もっとずっと複雑だ。だが、ビルマの政権中枢には、反中国ではないものの、西側諸国と友好関係を最大限に結ぶことに熱心な者がいた。それはソーテインだった。

ソーテインは、ビルマの独立から一年と少し経ち、内戦が最高潮に達していたときに、ラングーンのすぐ西側にある小さな町、トワンテで生まれた。幼いときから、彼は海軍に加わりたいと思っていた。国軍士官学校をトップの成績で卒業すると、イラワディデルタでカレン反乱軍と戦い、アラカンで山賊と戦い、メルギー〔現在のミェイク〕沖の諸島でも戦う、というようにビルマじゅうの軍事作戦に加わった。それは一九六〇年代と一九七〇年代のことで、当時ビルマは国際社会とほとんどつながっていなかった。

一九七九年、この新進気鋭の海軍将校は、ビルマ国民から敬愛された「ビルマのマウントバッテン伯爵」の葬儀に参列するビルマ国軍代表団の一員に選出された。第二次世界大戦中に東南アジア地域連合軍の総司令官だったマウントバッテンは、アウンサン将軍（アウンサンスーチーの父親）が率いるパルチザンの支援を決断した。その決断は、当時、イギリス軍司令官の多くが、かつての日本軍協力者として彼らを絞首刑に処したいと思っていたなかで下されたものだった。アイルランドにあった夏の別荘近くの湾でアイルランド共和軍（ＩＲＡ）暫定派により暗殺されるまで、マウントバッテンは、独裁者ネウィンを含め、ビルマのリーダーたちと友好関係を保っていた。

この旅は、ソーテインにとって初めての海外渡航だった。他の五人の若い将校たちと旅したソーテインは、葬儀の四日前にイギリスに到着し、ロンドン中心部のベイズウォーターにある小さなＢ＆Ｂ〔朝食付きホテル〕に泊まった。ビルマ大使館は日々の生活費として一日三ポンドしか支給しなかったため、将校たちは隣のインド料理店から毎日ナンを買い、それにビルマから小瓶に入れて持参した発酵魚のペースト（ビルマで好まれる調味料）を塗って食べ、空腹をしのいだ。一九七〇年代末のロンドンは、彼らにとって目を見張る場所だった。ソーテインは英国博物館、マダム・タッソーの蠟人形館、フォイルズ書店を訪れた。「それにバスは時間通りに動いていたんだ！」とソーテインは私に語った。彼は心底感心したのだった。

葬儀の後、ソーテインはイギリス政府の公賓としてイギリスに留まり、ハイドパーク・ホテルに移った（「アラブの族長でいっぱいだった」）。今や彼は、上官のチッフライン提督と共に過ごすことになり、提督はソーテインに、メイドへのチップとして毎朝枕の下に一〇ポンドを忍ばせるのがイギリスの習慣だと伝えた（「忘れるでないぞ！」）。二人は海軍の見本市を訪れるためにポーツマスに出かけた。その際、イギリス側はビルマ海軍にコルベット艦一艘を譲渡し、購入資金を貸し付けた。当時は、西側諸国の軍隊が何も思わずにビルマを支援していた時代だった。ソーテインは生まれて初めてホバークラフトに乗った。

それから数年後、ソーテインは、デンマーク政府の支援機関からの貸付金でオスプレイ砲艦を購入するために（表向きは漁業を守るためだった）デンマークに赴き、一カ月間北海で訓練を受けた。ソーテインはこのデンマーク滞在を大いに満喫した。清潔さ、照明の行き届いた高速道路、そして「公共交通機関を使う裕福な人々」のことを鮮やかに覚えているという。

ソーテインは政治のことはあまり気にかけなかった。「私が海軍に入隊したのは世界を見るためだった」と彼は言う。順調に序列を駆け上がり、二〇〇五年には海軍参謀長、かつ当時政権を掌握していた暫定軍事政権の一員になっていた。すでに西側諸国はオフリミットになっていたため、彼はインドとの関係強化を奨励し、自ら頻繁にインドに出かけただけでなく、部下を訓練のために送った。二〇一〇年までに、ソーテインはビルマ軍指導者のなかで唯一残る、西側の訓練を受けた将校になっていた。そして二〇一一年までには、西側諸国との国交正常化を図る第一人者になっていた。

ソーテインは、ビルマの大臣としては非常にユニークな存在だった。ほかの大臣たちが外国人を避けがちだったところ、彼は進んで交流を求めた。外交レセプションでは、ほかの大臣がホスト大使の周りの閉じられた空間に固まることを好んだのにひきかえ、ソーテインは熱心にさまざまな人々と交わった。彼は意図的に西側の政府や組織の方法と自らみなしたやり方を真似た。海外からのゲストが訪れたときには、〈ワーキングテーブル〉を囲んで座らせた。そして一世代におよぶビルマの若者をヨーロッパとアメリカの最高の大学で学ばせるために骨を折った。

二〇一二年、ソーテインは、西側の制裁を終わらせるために、複数の前線で奮闘していた。ダボスに出向いて年次経済フォーラムに出席し、トップビジネスマンや政治的指導者たちと親しく交わった。背が低く、丸眼鏡をかけ、微笑みを絶やさないソーテインは、海外におけるビルマの中心的なチアリーダーとなり、ビルマの展望や、「ミスター・プレジデント」と彼が呼ぶボスが直面している問題について、率直かつ楽観的に語った。

彼はまた数多くの西側諸国指導者のビルマ訪問について交渉し、ビルマに流れ込みはじめた支援を取り付けようと努力した。ビルマを訪問したデンマークの首相、ヘレ・トーニング゠シュミットとの会談では、民主主義、メディアの自由、未だに収監されている政治囚について彼女がコメントした際、ソーテインはこう答えた。「ご心配なく。われわれは、それらすべてについて手を打ちます。われわれがデンマークから求めているのは酪農に関する支援です。どうか、酪農業を興すために力を貸してください」。彼は一切引き下がろうとはしなかった。

ソーテインはまた、テインセイン大統領のロンドン、ニューヨーク、ワシントンへの外遊を手配した。

私も彼を補佐して、スピーチ原稿を書き、論点を整理した。ニューヨークでは、「権力を手放そうとしている将軍をこの目で見るために」ヘンリー・キッシンジャーがふらりと立ち寄った。

そして二〇一二年一一月にバラク・オバマがビルマを訪れる。ユリシーズ・グラント〔第一八代アメリカ合衆国大統領〕は、一八七九年、退任後に行った世界一周旅行の一環としてビルマを訪れた。ハーバート・フーヴァー〔第三一代アメリカ合衆国大統領〕は、世紀の変わり目に鉱山技師としてビルマで働いていた。そしてリチャード・ニクソン〔第三七代アメリカ合衆国大統領〕は、副大統領時代にビルマを訪れ、道端の左翼学生の抗議に車を降りて対峙した。だがビルマを訪れた現職のアメリカ大統領は、オバマ大統領が初めてだった。

数万人の市民が空港からラングーンに続く道路に立ち並んで、自由世界のリーダーを歓迎した。彼の訪問は、多くの市民にとって、四半世紀におよぶ鎖国とさらに二〇年におよぶ西側諸国の制裁の果てに、ようやくビルマが国際社会に受け入れられたことを象徴するものだった。その道中、オバマは東アジア・太平洋担当国務次官補のカート・キャンベルに向かって「ビルマについて聞かせてくれ」と言った。キャンベルは回想録のなかで、大統領に「この、こよなく魅惑的で厄介な国の略歴」を一〇分間で語ったと記している。彼はオバマに、この国の「未だに原始のままの広葉樹林、激流と在来種の虎」、「互いに不信感を抱いて争い続ける多くの民族」、そして「長年にわたる、残虐で弱まることのない軍の支配」について語ったという。

空にそびえるシュエダゴン・パゴダの横を通りかかったとき、キャンベルはこう宣言した。「シュエダゴンを訪れなければ、ビルマを訪問したことにはなりません」。するとオバマが応えた。「そんなに見事なら、行こうじゃないか」。大統領護衛官は、このアイデアをすでに却下していた。とりわけ、大統領を含めた全員が、境内に裸足で入らなければならないことがネックだった。だがオバマは折れなかった。こうして大統領一行は予定外の訪問を行うことになり、寺院で金曜日生まれの人のための簡単な儀式を行い（オバマは金曜日に生まれた）、巨大な青銅の鐘を木の棒で鳴らしたのだった。[24]

そのあとオバマはテインセインを表敬訪問し、「この美しい国のとてつもないポテンシャル」について述べた。テインセインは、オバマとの会談は友好的かつビジネスライクで、得るところが多く、「海外からの訪問者と行ったすべての会談のなかで、最高のものだった」と語った。オバマは次にアウンサンスーチーと会談した。彼女は、現在の政治情勢に関する些細な物事を長々と説明した。「若者たちは非常に大きな期待を抱いています」と彼女はオバマに言った。「もちろん、私たちは彼らを落胆させたくはありません」と。[25]

この短時間（六時間）のビルマ訪問のハイライトは、ラングーン大学でのスピーチだった。メッセージングは完璧だった――そこは、反植民地政府抗議が行われた場所、そしてそのあと反軍事政権抗議が行われた場所であり、大学のお粗末な状況は、まさにビルマの過去の失敗を象徴していた。きれいに整えられたコンヴォケーションホールには、ビルマの政治的スペクトラムの端から端までを網羅した数百人の指導的人物が集まり、ヒラリー・クリントンがアウンサンスーチーの隣に座った。

私もその場にいた。オバマは感動的なスピーチをした。将軍たちや官僚たちが長ったらしい文書を読み上げることに慣れた国で、それは間違いなく、その日ホールにいたビルマ人たちにとって、それまで聞いたなかで最高のスピーチだっただろう。「この国には、後戻りできない変化が起きています」とオバマは言った。「そして、人々の意志はこの国を奮い立たせ、世界に偉大な手本を示すことになるでしょう。

ウ・タントが国連で世界を導く前に、その仕組みを学んだのは、まさにこの場所でした……この国は、私の国と同じように多様性に恵まれています。みな同じ見かけをしているわけではありません。みな同じ地域から来たわけではありません。みな同じ祈り方をするわけではありません……こう申しますのも、私は、自分の国、そして自分の人生から、多様性の力を教えられたからです」。彼のスピーチはスタンディングオベーションで迎えられた。

その一時間後、エアフォースワンの中で、オバマは親しい副補佐官のベン・ローズのところに行って「来た甲斐があったな」と声をかけた。(26)

物語は変わった。だが、世界はおとぎ話しか見なかった。ポジティブな勢いを推進していた力について、そしてその勢いを維持する最善の方法について下調べをし、真に理解した者はほとんどいなかった。二〇一三年までには、大統領とソーテインの陣営とシュエマンの陣営とのあいだに亀裂が深まっていた。それは世界観の違いというよりも、個人的な不和によるものだった。そしてアウンサンスーチーがシュエマンに近づくにつれ、テインセインと彼女の関係もますます悪化していった。二〇一二年九月、アウンサンスーチーはまだ、政府自体および自分と政府との協力関係についてとても前向きだった。だがその数カ月後、彼女はオバマに「私たちは、成功という蜃気楼に誘いこまれないよう深く注意しなければなりません」と警告していた。(27)変化を純粋に支持しようとしていた者たちは、二つの陣営に引き裂かれた。最初にアウンサンスーチーと再会して以降、私は数カ月にわたり、彼女が示唆したように、何度も会おうと試みたのだが、それは果たせなかった。おそらく、私は、彼女がもはや信頼しなくなった大統領のチームに近づきすぎていると、周囲の者が感じたからだろう。

注意信号はほかでも灯っていた。二〇一一年の夏にかけて、ビルマ北部のカチン独立機構と国軍との間に一七年にわたって維持されてきた停戦合意が崩壊し、全面戦争に突入した。アラカンでは、二〇一二年の夏と秋にかけて、仏教徒の共同体とイスラム教徒の共同体とのあいだに激しい衝突が起き、二〇〇名が命を落として、一四万人近くの住民が難民になった。そしてラングーンとネピドーでは、容易に達成できる種類の経済改革が終わるなか、今後の経済を支配するのが誰になるかは不透明に見えていた。

それまでは星が並んでいた。アメリカ政府がビルマの将軍たちとの対話を引き出す方法を模索していたまさにそのとき、将軍たちは、アメリカがその対話をかろうじて正当化できることをしたからだ。この力学は、過去半世紀最大の政治的自由および西側諸国との親交関係をビルマ人にもたらすことになった。しかしこの時点で、民族と金に関わる、もっとも根深い問題が頭をもたげてきたのである。

第7章　血筋と帰属

成功を手にするには、意外なことも試してみる価値があった。アウンミンは、映画『アラビアのロレンス』を観て、このイギリス人の型破りな方法を学んだと私に明かした。二〇一一年、彼は政府の首席和平交渉官になる。ソーテインが外向的な性格で、西側との経験も長く、つたないとはいえ英語も話して外国人との交わりを楽しみ、広い戦略的観点から物事を見ていたのにひきかえ、アウンミンはまさにその正反対だった。この内向的な元情報将校は、ほぼまったく英語を話さず、西側諸国に出かけたこともなく、戦略的優位をつねに探っていた。

アウンミンは多くの武勲を挙げた兵士だった。共産党軍の奇襲攻撃を受けたときには、同じ隊列にいた一二人の兵士のうちただ一人生き残り、友軍が支援に駆け付けるまでに、たった一人で一七名の反乱兵を倒したという(1)。彼はまた、きわめて高い問題解決能力を持つ人物だった。二〇〇〇年代末、鉄道運輸大臣を務めていたアウンミンは、毎年開かれる省庁間のスポーツトーナメントで、最低一個は鉄道運輸省にメダルをもたらしたいという思いにかられた。そこで彼は補佐官をラングーンのチャイナタウンに送って、もっとも優れた卓球選手を探し出し、鉄道運輸省に勤めさせて、トーナメントに送り込んだ。その甲斐あって、この選手は鉄道運輸省に金メダルをもたらしたのだった。

アウンミンが兵士になったのは偶然だった。ラングーンにある誉れ高いセント・ポールズ・スクールに通っていたとき、たまたま士官学校の試験を受けて合格し、最短の四年間だけ軍に従事するつもりだったのだ。だが、入学後一一カ月が経ったときにジャングルで共産党軍と遭遇し、その結果勇敢賞を受賞して、共産党軍の指導者を探し出す任務に抜擢される。その数年後には情報局に配属され、最初にマンダレーで、反体制派、闇商人、麻薬密売人、〈地下の〉左翼主義者の取り締まりを行った。彼は反体制派の容疑者を捕らえたときに、越えることのない一線を自ら引いた。容疑者には出産したばかりの妻がいたのだが、この女性は収監しなかったのである。ただし、情けをかけたわけではなかった。「もし彼女を収監したら、その赤ん坊は生涯にわたる敵になる」というのがその理由だった。同僚たちは、これでアウンミンも終わりだと思ったが、予想に反し、彼は昇進した。

ラングーンでは、強大な権限を持つ情報局第六課――総務部――に配属された。これは軍幹部とその家族の世話をする課だ。将軍の子弟はしばしばトラブルを起こしており、あらゆるスキャンダルは慎重に対処する必要があった。他方、もっとありふれた任務もあった。ある日、アウンミンと直属の上司は、当時の独裁者、ネウィンに夕食を届けるよう命令された。ネウィンは中華料理を食べたがっていたので、二人はチャイナタウンに出かけたあと、エディ・ロードにあるネウィンの住居に向かい、買ってきた食事を差し出した。すると、他の将校たちが、それは〈マンダレー〉クンパオチキン〔鶏肉とピーナッツを唐辛子とともに炒めた四川料理〕だと言った。ネウィンは腹を立てた様子で、ぶっきらぼうに尋ねた。「なぜ〈マンダレー〉クンパオチキンと言わなきゃならないんだ、なぜ、ただのクンパオチキンじゃないんだ」。将校たちは、独裁者の怒りに触れて身をすくめた。そのとき、一歩前に踏み出して進言したのが、アウンミンだった。「マンダレー・クンパオチキンは上等なクンパオチキンで、裕福な中国人たちが食べているものです。ラングーン・クンパオチキンはそれより劣り、筋ばかりなのです(2)」。それ以降、すべての食事の世話はアウンミンに任されるようになった。

昇進はさらに続いた。一九九〇年代末、アウンミンは情報局から離れ、地域軍事司令官を含む重要な職務を次々に拝命していった。二〇〇三年には鉄道運輸大臣になり、新しい車両を日本、中国、インドから購入したが、それ以上のことは予算が許さなかった。二〇〇八年、彼はネイウィンマウンと出会う。ネイウィンマウンの両親は、士官学校に通っていたときの教官だった。それ以降、ネイウィンマウンとイグレスのチームは、アウンミンの考え方を変えはじめる。彼はデビー・アウンディン(ナルギス災害のあとジョージ・ブッシュに会った例の女性)にも会った。アウンミンは、いわば「ココナツを手にした猿と同じで」、権力は手にしていたものの、それをどう使うべきかわかっていなかったという(3)。アウンミンは、ビルマによりよい将来をもたらしたかった。そして、そうするには知識と権力を結びつけることが必要であると、ますます確信するようになった。それはまた、怖れ知らずになることも意味した。「私は一度責任を負ったら、後ろを振り向くようなことはしない」とアウンミンは語った。

大統領就任から四カ月と少し経った二〇一一年八月一八日、テインセインは反政府勢力のリーダーたちを新たな和平交渉のテーブルに正式に招待した。明確な戦略があったわけではなかったが、テインセインには、七〇年におよぶビルマの武力衝突の終結なしには、経済開発という最重要課題の達成に制約が課されることがわかっていた。彼が交渉役に指名したのはアウンミンだった――最初は、複数の交渉役の一人として。テインセインの指示は明確だった。すなわち、国の分断を招くようなこと、あるいはビルマの主権を損なうようなことには一切妥協してはならない。だが、それ以外については何を受け入れてもかまわない、というものだ。

それから数週間以内に、テインセインはビルマ最古の反政府組織「カレン民族同盟」（KNU）から色よい反応を手にする。カレン族はビルマ南部全域に広がって暮らしている。仏教徒とキリスト教徒の双方がいるが、東側の丘陵地帯の大部分の村と、KNUの首脳部自体は、おもにバプテスト派のキリスト教徒だ。植民地時代の地図には、カレン丘陵は〈緩く〉管理されていると記されていた。一九四七年、KNUは独立を要求したが、彼らの現代の目標は、フェデラル連邦制〔強い自治権を持つ州が集まった国家制度〕のもとで自治権を獲得することだった。

KNUは、タイ国境沿いの細長い領土を支配し、当時、訓練の行き届いた五〇〇〇人規模の兵士（女性も含む）を擁していた。カレン族は、ここ数十年のあいだに四〇万人以上がすみかを追われ、そのうち一〇万人近くが避難民としてタイに逃れ、一部はアメリカにも移住していた。テインセインはアウンミンを、KNUの指導者が本拠地にしている国境沿いのタイの町、メーソートに送り込んだ。

アウンミンは当初から、それまでのビルマの将軍あるいは特命使節とは、まったく違う行動をとった。訪問の手筈をイグレスのチームに任せ、既存の官僚組織を介すことは避けた。バンコクに到着したときも派手な演出などは一切せず、民間の車でメーソートに向かった。当時は二〇一一年に起きた大規模な洪水の最中だったため、六時間で到着するはずの旅路には一五時間を要した。当初、会談はビジネスライクで、緊張感さえ漂っていた。KNUは、この状況をどう解釈すべきか測りかねていた。なにしろNGOの随行団を従えた元将軍が、何の警護もつけずに自分たちの町に現れ、滞在するホテルのスイートに自分たちを招き、信用してくれと頼んできたのだ。アウンミンは、テインセインから、ネピドーに彼らを招く招待状を託されていた。その地を去る際、アウンミンはKNUの副議長、ジポラセインに、合意のチャンスが少なくとも五〇％はあるとネピドーに報告してもいいか、と尋ねた。ジポラセインは「七五％と言っていい」と耳打ちした。

初期の動きはほかにもあった。テインセインは、もう一つの主要な少数民族武装勢力である「シャン州軍北部」と和平を結びたがっていた。アウンミンの要請に応じて、大統領は、禁錮一〇六年の有罪判決を受けて服役している彼らの将軍、ソーテンを釈放した。釈放の当日、アウンミンはこの反乱軍の将軍を自宅に招いて晩餐をふるまった。彼は夕食が早めに供されるよう気を配った。刑務所にいたソーテンが毎日午後四時に夕食を食べさせられていたことを知っていたからだ。そのあとの数週間、アウンミンは、KNUや他のいくつかの武装勢力に加えて、もう一つの主要な反政府武装勢力「シャン州復興評議会」と交渉することになる。彼は休みなく働いた。ある会談のあとには、私にこんな話をした。「私はあまり物を知らないかもしれないが、片手に銃を持ち片手にウイスキーの瓶を抱えた男の御し方は知っている」

翌年にかけ、アウンミンは一ダース以上の停戦交渉を行った。大統領には定期的に進捗状況を報告してはいたが、自らの責任で断固として事を運び、ボスにこう事後報告した。「お望みなら、私をクビにしても、刑務所送りにしても結構です。これが私のやったことです」。勢いはとどまるところを知らないように見えた。二〇一二年、その勢いは、過去のしがらみをついに振り切り、平和かつ民主的な方向に向かっているというビルマの総合的な印象を高めていた。その時点まで、〈フェデラリズム〉という言葉は官界ではタブーだった。だがアウンミンは、少数民族の指導者たちにとって、このフェデラリズムという概念が重要であることを知っており、この原則を容認することに何も危険はないと考えて、渋るテインセインを説き伏せた。

アウンミンは、ちょうどそのころ「大統領に奇妙なアイデアをたくさん吹き込むようになった」という。それらは過去の暫定軍事政権のレパートリーを大きく超えるアイデアだった。[4] その一つが「ミャンマー和平センター」である。アウンミンは二〇一二年初頭までに、イグレスやさまざまな取り巻きによるその場しのぎの支援に頼るわけにはいかないことを自覚していた。和平交渉への支援を継続するには新たな組織が必要だった。ネイウィンマウンの死後、イグレスのトップの座は、二人の男性――ティンマウンタン（魚類学者）とフラマウンシュエ（エビ輸出業者）――が受け継いでおり、今やこの二人は、和平プロセスにおけるアウンミンのもっとも重要な補佐官になっていた。

それからの数週間、私たちは選択肢について検討し、大統領は結果的に三つの組織からなる体制を選んだ。すなわち準政府機関の「ミャンマー和平センター」、停戦が成立した地域のために国際的な開発支援基金を募り、それを支給する「ミャンマー和平基金」、そして「和平ドナー支援グループ」の三組織である。最後の組織の目的は、成功が間近に迫っているように見えていた和平交渉への関与を望む各国政府や国際機関（世界銀行など）とアウンミンの橋渡しをすることにあった。

私は四人の特別顧問の一人に任命され、それからの数年間、公的な交渉のほぼすべてに関わった。私の活動の焦点は、外国政府や国際的組織に関わるあらゆることにあった。アウンミンと海外から訪れる要人との会議にもしばしば臨席し、必要に応じて通訳も手がけた。アウンミンは、ビルマで生じている力学について非常に詳細かつ率直な説明をすることがあったかと思えば、ほんの二、三語交わしたあと、私にビルマ語で「外国人が聞きたいと思うことを、何でもいいから付け加えてくれ」と言うこともあった。私が何かを〈付け加えた〉とすれば、それは、状況の緊急度と複雑さ、つまり、これから登らなければならない高い山について強調するためだった。アウンミンの直観的な反応は、彼が過去の将軍とは違うことを示して、外部支援への扉をできるだけ大きく開けること。そして私の直観的な反応は、グローバルな和平構築産業に過大な足がかりを与えないよう、非常に慎重にふるまうことだった。というのも、ニューヨークの国連で働いていたときに、あまりにも多くの善意の取り組みが、あまりにも乏しい現地の知識に基づいて行われていることを目の当たりにしていたからである。

その年のあいだに、ミャンマー和平センター（MPC）は、一〇〇名以上のスタッフを擁する機関に成長した。スタッフの大部分は若いビルマ人で、イグレスのメンバーも多く、海外から帰国したばかりの者もいた。彼らはラングーン中心部にある植民地時代の家が集まった一角で、二四時間体制のもとに働いた。MPCはまた、大統領府の非公式な事務局の役割を果たし、大統領が行う週一度のラジオ演説から、殺到する外国人訪問者への対応まで、あらゆる実務を補佐した。政府機関でもNGOでもないMPCは、二〇一二年から一三年にかけての政治環境に合わせて作られた複合的な機能を持つ組織だった。あるときにはトニー・ブレアが立ち寄った。またあるときには、ビル・クリントンがやってきてスピーチをした。そして西側諸国、EU、日本も、近年最大の和平プロセスの成功に関与しようと資金提供の列をなした。

しかし、ビルマは和平の一歩手前にいたわけではなかった。停戦協定が結ばれたことは重要だったとはいえ、中国との国境沿いに存在する大規模な武装勢力は一つも含まれていなかったのだ。そうした武装勢力のリーダーの多く――初期の世代の停戦には合意していた者たち――は、一九八〇年代以来、ビルマ国軍と商取引をしていた。アウンミンは当初、タイ国境沿いにいる「カレン民族同盟」や他の武装勢力との交渉に集中し、中国国境付近の反乱軍との関係については他の元将軍たちに任せるように指示されていた。これらの元将軍は、現地の反乱軍を長年扱ってきた者たちで、旧来の本能と動機に従い、金と権力によって取引を行っていた。だが、当初の停戦はほころびはじめていた。二〇〇八年には、暫定軍事政権がコーカンの民兵組織を攻撃した。二〇一一年にも、ビルマ国軍と「カチン独立機構」（KIO）のあいだの緊張が高まり、全面戦争に突入した。

KIOが国境警備隊になることを拒否したとき、国軍はKIOの交易ルートを遮断して応酬した。それを受けてKIOは、事前合意なくKIOの領地に部隊を進めたビルマ軍大隊長を射殺したのである。二〇一一年六月には、中国が運営するダムで、両者のあいだに衝突が起きた。それから数日以内に、KIOは全部隊を戦時体制下に置き、その地域の複数の橋を破壊して、政府が基地に再補給できないようにした。(5) それに対し、ビルマ国軍は、最初はターペイン川沿い、次に停戦ライン全域において、KIOの拠点を攻撃した。

次に起きたのは、それまでの数十年でもっとも凄惨な戦闘だった。その年の終わりまでに、ビルマ国軍は、KIOの拠点がある中国国境沿いの人口五万人ほどの町、ライザに向かって、霜に覆われた丘陵地帯をじりじりと進んでいた。部隊と物資の輸送にはロシア製のヘリコプターを使った。KIO側の兵士もビルマ国軍側の兵士も、それぞれ数百人が死傷し、数千人の市民がすみかを追われた。クリスマスが訪れるまでに、テインセインはライザの占領を断念するよう国軍に指示した。

二〇一二年の春、それまで諸武装勢力との一連の交渉を成功させていたアウンミンは、カチンにおける紛争解決も手がけるよう大統領から依頼された。アウンミンは最初から、それまでとは異なる方法を試そうとし、カチン族の指導者に直接会うために、KIOが支配するマイジャヤンに赴いた。交戦中に敵の陣地に敢えて出かけるようなことは、それまでの数十年間、ビルマ国軍の特使が一切やらなかったことだ。マイジャヤンに至るのも至難の業で、前線をいくつも越えなければならなかった。アウンミンとそのチームは、幾十もの焼け落ちた村を通り過ぎた。そこからは死臭が漂ってきた。ビルマ人の大隊長は始終アウンミンの周囲をうろついた。「私が脱走するとでも思っているのかね?」とアウンミンが尋ねると、「いいえ、大臣殿、私はあなたの命を預かっておるのです」と大隊長は答えた。

さらに多くの会合がもたれた。また、目立たない行為もあった。アウンミンは、大統領から託された高価なゴルフクラブセットをカチン軍の副司令官、スムルット・グンモーに贈った。アウンミンは、グンモーがこのギフトを秘密にしておくだろうと思っていた。だが、それから数週間後、アウンミンはグンモー自身が撮影した写真を受け取る。それには、完璧なゴルフウェア姿のグンモーが、そのゴルフクラブを手にライザ・ゴルフクラブに立つ姿が写っていたのだった。

二〇一二年一〇月には、中国の外交官たちが一枚加わることを要求してきた。和平交渉はある程度までうまくいっており、中国政府は、ビルマの国境を越えた中国国内の瑞麗《ずいれい》市でハイレベルの和平会議を開くことになった。瑞麗市は、ビルマのヒスイと木材により繁栄した新興都市で、にぎわうショッピングセンターや高層建築のホテル群がある。将来の衝突を防ぐために両勢力を分離する具体的な取引に向けて話を進めたかったアウンミンは、この会議にビルマ国軍の上層部を参加させようと奮闘した。しかしKIO側は、瑞麗市の会議にトップの指導者を送ってこなかった。これは、ビルマ側にとっては〈ひじ鉄砲〉をくらったも同然のことだった。だがKIOにしてみれば、依然続くビルマ軍の攻撃に嫌気がさしていたのかもしれないし、新たな停戦について内部の合意が得られなかったのかもしれない。彼らにはまた、ネピドーの新たな政治状況の知識がなく、国軍の参加を確保するために、アウンミンがどれだけ自らの政治的資本を費やさなければならなかったかについても知らなかった。いずれにせよ、この

〈ひじ鉄砲〉は、ビルマ国軍に対するアウンミンの影響力を弱めることになった。

戦闘はふたたび激化し、パカンにある非常に実入りのよいヒスイ鉱山の周辺も巻き込んで、さらに数千人の老若男女が家を追われた。ライザにあるＫＩＯ本拠地の近くで起きた新たな攻撃では、カチン側が全力を挙げて抗戦し、政府軍は一〇〇名を超える死者と四〇〇名の負傷者を出したという。ビルマ国軍は、アフガニスタンにロシアが侵攻したときに使われた、ロシア製のＭｉ35ガンシップ型攻撃ヘリコプターを初めて使用しただけでなく、何年も前に中国から購入していたＫ－8カラコルム・ジェット戦闘機も投入した。(6) この空軍力を駆使した攻撃は戦闘をますますエスカレートさせるきっかけとなり、中国は事態を憂慮しはじめた。

二〇一三年一月、ライザまであと一・六キロ以内に迫っていたビルマ国軍が、市内に向けて迫撃砲を直接打ち込み、市民に死傷者が出た。炸裂弾は国境を越えて中国側にも着弾した。これが中国政府上層部に警鐘を鳴らすことになり、外交部副部長のフーイン（傅瑩）と中国人民解放軍副参謀長の戚建国《せきけんこく》が〈国境の安定〉について話し合うため、ネピドーに飛んできた。この二人はビルマ国軍とＫＩＯの双方に、瑞麗市で新たな和平交渉を行うように呼びかけ、強引に交渉を進めようとした。中国側の交渉担当者が提案したのは、非常にフォーマルなプロセスだった。すなわち、中国側がまず、それぞれと異なる部屋で会ってから、全員が一堂に会するというものである。これを知ったビルマ政府とカチン側は声高に反論した。「だが、われわれはもう互いに顔見知りだ！」と。しかし中国側は自らの案を押し通そうとし、ある時点でアウンミンは中国側に「これはあなたがたにはまったく関係のないことだ！」と言い放って、扉を閉めてしまった。ある意味、この中国側の高圧的な姿勢が、ビルマ政府とカチン勢力をまとめる一助になったと言えるかもしれない。

ついに二〇一三年五月、最終段階の交渉が、中国国内ではなく、カチン州の州都ミッチーナーで開かれた。そのころまでには、交戦により数千人が命を落とし、最大一〇万人までの市民が避難民になっていた。この交渉には、中国特使のワンイーファン（王英凡）と国連上級外交官のヴィジャイ・ナンビアールも同席した。ビルマ政府が支配する地域にＫＩＯが足を踏み入れたのは、二年前に衝突が勃発して以来、初めてのことだった。

ＫＩＯの代表団を率いていたのは、カチン軍のカリスマ的副司令官、スムルット・グンモー将軍だった。その数年前まで、多くのカチン人は、ＫＩＯ上層部のリーダーたちがビルマ軍の同じ地位にある者たちと結託して私腹を肥やしていると感じていたが、グンモーは彼らとは異なる若い世代の将軍だった。最近の紛争は、カチンの人々に強い民族主義的感情を呼び起こしていた。彼らには、ＫＩＯが、圧倒的に分が悪い戦いで奮闘していることがわかっていた。

七項目の合意が締結されたときには、何百人ものビルマ人レポーターが取材に詰めかけた。グンモーはミッチーナーの街頭に列をなす市民から熱烈な歓迎を受けた。グンモーの車列に喝采を送る一般のカチン人たちを見ると、彼らのむき出しの感情を察しないわけにはいかなかった。ミッチーナーにいるビルマ人たちは、占領勢力のように見られていたのである。私は、公正で長続きする和平が近いうちに実現し、ビルマ人とカチン人双方の次の世代が、この無意味な戦いを行わずにすむようになることを願わずにはいられなかった。しかしあらゆる理性的な分析は、そうなる時点は未だにはるか先にあることを示していた。ある中国人の上級外交官は私に、「もしほんとうに事を進めたいなら、歳入の代替手段を考えなければならないな」と言った。その意味は、武装勢力に違法な資金調達方法をやめさせる必要があるということだ。そのころはまだ、経済面についての問題は、検討しようとした者さえいない状況だった。

カチン族との停戦合意をもって和平プロセスは絶頂期に達し、ビルマが必然的な平和と民主主義に向かっているというイメージは、いよいよ確固としたものになった。外国政府は有利な立場を得ようと画策しあい、多くの国が少数民族武装勢力の交渉担当者に資金支援を行ったほか、現地を訪れる専門家やコンサルタントのチームにも資金を提供した。西側のＮＧＯも一役買おうとひきもきらず押し寄せて支援を申し出た。

こうして、「全国規模の停戦合意」という概念が浮上した。この提案は当初、政府による分割と統治という事態を回避したかった複数の少数民族のリーダーたちが申し入れたものだった。だが二〇一三年の夏までには、アウンミン自身も、それを有益な目標だとみなすようになる。彼は、この合意は、政府も含めた全当事者を政治的プロセスに結びつけることになると考えた――とりわけ、鳴り物入りで行われ、国際的な称賛が得られれば。全国規模の停戦合意は、当初、紛争を終結させることへのコミットメント、連絡事務所の設置、交渉を通した和平達成への努力など、すでに合意された停戦協定の主要点をふたたび記した簡素な文書になる予定だった。

だが、少数民族のリーダーの多くは、ビルマ政府が、和平への第一歩だけでなく、政治的勝利も手にしたがっていることを察しはじめた。総選挙は二年後に予定されており、全国規模の停戦合意は、テインセインの帽子に非常に魅力的な羽根を添えることになる。こうして一部のリーダーは、既存の停戦条件を大きく超えた、新しく、より政治的な合意を求めはじめる。ただ、彼らには時間的余裕があまりなかった。

二〇一三年一一月、一七の〈少数民族軍事組織〉〈彼らが好んだ呼称〉のリーダーたちが、カチン族の本拠地であるライザに集まって前代未聞の首脳会議を開き、提案されている全国規模の停戦合意をもっとも有利に交渉する方法について細かく検討した。議論は白熱した。一部の者は、迅速に動く必要性について主張した。人生全体を通してこの瞬間を待ち望んできた彼らは、このポジティブな勢いを利用したがっていた。一方、政府の誠意を疑う者もいた。そしてそこには惰性もあった。七〇年の長きにわたって紛争が続いてきたなか、戦火のもとの暮らしは生活の一部になっていた。つまるところ、和平は変化を意味した。

それでも、「フェデラル連邦制」と「連邦軍」創設の記載を含む一一の原則について合意が形成された。さらに含まれたのは、「タインインダー（土着民族）の人々の基本的権利」を守ることへの要求だった。原則の草案は、リアンサコンというバプテスト派の神学者によって一晩で書き上げられた。「どうやって一一もの項目を一晩で書き上げられたのか、とよく聞かれますよ」と彼は私に明かした。「答えは簡単です。これらは、私が生涯にわたって抱き続けてきた思いだったのです[7]」

満面の笑みと、まぶたが目を半分覆い隠していることが特徴の、背の高いリアンサコンはチン州の出身で、チン族頭領の末裔だ。チン族（インドではミゾ族として知られている）は、およそ一〇〇年前にイギリスが高地の領土をビルマとアッサムに分割するまでは独立した部族だった。そののち、多くの者がキリスト教徒に改宗した。一九八〇年代、ラングーン大学の学生だったリアンサコンは、最初医師を志したあと作家になろうとしたが、最終的には米国北部バプテスト同盟の牧師になる訓練を積んだ。若いころから自由と民主主義の概念に惹かれていた彼は、毎週金曜日の夜に、アメリカ大使館が運営するアメリカンセンターに通って映画を観たという。このセンターは一九五〇年代に設立されて以来、廃止されずに残った非常に数少ない外国施設の一つだ。一九八八年に起きた「８８８８蜂起」のあと、リアンサコンは、軍事独裁政権との闘いには、少数民族の要素と視点が含まれるべきだという思いを強くする。

彼は、平等を達成するにはフェデラリズムが不可欠だと信じるようになった。すなわち、チン丘陵のような地域は「ビルマ連邦」の一部として、自治権が与えられるべきだと考えたのだ。彼はまた、逮捕を恐れるようになり、一九九〇年までにはインドに逃れていた。インドのパスポートは、そこにいた親類が入手してくれた。その後彼は西側諸国に亡命を申請する。アウンサンスーチーがノーベル賞を受賞したあとでは、それは難しいことではなく、デリーの国連難民高等弁務官の事務所に行って、アウンサンスーチーと一緒に写っている写真を見せるだけでよかった。リアンサコンはスウェーデンから亡命を受け入れられた。「いいね！ アバだ！」と彼は思った。この第二の故郷となる場所について彼が知っていたのは、それだけだった[8]。

それからの二〇年間、リアンサコンはスウェーデンから、ビルマの少数民族の苦境に世間の注意を惹こうと奮闘した。だが、興味を示す者はいなかった。その問題は複雑すぎたうえ、アウンサンスーチーと将軍にまつわる話を混乱させるものだったからだ。ウプサラ大学で博士号を取得した彼は、その間もずっとビルマの話を伝え続け、ディベートを行い、会議に参加し、異なる武装組織を含むビルマ国境沿いの仲間と連絡を取り合った。

二〇一一年、リアンサコンは、テインセインから和平会議への招待状を受け取り、心を躍らせた。その前年、彼はイェトゥッ（大統領の報道官）と出会って感銘を受けていた。そのときまで「軍事政権に彼のような思慮深い人物」がいるとは知らなかったという。

リアンサコンが関与していた「チン民族戦線」は、二〇一二年初頭に停戦合意に署名した。二〇一三年末、髪に白いものが混じるようになった彼は、今や「少数民族軍事組織」と正式に呼ばれるようになった組織を代表して交渉に臨む中心メンバーとして、「ミャンマー和平センター」の公式・非公式な会議でなじみの存在になった。海外から戻って来た者は他にもいた。ビルマ初代大統領の息子で、シャン族のハーンヤングェもその一人で、一九六〇年代にネウィンによって父親が収監されたのち、ずっと海外に亡命していた彼もセンターにおける中心的な存在になった。アウンミンは、ミャンマー和平センターに、旧イグレスチームのメンバーに加えて、かつての亡命者や、元反体制派まで採用した。そのなかには、ミンゾーウー（ジョージ・メイソン大学で博士号を取得した元反乱軍の兵士）やチョーインフライン（コーネル大学で博士号を取得した元イグレス講師）も含まれていた。

ビルマ政府と反政府勢力の共同作業はうまくいっており、両者は驚くほど相性がよかった――少なくとも表面的には、だが。フォーマルな会議のあとには、必ず陽気な夕食が続き、ときにはカラオケに出かけることもあった。〈信頼〉という言葉がよく口にされ、ウイスキーもふんだんに酌み交わされた。とはいえ、それらはみな、気楽さを装うためのものだったのだろうか？　私にはわからなかった。以前、国連の同僚で経験豊かな調停者から、こんなことを言われたのを覚えている――もっとも成功する和平会議とは、敵意がむき出しで、相手を信用してはいないが、交渉のプロセスには双方とも信を置いている場合だ、と。ミャンマー和平センターでは、互いに親近感は抱いていたものの、プロセス自体には戦略的方向性が欠けているように思えた。

私は妻のソフィアが設立した「ビヨンド・シースファイア・イニシアティブ」（停戦を超える新たな取り組み）というプロジェクトと密接に連携して働いた。妻も長く国連で働いた経験を持ち、もっとも最近に手がけたのはネパールでの和平交渉だった。私たちのアイデアはシンプルなもので、他の諸国において和平プロセスを成功させた人々をビルマに招聘し、その経験をビルマの同じ立場にいる人々に伝えてもらうというもの。こうして招聘した人には、ジョージア、リビア、グアテマラ、ブルンジ、リベリア、東チモール、コロンビアなどで交渉に臨んだ元国連調停者たちが含まれた。さらには、王立ネパール陸軍の最高交渉責任者と、そのもっとも重要な交渉相手だった毛沢東主義反体制派のトップも招聘した。

私たちは、招聘者たちの話のテーマが、当時の和平プロセスにもっとも妥当なものになることを確実にしたかった。そこで、少数民族軍事組織のリーダーたちとアウンミンのチームの双方と綿密に協議を行って、問題点を明らかにしていった。また、招聘する外国人たちにも、たとえ本人の経験談を語るにしても、ビルマの文脈を理解したうえで話をしてもらうことが必要だったため、何週間もかけて招聘者にビルマの状況を説明した。

おそらくもっとも重要だったのは、言語と翻訳に多くの時間をかけたことだろう。私は、数多くの会議で、語られたことの大部分が誤訳されたり、そのニュアンスが一〇〇％失われたりするところを目にしてきた。ビルマ語は、物語を伝えたり、人の感情や経験を語ったりするには素晴らしい言語だが、政策のアイデアを語ることはあまり得意ではない。政府に関する用語の多くは造語だ。〈人間の権利〉は「ルー・アクィン・アイェー」と訳されるが、〈権利〉という言葉は〈認可〉あるいは〈機会〉と同じで、日和見主義者を意味する言葉に関連している。〈経済〉と〈ビジネス〉は、同じ言葉「スィーブワーイェー」と訳される。そのため、経済学者は、実質的に、商取引の達人と同じになる。

初期のプロジェクトの一つで、和平プロセスに関与した全当事者の代表一〇〇名以上が、ネパールの将軍、シヴ・ラム・プラダンと、毛沢東主義者の司令官である同志パサンの話を聞きに集まった。この二人は、当初互いを毛嫌いしていた（「殺したいと思っていた！」）のだが、友人として共に努力することを学んだという。シヴ・ラム将軍は、ネパール陸軍は交渉に後ろ向きで、国連の関与は侮辱であるとみなし、ときには交渉を断念させるために政府の転覆まで考えたのだが、最終的に和平の締結は、陸軍を含むあらゆる側に恩恵をもたらしたと語った。私たちは、将軍の言葉が確実に正しく翻訳されるよう心を砕いた。

私たちはこの「ビヨンド・シースファイア・イニシアティブ」の活動で忙しくしていたが、さらに多忙な人たちがいた。アウンミン自身も疲れを知らずに全国を飛び回り、辺境の地にある反乱勢力の基地に出かけたと思えば、ネピドーで国軍の幹部に会って結果を大統領に報告し、全当事者の注意をつねに引き付けようと努めていた。しかし二〇一四年までに、和平プロセスは次々と難題に見舞われる。衝突も続いた。とりわけ、以前に停戦合意したにもかかわらず、ビルマ国軍とカチン勢力とのあいだで軍事衝突が起きていた。その原因は、兵士の小隊がうっかり相手と遭遇するというような現地での誤解のこともあれば、片方の軍が次の一手に備えて拠点を最大限まで広げようとした結果であることもあった。全国規模の停戦合意も、まさに悪夢であることが判明した。さらなる迅速な進展のための触媒として意図されたものは、足かせになった。公的な話し合いは、まるで国連声明の起草セッションのようになり、単語一個や従属節の配置などに、何日も、とまではいわずとも、何時間もかけなければならなかった。そして外国政府とメディアから寄せられた関心の渦は、当事者たちにそれぞれの聴衆におもねる行動をとらせ、交渉の進展を非常に困難にした。

中国は、警戒感を強めながら、ビルマで展開する状況を注視していた。彼らは以前からビルマに対して、改革を行い、西側と友好関係を再構築して制裁解除を手にし、国連の安全保障理事会で中国に恥をかかせないようにするよう助言してきていた。だがその一方で、ビルマが真により自由でより民主的な国になることは望んでいなかった。なぜならその方向に進むビルマは、ミッソンダムのような中国の巨大プロジェクトを〈一時停止〉させただけでなく、もろ手を挙げて西側世界を受け入れているように見えたからだ。中国の懸念は、すでに結ばれていた停戦協定がほころびだし、ビルマと中国の国境沿いで戦闘が激化するにつれて先鋭化した。中華人民共和国に難民が流れ込んでくるのも問題だったが、流れ弾により中国国内で市民が殺害されるなどというのは――その後数年のうちに何度も起こることになるのだが――まさに国家の威厳を辱めるものにほかならなかった。

和平交渉がじりじりと進むのを監視していた中国は、ＥＵとノルウェーが主導権を握る様子、そして日本が一層影響力を増しつつある様子を目にした。日本財団は陰の実力者として全当事者に資金を提供し、彼らをまとめようとしていた。そして日本政府は、政府を代表する国民和解担当特使に、日本財団会長の笹川陽平を任命する。彼の父親、笹川良一は、第二次世界大戦中、よく知られた日本国軍支持者だった。笹川陽平は今や、しばしばビルマの民族衣装を完璧にまとった姿で、和平交渉の場につねに姿を見せるようになっていた。第二次世界大戦は、日本軍の侵攻による残酷な虐待だったという歴史観を通説にしている中国にとって、これは歓迎すべき状況ではなかった。

それにもまして中国を動揺させたのは、二〇一四年四月に、カチン独立機構のグンモー将軍がワシントンに赴いたことである。中国にとっては、中国国境においてアメリカ人が反乱勢力に影響力を行使するという考え自体が、まさに懸念材料だった。グンモーはアメリカで、国連大使のサマンサ・パワーを含め、国務省や国防総省の高官たちと会見した。ワシントンに到着した際には、人権問題を担当するトム・マリノフスキー国務次官補が、彼をリンカーン記念館に案内した。マリノフスキーはのちに、第二次世界大戦時までさかのぼる「カチンの人々とアメリカ人」の密接な関係を肯定した。

中国の観点から見ると、事態は悪化の一途を辿っていた。二〇一五年までには、国境地帯の武装勢力がワシントンに行くどころか、ワシントンが国境地帯にやってくるようになっていた。その年の一月、アメリカの派遣団がネピドーで「人権対話」会議を催し、その後、中国国境からおよそ一〇〇キロの地点にあるカチン州の州都、ミッチーナーで話し合いを持ったのだ。この派遣団には、アメリカ海軍太平洋艦隊副司令官のアンソニー・クラッチフィールドも含まれていた。それを受けて、北京にいる中国共産党指導部もいよいよ注意を払いはじめた。彼らにとっては、戦闘はよくないものの、正しくない種類の和平は、もっとよくないものだった。

クラッチフィールドの訪緬からわずか四週間後、重武装した中国少数民族の民兵が国境を越えてビルマに侵入し、コーカン〔シャン州北部の特区〕の町、ラウカイを占領して、数週間におよぶ激しい戦闘を繰り広げた。民兵はポンチャーシン（彭家声）に忠誠を誓う者たちだった。ポンは、二〇〇九年の最初の軍事衝突のあと、ビルマ軍によってコーカンにあった拠点から放逐された軍閥だ。存在感を取り戻そうと苦労していた彼は、できれば和平交渉における代表の地位を獲得しようと目論んでいた。

この戦闘により、六万人の難民（ほぼすべてが中国系だった）が中国に逃げ込み、ポンは、中国のソーシャルメディア『ウェイボー』に難民の写真を載せ、民族的団結を訴えて、クラウドファンディングを通じて支援金を募集した。中国政府は、この支援金を受け取る銀行口座の開設をポンに許可しただけでなく、中国の領土をひそかに使って、ビルマ国軍の拠点を側面包囲することも許した。[9] これに対し、ビルマ国軍は空爆で応戦した。二〇一五年三月、ビルマ空軍のジェット戦闘機が、誤って中国国内を爆撃し、四人の民間人が殺害された。中国軍は怒りに満ちた反応を示し、「中国の人々とその財産の安全を守る断固たる措置」をとると誓った。[10]

今や中国政府は、状況を綿密に調べる必要に迫られていた。戦闘の継続は中国の利益にはならない。中国が望む貿易と経済関係の発展促進のためにも、国境の安定は必要だった。それでも、西側諸国と日本が支援するプロセスによる和平合意は、理想的なものとは言えなかった。とりわけ、その結果、中国南西部の脇腹に、国際和平監視部隊のようなものや、ひいては外国の停戦監視団などが駐在するような事態は絶対に避けたかった。

このころまでに、ビルマはますます、交渉担当者たちが〈タワラ・ニェインジャンイェー〉と呼ぶ「恒久的」あるいは「永遠の」平和が訪れようとしている国には見えなくなっていた。和平プロセスが始まってから勃発した軍事衝突では、すでに一〇万人が家を追われていたが、さらに一〇万人がこのコーカンの戦闘によって一時的に難民になっていた。国連の援助機関は、人道支援を必要としている人々は一〇〇万人におよぶと推定した(11)。

しかし、そこには根深い問題があった。和平プロセスは、新たな政権と、ビルマ国軍の仇敵との停戦を模索するものとして始まった。だが、このプロセスに含まれるべき者は誰なのだろうか？　内戦は、単に政府と反乱軍とのあいだの軍事衝突なのか、それとも多数派のビルマ人と少数民族とのあいだの民族間闘争なのか？　重きを置くべきは、誰の声なのか。そして、正当とみなすべきは、誰の声なのだろうか。

少数民族軍事組織側を代表して実際に交渉を行っている者の多くは政治家だった。彼らの行動の動機は長年抱いてきた政治理念で、国境における戦争経済の実態を踏まえていたわけではなかった。ビルマ最大の反乱軍である「ワ州連合軍」は、傍観者として留まることを選び、和平交渉には一切参加しなかった。さらには、国境警備隊や、文字通り数百におよぶ民兵組織は、どれも交渉の場にはいなかった。

彼らの大部分はビルマ政府と結託しており、非合法産業にどっぷり漬かっていることもよくあった。これら小規模の民兵組織は、互いのつながりはないように見えていたが、彼らの同意なしには、たとえどのような和平協定であっても持続する可能性は低かった。そして、NLDとアウンサンスーチーは、関与すらしていなかった。

誰が誰を代表して発言しているのかは曖昧だった。少数民族軍事組織は、彼らが代表していると標榜する少数民族の主たる発言者なのだろうか？　交渉の目的が、単に戦闘を終わらせることにあるのか（そうなら、実入りのよい商取引を差し出すという旧来の停戦方法で事足りたはずだ）、あるいは国家と社会の関係を完全に再構築する努力の出発点にすることにあるのかも不透明だった。もしその目的が後者だとしたら、正当な決定権を持つのは誰なのか？　国軍と反乱軍にとって、正当性とは戦闘がもたらすものだった。和平プロセスがビルマを改革する推進力のもっとも重要な要素になればなるほど、改革の切り札を手にするのは、銃を手にする者たちになった。

そして、さらに根深い問題があった。和平プロセスは、アイデンティティの問題についても、ビルマはいかにして自らを多民族かつ多文化国家としてみなすべきかという問題についても、まったく答えをもたらしていなかった。当然のものとして受け入れられていたのは、土着民族の概念と言語で、和平プロセスは「ビルマの土着民族の人々」が共存するための新たな手段を見つけることだった。だが、ビルマには、それ以外の民族やアイデンティティが存在し、植民地時代の人種にまつわる紛争の影も影響をおよぼしていた。そしてこれらの問題が、表舞台に再登場することになる。

二〇一二年五月二八日の夕刻、三人の男がティダートゥエーという名の女性を殺害した。犯行現場は、アラカン州南部にある彼女の村の近くだった。その後、この三人の男は「ベンガル人のイスラム教徒」であり、女性はレイプされたのちに殺された、という話が急速に広まった。そして五日後、近郊の街で、暴徒が犯人が乗車していると思い込んだバスを襲撃し、一〇人の乗客が殺害された。被害者は全員イスラム教徒だった。それからの数週間のうちに、ロヒンギャのイスラム教徒とアラカン人仏教徒の暴力集団が、相手側に属す店舗や住宅を互いに破壊しあい、七万五〇〇〇人を超える住民が家を追われることになった(12)。

アラカン州の最北部にあり、バングラデシュと国境を接しているマウンドー郡区では、六月八日に衝突が勃発し、イスラム教徒の住宅数軒が放火された。マウンドーの人口の五分の四はイスラム教徒で、放火の数時間後には報復攻撃が始まり、暴動は州内の他の地域にも広まった。人口一五万ほどの海沿いの州都、シットウェも例外ではなかった。

「セーブ・ザ・チルドレン」の職員、二八歳のエイエイソーは、暴動勃発初日、南部の故郷からシットウェにやって来ていた。彼女は、ナイフと火炎瓶を手にした若いイスラム教徒の男たちが集団を作るなか、アラカン人仏教徒の男や女たちが逃げまどって、「カラーが来る!」と叫んでいたことを覚えている。仏教徒の暴徒が、火炎瓶を持ったイスラム教徒の若者を街頭でとらえ、殴打して殺害する様子も目撃した。生まれてこのかた、それほどの暴力を目にしたのは初めてだったという(13)。

それについては、前述したイスラム教徒の実業家で、当時三七歳になっていたティンフラインも同じだった。彼はおよそ五〇〇人の従業員を抱えており、そのうち約一〇〇人がイスラム教徒だった。ティダートゥエーが殺害された翌日、彼は中央市場で(仏教徒の)アラカン国民党の活動家を目にする。彼らは「これを黙って見ていていいのか？」と書かれたパンフレットを配っていた。暴動が勃発したとき、ティンフラインは当局から、トラブルに巻き込まれるのを避けるため、イスラム教徒の従業員を避難させるように通告された[14]。家族が心配になった彼は、およそ三万人の住民が密集して暮らすイスラム教徒居住地の自宅に急いで戻った。するとそこでは、仏教徒が建物に火を放ち、その報復としてイスラム教徒が石を投げていた。

ティンフラインは当初、起きていたことをさほど気に留めなかった。「二〇〇一年にも大規模な紛争が起きたんです」と彼は私に語った。「家々や商店が焼かれ、石が投げられ、治安部隊が群集に向かって発砲しました。でも、そのあと事態は収束しました。それで終わりだったんです。二週間後には、まるで何事もなかったかのように普段通りの暮らしに戻り、人々は出かけ、挨拶をかわし、物を売ったり買ったりしていました。だから、人生がひっくり返ろうとしているなんて思ってもみなかったんです」

だが、今回は暴動が激化した。それは焼けつくように蒸し暑い夏のことで、気温は三八度以上もあり、そこここで燃え立つ火の手によって、よけい耐えられなくなっていた。時間が経つにつれて火の手が迫ってきたため、ティンフラインと家族は徒歩で北に逃げることにした。ほどなくして彼らは、逃げ出そうとする数千の人の渦に巻き込まれた。ティンフラインは妻と子供の手をしっかり握っていたが、ごった返しのなかで、両親ときょうだいの姿を見失ってしまう。彼と、もう一人の大学卒のイスラム教徒の男性は、途中で出会った警察に話をして助けを求めた。すぐ近くに数百人からなる仏教徒の暴徒がいたのだが、ティンフラインたちと暴徒とのあいだにいた警察官は一二人しかいなかった。「みな泣き叫んでいました。そのとき、警部が電話で発砲許可を求めているのが聞こえたんです。私は彼の前にひざまずいて、今や二万人ほどに膨れ上がっていた老若男女を、安全なところに避難できるよう助けてくれと懇願しました。警部はそのあと空に向けて発砲し、私たちが徒歩で一時間半ほど先にある村に向かうことを許可しました。村に着いたときには、真っ暗になっていました。どしゃぶりの雨が降りはじめ、みなずぶぬれになって、足は泥だらけでした。人々は、村の家や、木の下や、むき出しの地面など、手あたり次第の場所で休みました。近くに小さな仏教徒の村があり、やろうと思えば襲撃できたんですが、そんなことをする者は一人もいませんでした。その晩、ようやく両親ときょうだいと再会することができました」

六月一〇日、テインセイン大統領が、「安全と安定を回復するため」北アラカンに緊急事態宣言を発令し、戒厳令を敷いて、国軍に同地域の行政管理権を一時的に付与した。シットウェには歩兵大隊が五隊到着し、すでにいた治安部隊を強化するために地方全域に散開した。暴動鎮圧には、さらに二週間を要し、その月の終わりまでには、一〇〇名ほどの人々が命を落とし、一〇万人近い住民が避難民になっていた。

その週、当時の国連難民高等弁務官だったアントニオ・グテーレス（二〇一六年に国連事務総長になる）がビルマを訪れて、テインセイン大統領に会った。それは、アウンサンスーチーがヨーロッパで凱旋訪問を始めた週と重なっていた。テインセインとグテーレスの会談はうまく運ばなかった。国際的なメディアは、テインセインがグテーレスに、国連はすべてのロヒンギャの人々を抑留して、海外に放逐すべきだと告げたと報道した。(15) このことは、すでに集団殺害実施の一歩手前にあったビルマ政府が、イスラム教徒に対する強硬路線を進めようとしていることを示す最初の兆しとして、海外の人々の心に刻まれることになる。

だがこの件の問題の一つは翻訳にあった。テインセインは、実際には、こう語ったのである。「植民地時代に多くのベンガル人が職を求めてアラカンを訪れ、その一部はビルマに留まることを選んだ。ビルマの憲法のもとで、これらの移民の三代目の子孫は、すべてビルマの市民権を得る権利を保障されている。しかし、植民地時代が終わったあとにビルマにやって来て、〈ロヒンギャ〉と名乗っている不法移民もいる。彼らの存在は安定を脅かしており、われわれは彼らに責任を持つことができない。国連は彼らを、第三カ国に移送されるまで、難民キャンプに収容すべきだ」

この発言は、普遍的人類愛に基づくものとは言えないものの、すべてのイスラム教徒を追放するための呼びかけでもなかった。むしろ大統領は、一九四八年以降不法に入国した者たちを除いて、イスラム教徒は市民権を保障されていることを追認したのだった。非公式の場でビルマの大臣たちは、最大二〇%までのイスラム教徒は不法移民だと明かした。大統領の発言は、のちに、彼自身のウェブページから削除される。その理由はまさしく、テインセインが、以前のどの政府トップよりも踏み込んで、アラカン在住のイスラム教徒に市民権があることを示唆したからにほかならなかった。これは、国連がこの一触即発の問題について新たなビルマ政府と協力する潜在的な糸口だったのだが、この件はそれきりになってしまった(16)。

同年、ビルマ政府はノエリーン・ヘイザー（ジョセフ・スティグリッツを招聘した国連の高官）にアプローチして、両方の共同体に資する経済開発戦略の策定を支援してくれるよう依頼した。ヘイザーはこの要請をニューヨークの国連本部に伝えたが、何の措置もとられなかった。

エイエイソーは、アラカン南部の故郷に無事戻ることができた。彼女は、最近の暴力が政治状況を変えてしまったことに気づいていた。「二〇一二年の初期に、政治に興味があるかどうかと尋ねたら、人々はノーと言ったでしょう。〈アミョーダーイェー〉〈ナショナリズムあるいはナショナリストの大義〉に興味があるかと尋ねたときも、ノーと答えたと思います。でも、暴動のあとでは、それが変わりました。私たちは、この暴動が誰を利したのかを考えることが必要です」。その後三カ月以内に、暴力の波は彼女の家にも押し寄せてきた。

一〇月二三日の夜からイスラム教徒と仏教徒のあいだに、激しい武力衝突が再燃した。今度の場所は、チャウピューとその周辺だった。この地域のイスラム教徒には、バングラデシュに近いアラカン北部にいる人々のように、ベンガル語を話し、自らをロヒンギャとみなす者もいる。だが、チャウピューに暮らす大部分のイスラム教徒の物語は彼らのものとは非常に異なり、数世紀前から語りつがれてきたものだ。一六六〇年、皇帝の座を得る争いに敗れたムガル皇子シャー・シュジャーが、家族、ハーレム、護衛を引き連れ、宮廷の厖大な財宝とともに、亡命を望んでアラカンに逃れてきた。だが、事態は思った通りには運ばなかった。当時のオランダ人交易者（ニューアムステルダムからやって来ていた）の記述によると、シャー・シュジャーは彼のホストであるアラカン王の座を奪おうとしたため、王はシャー・シュジャーを殺害し、彼の随行団の多くの命も奪ったという。だが、全員が殺されたわけではなかった。皇子に随行してきたおもにアフガン人からなる兵士数百名（その多くが射手だった）は、アラカン王自らの軍隊に編入されたのである。彼らの子孫は〈弓〉を意味するペルシャ語にちなんで「カマン」と呼ばれるようになる。チャウピューの共同体に暮らすイスラム教徒の多くは、この「カマン」たちだった。

アイデンティティが問題になっているロヒンギャの人々とは異なり、カマンは、祖先が植民地時代のずっと前からビルマに暮らしてきた「タインインダー」すなわち〈土着民族〉として認められている。彼らはチャウピュー周辺の村で数世紀にわたり、仏教徒の隣人と問題なく共存してきた。話す言語も、彼らと同じビルマ語の方言だ。

エイエイソーは、問題はカマンの村人にあるのではなく、チャウピューのイスラム居住区に暮らす厄介者の〈ベンガル人〉にあると感じた。そして最初に挑発して、仏教徒のアラカン人の応酬を招いたのも、彼らであると確信していた。「数日も経たないうちに衝突は全面的な戦いに発展しました。仏教徒はイスラム教徒の建物を焼き払い、イスラム教徒はジングリーズ〔パチンコ〕で応戦していました。でも、暴動を完全に鎮圧するには、兵士の数も警官の数も足らなかったのです。私はそのあいだ、ほとんど自宅にいましたが、遠くで火の手が上がるのが見えました。男たちは交代で道路を見張っていました。噂もひっきりなしに耳にしました。ほんとうに怖かったです。〈カラーが迫っている!〉〈われわれを襲いにやってくる!〉と。何日間もまったく眠れませんでした。そのうち、イスラム教徒たちが小舟で去っていくのが見えたんです。それを見たときは、ほっとしました」

去っていったイスラム教徒には、エイエイソーの幼なじみも含まれていた。「とても気の毒でした。車でここを後にしたのですが、出て行くときには泣いていました。彼女は、着の身着のままで出て行かなければならなかったと書いたメモを私に寄越しました。力になりたかったので、ほかの何人かの友人たちと、衣類や他の必需品をできる限りかき集め、内緒で彼女に送ったんです。もし仏教徒のアラカン人に見つかっていたら、私たちはきっと殺されたでしょう。彼女はまず難民キャンプに行きました。でも裕福な一家だったので、ラングーンに行くことができたんです。そこでカタールでの仕事を見つけて、今もカタールにいます。別れて以来会っていませんが、ときおりフェイスブックで挨拶を交わしています」

ミャンマー和平センターでは、チョーインフラインがこの問題を注視して追っていた。二〇一八年に会ったとき、彼は、北部に暮らす大部分のイスラム教徒にとって、二〇一〇年以前の状況はひどいものだったと語った。「ナサカ〔国境警察〕は無慈悲だった。それはまるでカースト制度のようなもので、イスラム教徒は下層カーストだったんだ。でも当時は、彼らもそれを受け入れていた。あるとき一人の政府高官が私に言った。〈私に何ができるか、見せてやろう〉と。そして道端でイスラム教徒を平手打ちにした。イスラム教徒は、二〇一一年までは、自らが置かれた地位に甘んじなければならないと感じていた。だが、自ら投票した二〇一〇年の選挙のあと、そして二〇一一年の政治の変化のあとでは、より自由に物事を考えるようになった。彼らは国際支援を期待した。二〇一二年に彼らと話したとき、自らをロヒンギャと呼ぶ者は一人もいなかったが、二〇一二年の末には、誰もがそうしていた」

ビルマ政府は極度に弱体化していた。二〇〇四年に行われた情報局の解体により情報収集がほぼ不可能になっていたうえ、今や、ナサカ国境警察も解散させられていた。残存する治安部隊には、アラカンの状況、とりわけ北部で何が起きているのかが、まったくわかっていなかった。国軍も新たな憲法のもとで脇役に徹しなければならなかった。彼らの代わりを務めたのは、第二次世界大戦で使われていた効果の疑わしい〇・三〇三口径のリー・エンフィールド小銃を携えた通常の警察だった。チョーインフラインは、二〇一二年の暴動のさなかに、州高等裁判所長のウーチャウッが、建物の最上階で三人の警察官とともにイスラム教徒の暴徒に囲まれた事件を覚えている。裁判所長は警察官に、暴徒に向かって発砲するよう指示した。だが、警察官の答えは、自分にはその権限がないというものだった。裁判所長は叫んだ。「裁判所長は私だ！　私が君らに権限を付与しているんだ。撃て！」と。ついに警察官の一人が引き金を引いたが、不発に終わった。

武力衝突は二〇一三年に再燃した。今度はアラカンの外側だった。アラカン内で衝突が起きたときには、仏教徒とイスラム教徒双方の暴徒が関与していたが、今度の衝突は、圧倒的に反イスラム教徒の暴徒が引き起こしたものだった。流血の中心地となったのは、マンダレー南部にある大きな街、メイッティーラ。三月の数日のあいだに五〇人もの市民が殺害され、一万二〇〇〇人が家を追われた。四月には、ラングーン近郊のオッカンに暴動が波及し、数十軒のイスラム商店が焼きうちにあった。その一カ月後には、ビルマ北東部の中国に近い貿易中継地ラーショーで、モスク、学校、イスラム教徒が経営する映画館が、鉄パイプを振り回す暴徒に破壊されている。ラーショーで攻撃されたイスラム教徒には、雲南省から移住した、トルコとモンゴルにルーツを持つパンデー・ムスリムが数多く含まれていた。八月には、シュウェボー近郊の村で、ビルマ国歌を歌いながら剣を振りかざす暴徒がイスラム商店に火を放ち、消防士の作業を妨げたうえ、仲裁しようとした政府の大臣にまで怪我をさせた。そして一〇月、ヤシの木に縁どられたベンガル湾沿いの町、サンドウェイ〔現在のチャンドウェー〕で、九四歳の女性を含む五人のイスラム教徒が殺害された。

暴動のきっかけは、その都度異なっていた。メイッティーラの暴動の発端は、ビルマ人のカップルとイスラム教徒の商店主との口論。オッカンでは、イスラム教徒の女性が見習い僧にぶつかったためということになっている。ラーショーでは、口論の末にイスラム教徒の男が仏教徒の女性に火をつけたことがきっかけだった。そしてサンドウェイでは、イスラム教徒の男による仏教徒女性のレイプ事件の報道が火をつけた。事件そのものは、それぞれ違ったが、その力学はみな同じだ——イスラム教徒が仏教徒の女性や僧侶に危害を加えたという噂が集団の怒りに火をつけ、流血の惨事を引き起こしたのである。

多くのビルマ人政治活動家は、暴動の残忍さにショックを受けた。「あそこで見たことに折り合いがつけられずにいます」と言うのは、「8888蜂起」を支援したかどで収監された元政治囚のニラテインだ。彼女は暴動を鎮めようとしてメイッティーラに赴き、そこで目撃したことを「無政府状態で、言語に絶する」ものだったと形容している。[17] 暴動は扇動されたものだったと確信している者もいる。その一人で、同じく「８８８８蜂起」の指導者だったミンコウナインは、元凶は「テロリスト」であり、それは「現地の住民ではない外部の者」だったと言った。彼はまた、手をこまねいていた治安部隊も非難した。[18]

一方、仏教僧がイスラム教徒を保護した地域も多々あった。たとえばラーショーでは、ウー・ポンナンダという名の僧院長が、一二〇〇名のイスラム教徒を仏教僧院にかくまった。もっとも弱い者を守るのは仏教徒としての務めだと信じる彼は、こう語っている。「人道的な観点から彼らを迎え入れ、食料と避難場所を与えたのです。私たちは、民族や宗教にかかわらず、すべての人の世話をすることができました」[19]

メイッティーラでは暴動の最中、仏教僧院の僧院長、ウー・ウィトウッダが、一〇〇〇人以上の避難民を保護した。その中には八〇〇人のイスラム教徒が含まれていた。[20] イスラム教徒を保護しているというニュースが広まると、怒りに満ちた群衆が真夜中に僧院を取り囲んで、彼らを引き渡すように要求した。その状況に直面したウー・ウィトウッダは、真の仏教徒としての反応はたった一つしかないと信じ、「どうしても彼らを寄越せというなら、私を倒してからにしなさい」と暴徒に告げた。そして彼らに、仏教の教えである慈悲心を思い起こさせたのだった。ウー・ウィトウッダは、問題は一般の人々にあるのではないと確信している。僧院に身を寄せていた仏教徒とイスラム教徒は互いに言葉を交わし、食料を分け合っていた。「そこには見えざる手がありました」と彼は語った。

「これほどまでに複雑な状況は、今まで生きてきたなかで見たことがない」と私に語ったのは、国連のあるベテラン調停担当官だ。彼は、中南米、アフリカ、バルカン半島、アジア各地の一〇カ所以上で紛争を調停してきた。ビルマの和平プロセスに関与していたのは、政府（それ自体が、大統領、閣僚、国軍、議会のあいだで分裂していた）と数十の少数民族軍事組織。それに加えて他の反乱軍と民兵が傍観者の立場をとっていた。ビルマの将来に関する発言権を争っていたのは、将軍、元将軍、アウンサンスーチー、NLD、さらには数十におよぶ他の政党、そして今や数百に膨らんだ市民社会団体だ。増加する仏教徒対イスラム教徒の暴力的な衝突は、おもにアラカンで起きていたものの、今ではビルマ国内の他の地域にも波及しはじめていた。そして大国――中国、アメリカ、日本、インド、イギリスをはじめとする数多くの国――が、影響力を行使しようと画策しあっていた。

問題の核心は、未だに領土をコントロールできないでいる国家と、帰属する者しない者によって分断されている市民社会にある。その両方とも植民地支配の負の遺産だ。一九四八年、イギリスは脆弱な国家を残して去り、ビルマは数カ月のうちに内戦の渦に巻き込まれた。和平プロセスは順調に始まったものの、国家をまとめる明確な戦略は存在せず、昔ながらの方法は、単に中心勢力が戦場で敵を打ち負かすというものだった。しかし、国家建設に向かう手段としてのこの道――軍事的解決――は、望ましいものでもなければ、可能性すら乏しいものだ。そして、よりオープンで民主的な政治が根を下ろそうとしていたまさにそのとき、帰属に関する問題が頭をもたげてきたのである。これは偶然などではない。他にイデオロギーやアジェンダがないなか、アイデンティティに基づいて軍隊を動員することは、政治的優位性を手にする明らかな道だった。トラブルメーカーたちは、共同体同士を対立させることに価値を見出していた。だがそれより大きな問題は、ビルマ国家を真に多民族・多文化の国にするヴィジョンが欠落していたことである。

恐怖と不寛容は、想像力が欠如しているところで火がつきやすい。ビルマの学校や大学では、数世代にわたり、ナショナリストの神話以外の歴史が教えられてこなかった。孤立は不安感を生み出す。そして、人種の概念、民族性、アイデンティティというものは、変わりやすく、進化し、不確かなものであるという考えは、ビルマの政治的スペクトラムのどこにも見られなかった。和平プロセスは、ある意味で、ビルマには固定的な民族集団が存在し、あらゆるものは、それに基づいて構築しなければならないという概念を定着させてしまった。国際的なアドバイザーも、より有益なアプローチをほとんど提供しなかった。

二〇一三年までには、ビルマの〈移行〉に関する楽観的な話が絶えず口にされるようになっていた。そして実際、この国は急速に変化しつつあった――だがそれは必ずしも、和平、そして民主化の方向に向かっていたわけではなかった。

第8章　仮想現実の民政移管

二〇一三年のグッドニュースは、ビルマ経済が明るい方向に進んでいるように見えたことだった。制裁は撤回され、景況感はいや増し、外国人投資家がラングーンのホテルに押し寄せて、不動産価格も天井知らずになった。一方、ソフィアと私にとってのバッドニュースは、アパートを探さなければならなくなったことだった。

二〇一一年の末まで、私たちは毎週バンコクからラングーンに通っていたのだが、二〇一二年の初頭には、ほぼすべての時間をラングーンで過ごすようになり、市内のあちこちのホテルに宿泊していた。だが正常に動くエアコンとインターネット接続を備えたホテルは一泊一五〇ドルをゆうに超え、そうした暮らしは持続不可能になってしまった。

標準的だが十分ではなかった私たちの予算に見合う宿泊先の選択肢はひどかった。私はそのほんの数年前、ビルマが発展の兆しを見せはじめたころに、ある歓迎会で外交官たちが、ビルマは〈紛争後〉に起こる、ある最悪の事態を避ける必要があると話していたことを覚えている。その事態とは、外国から駐在員が大量に押し寄せて賃貸価格のバブルが急激に生じ、現地の住民を押しのけたあげくに、バブルがはじける、というシナリオだ。当時、外国政府の多くは、新たな大使館の開設や既存の大使館の拡張を計画していた。ある大使は「われわれは調整機構を築くことについて話し合うべきだ」と熱心に語り、他の大使も頷いていた。

だが実際に起きたのは、正反対のことだった。外国企業や大使館は、事務所や住居に供するために供給量の少ない良好な家屋を奪い合ったのである。ラングーンの快適な地区にある、寝室を三〜四部屋備えた庭付きの家は、二〇〇〇年代の末なら一カ月一〇〇〇ドルほどで借りられたが、二〇一三年には、同じレベルの家の家賃は月二万ドルにまで跳ねあがっていた。ユニセフとＷＨＯはそれぞれ、ビルマ本部として使う小規模な事務所に、年間一〇〇万ドル（家賃だけで！）も費やしていたという[1]。賃借人は一年間の家賃をまとめて最初に支払うことが慣例となっており、私たちにとっては、家を一軒借りることなどまったく問題外になってしまった。

だが、アパートはみじめだった。外国企業が運営する非常にわずかなサービス付きアパートは例外だったが、その家賃は天文学的な高さで、私たちは軍政時代に現地の住宅開発業者が建てたアパートを探すしかなかった。手抜き工事で建てられたそれらの住居は、内装もどこか奇妙で、居間には窓がなく、廊下にはトイレのタイルが敷き詰められているといった具合だった。電気の供給は断続的、配線は危険、水道水は不潔、プラスチック製の家具はビニールで覆ってあるというこんなアパートでも、家賃はロンドンのメイフェアやニューヨークのアッパー・イーストサイドにある同規模のフラットに匹敵した。

それでも、もう一つだけ選択肢があった。旧植民地時代の繁華街にある建物をリフォームして住むことである。私たちは友人のオーストラリア人、リチャード・ホーシーのアパートを訪ね、何ができるかを知った。埃っぽいがゴージャスな一九二〇年代に建てられたビルにあるそのアパートは、優美なリフォームが施され、ティーク材の床、最先端の二一世紀型キッチン、そして、かつてイギリス統治時代にその中心として機能していたエドワード朝の旧ビルマ提督府を見下ろすフランス窓が備わっていた。幸運なことに、おりしもそのすぐ上の階のアパートが貸し出されようとしていて、家賃も外国駐在員が通常支払う家賃のほんの一部にすぎなかった。

かつて「ソーティ・マンションズ」として知られたこの建物には、非常に特別な歴史がある。一九二七年に、詩人で、のちにノーベル文学賞を受賞することになるパブロ・ネルーダが、チリ政府の領事として暮らしていたのだ。そのときネルーダは、ジョシー・ブリスという名のビルマ人女性に熱烈な恋をしていた。彼はこの女性について、「情熱的かつ経験豊富な愛人」で、「激しい嫉妬にかられ」、その気質により「凶暴な激情発作」をしばしば引き起こしたと書いている。蒸し暑さのもとで恋人たちは窓を開け、刺激的な匂いが階下から立ち昇るなか、ポール・ロブスン（アメリカの黒人歌手、俳優、公民権活動家）のレコードに耳を傾けた。夜には、ネルーダが目を覚ますと、愛人が長く鋭い〈土着の〉ナイフを振りかざして、彼を殺そうかどうか思案していたことがよくあったという。「あなたが死ねば私の不安もなくなる、と彼女はよく言っていた」。間もなくネルーダはセイロンに逃げた。(2)

私たちは、それから数カ月間かけてリフォームを行った。それは簡単ではなかったが、最終的には立派なアパートを手に入れ、ネルーダとのつながりまで手にすることができた。ネルーダは、『ダルハウジー通りを見下ろす窓から』と題して、ラングーンに暮らした日々を詩にしている。今や、その窓は、私たち自身の〈ダルハウジー通りを見下ろす窓〉になった〔現在のバンドゥーラ通り〕。私は自分の経験が再現できないだろうかと想像しはじめた。旧繁華街にあるすべての建物をリフォームし、再生された繁華街を、素晴らしい新都市計画の目玉にできないだろうかと。だがこの夢は、すぐに現実の壁にぶち当たることになる。

そのころ私は「ヤンゴン・ヘリテージ財団」を立ち上げた。そのミッションは、ラングーンにかろうじて残る歴史的建造物の保存にあった。一九九〇年代の半ばまで、ラングーンはタイムカプセルだった——社会的あるいは政治的にという意味ではなく、その外観が、である。旧繁華街は老朽化していたものの、そのレイアウトと建物は一九三〇年代の面影をほぼ完璧に保っており、新古典主義建築の新裁判所から、アールデコ様式のスタンダード・アンド・チャータード銀行の旧本店まで、美しい大建造物がたくさんあった。だが、そのあと資本主義が戻ってくると、一〇〇〇を超える戦前の建築物が取り壊され、残ったのは、おもに繁華街にある一〇〇〇ほどの建物だけになった。二・六平方キロメートルほどのこの地区は、アジアに最後に残るコロニアル時代の景観をあらわしていただけでなく、世界のあらゆる主要宗教の建物が一堂に会する類を見ない場所だった。そこには、イギリス国教会やローマカトリック教会の大聖堂、考えうる限りの宗派のプロテスタント教会、アルメニア教会、ユダヤ教のシナゴーグ、ヒンドゥー教、シーク教、ゾロアスター教および中国の寺院、仏塔、そしてスンニ派とシーア派のものを含むモスクも数十あった。その景観は、戦争、反乱、革命、植民地主義、反植民地主義における血で血を洗う歴史を映し出しており、ビルマ人にとっては、自らの過去につながる物質的遺産だった。にもかかわらず、それらは、宗教を実践する建物を除いて次々に解体されていたのである。

すでに私は、海外から訪れる要人のことや、当時はまだ全力で推し進められていた和平プロセスについて話し合うために、定期的に大臣たちに会っていた。そこで私は会合の議題に、歴史的建造物《ヘリテージ》の保護の件を加えた。「〈ヘリテージ〉などという言葉は聞いたことがない。ましてや、古い建物の保護などという考えは初耳だ」と、ある大臣が言った。「なんて馬鹿げた考えなんだ！」ともう一人も言った。私は、現存する遺産の保護に熱心な建築家、歴史家、実業家からなる献身的なチームを作り上げた。

ハイレベルの会合が数回開かれ、さらにメディアでの露出を最大に高めるための国際会議が一度開かれた後、政府は歴史的建造物のさらなる解体の一時的停止を決めた。ある高官は「ちょうどいいときに介入してくれてよかったよ。あのあと、すべての建物を取り壊す予定だったんだ」と打ち明けた。このプロジェクトは話題を呼び、都市行政官たちも、西側諸国の大使たちに、ラングーンの〈ヘリテージ〉建築を自慢するようになった。「有名な詩人のリ、チ、ャ、ー、ド・キップリングが、その一つに住んでいたんですよ！」

ソーテインは、このプロジェクトの早くからの支持者だった。多くの外国政府要人が彼に働きかけを行ったが、なかでも熱心だったのは、オーストラリア首相のケヴィン・ラッドである。「外国人たちはみな、君の歴史的建造物の話をしているぞ！」ソーテインは、私にそう熱く語った。ある日、ソーテインはオスロから電話をかけてきて、建物に歴史的な関わりを示す銘板が取り付けられていることに気づいたと言った。「君もそうするといい。そうすれば、新たな法律ができるのを待たずに、何らかの保護を与えることができる」と。私たちはその提案を実践した。このビルマ版〈ブルー・プラーク〉プログラムは大成功を収め、政府省庁、学校をはじめ、ＹＷＣＡのような民間組織も、今や垂涎《すいぜん》の的となったお墨付きを得ようと、陳情の列をなした。

私はテインセイン大統領に面会して、私の考えを次のように説明した。まず、ラングーンの歴史的建造物は長期的に数十億ドルもの価値を生み出す財産であり、守ることが必要である。ラングーンにおける今日の最優先課題が、電気をはじめとする基本的インフラであることはもちろんだが、一五年から二〇年もすれば、それらはみな市内に備わっていることだろう。その時点でラングーンは、他のどの東南アジアの大都市圏とも同じように、高層ビルや高架道路やショッピングモールが立ち並ぶコンクリートジャングルになっているかもしれない。だが今、ビルマ独特の美しい建造物を保存すれば、きわめて特徴的な二一世紀の都市景観を創造することができる、と。私は、当初の修復プロジェクトの財源をまかなう具体的な手段についても考えを述べた。また、繁華街で実際に生活し仕事を営んでいる人々を関与させることの重要性、そして何よりも、恩恵を受けるのが外部の企業ではなく、地元の市民になることを確実にする重要性について強調した。さらには、緑地と公共スペースを拡大する重要性についても強く訴えた。大統領は興味を示し、多くの質問を寄せた。そして私に計画を立てるよう要請し、彼に伝えたことを一般大衆に説明するためにメディアを活用するよう依頼した。

オーストラリア政府は保存活動の専門家をビルマに派遣してくれた。やがて彼らは、計り知れない恩恵をもたらしてくれることになる。一方私は、二〇一四年四月にロンドンに出向いてチャールズ皇太子に面会し、ビルマの歴史から、象や虎の保護に至るまで、多くのことについて話し合った。その際、ヤンゴン・ヘリテージ財団の業務についても伝えたところ、皇太子は時を待たずに、彼が後援する慈善団体の建築家や都市設計家を派遣してくれた。

二〇一四年一一月、私はバラク・オバマ大統領に面会した。二〇一二年の非常に短い最初の訪緬の際、大統領は機内から窓の外を見て、副補佐官のベン・ローズにこう話したという。「この場所は、時間が止まっているように感じられて興味深い。私が暮らしていたころのジャカルタを思い起こさせる。だがそこは今、高層ビルばかりだ。この地域を世界の他の場所から際立たせているものを保存するのは、賢明なことになるだろう(3)」。今や二度目のビルマ訪問となる大統領を乗せた車は、空港から繁華街にある植民地時代の旧ビルマ提督府に直行した。大統領の案内役に任命された私は、国家安全保障担当補佐官のスーザン・ライスやビルマの大臣たちが離れた場所で待機するなか、二五分にわたり二人きりで、かつてビルマ議会を擁していた建物の中庭と部屋を歩いて回った。私たちは共通の友人のことについて、ビルマの政治と歴史について、そして都市計画の重要さについて語り合った。大統領は、かつて機上でベン・ローズにした話を、私にも繰り返した。それから数年間にわたり、大統領の励ましによって、シカゴの専門家やアメリカの複数の財団からプロジェクトに対する支援が寄せられることになる。

善意の支援は引きも切らず、ビルマ内でも、最高レベルの政治的支援が寄せられた。私たちが目指していたのは、歴史的建造物の解体を止めさせるだけでなく、放棄されてほぼ空になっている政府所有の複数の建物を、より広範な都市再開発プログラムの第一歩として実際に改修することだった。そのことに対して真っ向から反対する者はいなかった。また、プロジェクトに対して主要な既得権を持つ者もいなければ、一般の人々もプロジェクトに賛成していた。だが、ヤンゴン・ヘリテージ財団は、ビルマで物事を行う既存の方法――何もしないこと――という壁に直面し、その克服はほぼ不可能に近かった。官僚組織には、腐敗官僚に金を儲けさせる手段が数多く備わっていた。かつては、軍事独裁者からの直接指令が結果を生んだ。しかし、それ以外のあらゆることを待ち構えていたのは、ディケンズの小説に出てくるような、手書きされたりタイプされたりした黄ばんだ書類が高く積みあがる埃っぽい机と、ごく些細な許可でさえ承認を取り付けなければならない無数の部署からなる迷宮だった。許可を受けるには、あらゆる部署の承認が三通ずつ必要で、それぞれの部署が、数年とはいわずとも数カ月にわたって進捗を遅らせる可能性があった。賄賂を贈れば車輪に油を塗ることもできたが、油じみた車輪でさえ、ときには回転しなかった。旧暫定軍事政権下の官僚制度は、まったく何事もなさないという方向に進化していたのである。

私はこの経験を通して、非常に脆弱な政府の体制をはっきりと目にすることになった。ビルマ政府は、抵抗運動を弾圧したり、無数の反体制派を収監したり、反乱民兵組織を食い止めたりすることはできたが、政策を立案して実際の結果を生み出す手段はほとんど持ち合わせていなかった。その本能は、自らの存続が脅かされない限り対立を避け、社会が自らすべきことをするに任せるというものである。私の住居となったソーティ・マンションズの建物が、そのいい例だ。建物の所有者が誰なのかを知る人はいなかった。その土地を購入して建物を建てたインド人一家ははるか昔にいなくなり、遠縁にあたるというタクシー運転手が所有権を主張したが、それを証明する書類は存在しなかった。ストラータ法〔土地と建物の共同所有権に関する法律〕が施行されていないため、二〇戸のアパートそれぞれの所有者たちも、以前の所有者から渡された領収書以外の書類は保持していない。ソーティ・マンションズでは、異なる者が、建物の異なる部分に対して異なる権利を持っていたのだ。単に長年住み着いているという理由で、なかなか退去処分にできない者もいた。建物の一階には、国有化されたのちに、ある省が引き継いだ店舗があったが、その省のどの高官も、その店舗スペースが未だに省に属しているのかどうかを知らなかった。政府は賃貸収入や固定資産から税を徴収していなかった。また、取り締まりを行うこともなく、便宜措置を見つけるのは、建物に住んでいる住民にかかっていた。共用部分の修理は、ときには集団の取り組みで行われることもあったが、たいていは放置された。何か政府に要請を行うときには（たとえば屋根修理の許可申請など）、最初に口にされる質問は必ず決まって「全員の同意が得られているのか？」というもので、物事はのろのろと進むか、まったく進まないかのいずれかだった。

ソーティ・マンションズで見られたことは、この国についてもあてはまる。そしてこの力学のなかに現れたのが、期待を胸に世界中から集まった投資家だった。期待を抱いたのには訳があった。テインセインは実務家で、農村地域の生活水準の向上を目にしたがっていた。また、巨額の外資導入により産業の成長に弾みをつけることも望んでいた。西側諸国による制裁の早期終結を目指した彼は、二〇一三年にそれを達成する。その同じ年、財務・歳入相のウィンシェインは、一〇〇億ドルにおよぶビルマの対外債務の再交渉を成功させた。それに続いたのが、世界銀行とアジア開発銀行を含む国際金融機関との関係正常化である。そのおかげでビルマ政府は、はるかに高い利息を課す中国への依存から脱却することができた。外国為替制度も見直された。さらには、新たなビルマ証券取引所も二〇一五年に設立された。

これらの数年間にかけて、テインセインとソーテインは、ビルマを訪れる投資家や企業のＣＥＯすべてと個人的に会談していた。それには、グーグルから、ゼネラルエレクトリック、サムスン、三菱のトップまでが含まれていた。世界の資本主義者たちは温かく迎えられた。企業の社会的責任、腐敗の撲滅、高い労働基準の確保、環境保全などのテーマも盛んに話し合われた。ビルマ政府は、Ｕ２のボノが支持する「採取産業透明性イニシアティブ」にも加わった。

二〇一三年五月、コンサルティング会社のマッキンゼーが、驚異的な報告書を発表した。六五〇〇億ドルの外資が導入できれば、ビルマのＧＤＰは二〇三〇年までに四倍になるというのだ。その約半分の三二〇〇億ドルはインフラ整備に必要だとされた。マッキンゼーはさらに、ビルマの消費者階級は、一七年以内に二五〇〇万人から一九〇〇万人に増加し、年間三五〇〇億ドルを消費することになると推定した。この報告書はビルマ語の翻訳版が作成され、全閣僚は読むことを命令された。それは、よだれの出るような報告書だった。(4)

そのころまでに、世界の資本主義者たちは、ビルマには最高の結果をもたらす選択肢しかないと信じて疑わなくなっていた。ビルマのブランド価値は再生されつつあった。あるPR企業は、国際放送で「ミャンマー　旅の始まり」（Myanmar: Let the Journey Begin）と銘打った広告を流した。二〇一三年六月には、世界経済フォーラム・東アジア会議がネピドーで開催された。五五カ国、総勢九〇〇人からなるダボス会議の常連が大挙して押し寄せ、細縞のスーツやスチレットヒールに、草履やシルクのサロンが交じった。コンベンションセンターで供されるコーヒーはレギュラーコーヒーしかなく、エスプレッソがないという不満の声が聞かれたものの、それ以外については大成功で、ビルマはついにビジネスに門戸を開いたというムードがさらに高まった。ＢＢＣはコンベンションセンター（中国政府からの贈り物として数年前に建てられた）から、アウンサンスーチーとソーテインをパネラーに招いてパネルディスカッションを中継した。私もコメントを要請され、アイデンティティ、武力衝突、低レベルの国家機能などの問題について述べたが、そうしたことを気にかける者はほとんどいないように見えた。

新たな投資対象の最大セクターは電気通信事業で、他の分野を大きく引き離していた。暫定軍事政権下においては、電気通信事業は厳重に管理された国家の独占事業であり、きわめて劣悪なサービスを法外な料金で提供していた。海外にいる親類に国際電話を一本かけたら、平均的な中流階級の家計は破産しかねなかっただろう。二〇一一年度のインターネット利用率も一％を下回る世界最低レベルで、Ｅメール一通をダウンロードするには、数時間とまではいかずとも、何分もかかった。ＳＩＭカード一枚の値段は、大半の人々の年収を超える一〇〇〇ドル以上に相当していた。こうした状況下、テインセインは二〇一二年に電話市場を自由化し、携帯電話網を海外企業に開放する。その後すぐに数十億ドルの投資が行われ、ＳＩＭカード一枚の価格は二〇一四年には一ドルにまで下がった。携帯電話の中継塔も辺境地にまで立ち並びはじめた。二〇一五年までには、それまで固定電話さえなかった四〇〇〇万の人々が、アジア最速を誇るインターネットを活用するようになっていた。

旧軍事政権時代の実業家たちも満足していた。二〇〇〇年代中盤に起きたネピドー建設契約のような棚ぼた式の利益はもはや期待できなくなっていたものの、かと言ってほとんどの者は、薬物取引のような違法セクターとの結びつきで評判を損ねるようなことはしたくなかった。また、先見の明を持つ者たちは、森林伐採や採鉱のような、旧時代の臭いがする産業から離れ出していた。そんななか、ラングーンの不動産事業から巨額の富を吸い上げることができるようになったのである。事業家、官僚、将軍たちは、一〇年ほど前から先を争ってラングーン市内の最良物件を手に入れていたが、今やそれらをかつて想像もできなかった金額で貸したり、星がいくつも付いたホテルやコンドミニアム、ショッピングセンターなどを自ら建設したりしていた。

数百万人におよぶ一般の人々にとっての状況は、もっと複雑だった。都市で増えつつあった中流階級は、より多くの仕事と、より多くの消費選択肢を手にした。小売業と娯楽セクターは活況を呈した。ラングーンじゅうに、メキシコ料理から、トルコ料理、ヴェトナム料理に至るまでの新たなレストランが数百軒も出現し、フードコートや複合型映画館を備えたワールドクラスのモールも建設された。家で夕べを過ごしたければ、今ではネットフリックスや、ビルマ版のリアリティーテレビ番組があり、食事の宅配サービスも、弁当からバーガーキングまで、ありとあらゆるものを取り寄せることができた。新たなタイプのビジネスマン（とビジネスウーマン）も現れた。彼らは軍のエリートの取り巻きではなく、叩き上げの起業家で、その多くは急成長する観光業とIT分野に携わっていた。

大都会から遠く離れた地方でも人々の収入は増加し、その伸び率は、二〇一一年から二〇一六年にかけて四〇%を超えた。これはおもに、新たな道路と手に入る価格のスクーターが村と市場を結び、低価格のソーラーパネルが電力を供給したことによる。ろうそくはすでに過去の遺物になっていた。[5] 村民は、より手の届きやすい貸付金からも恩恵を受けた。これは貧しい人々に的を絞った政府の融資制度の成果だった。輸出価格の上昇に活気づいた農民たちは、収穫作業を機械化し、中国に売ることを目的として、ゴマやピーナッツなどの換金作物に転作した。

子供たちの健康状態も改善の兆しを見せていた。二〇一三年から二〇一五年までのほんの二年間に、低身長児童の割合は三三%から二五%に低下し、中等度から高度の低体重児童の割合も二五%から一四%に減少した。農村地域の収入も向上した。二〇一一年に行われたある調査で、一カ月当たりの収入が五〇ドルを超える村民の所帯数は半数であることが示されていたが、その割合は二〇一五年には八五%にまで改善した。[6]

それでもビルマは、どこから見ても依然として貧しい国だった。マウビンは、ラングーンから二時間ほど車で南下したところにある、イラワディデルタ地帯のかなり大きな町だが、そこには、電気あるいは送水ポンプを備えた家は一〇軒に一軒しかなく、テーブルがある家も半数だけだった。辺境のチン丘陵にあるカンペトレト郡区では、寝台のない世帯は九〇%におよんでいた。[7] 旧軍政のもとで軍に土地を没収された世帯が土地を取り戻せる可能性は、未だにまったくなかった。腐敗した官僚と、コネを持ついかがわしい実業家たちは共謀して、一九九〇年代初頭から数百万エーカー〔一エーカーは約〇・四ヘクタール〕におよぶ土地を私物化してきた。[8] 二〇一二年、農地調査委員会が設立され、すぐに一万二〇〇〇件の苦情が寄せられたが、数百万エーカーもの農地が最貧の農民たちに戻される可能性はほぼない。そうしたなか、土地を持たない貧民は続々とラングーン周辺のスラム街に流れ込んだ。建設現場や、軌道に乗りはじめていた衣料品部門の仕事があったからだが、それはよくても不安定な暮らしだった。一世代前、都市での仕事を失った者は、最低限の生活をかろうじて支える故郷の農作業にしかたなく戻っていた。だがもはや、そんなセーフティーネットさえ失われてしまっていた。

じつは、貧しい者には、もう一つ選択肢があった。パカンのヒスイ鉱山に行くことである。「妻と子供たちにもっとよい暮らしをさせるために金を貯めようと思って行ったんです。でも、金が貯まるどころか地獄を見るはめになりました」と、ムラトゥンという名の男性が私に明かした。[9] バングラデシュからさほど遠くないところに生まれたムラトゥンは、アラカン人仏教徒だ。彼の二ヘクタールの土地は地元当局によって、二〇〇〇年代に土地開発プロジェクトのために没収されてしまった。貧窮したムラトゥンは、ほかの数千人のアラカン人の村人がやっていることをした。旅費をかき集めて、ビルマの反対側の端にある、中国国境に近いカチン丘陵の町パカンに向かう長距離バスに乗ったのだ。パカンはインペリアル・ジェイド〔とくに深いエメラルド色のヒスイ〕の唯一の産地で、その価値はカラット単位で比較するとダイヤモンドより高い。

二〇一〇年代におけるビルマのヒスイ輸出推定額は、数十億ドル規模から、ピーク産出時だった二〇一四年の三〇〇億ドル規模までさまざまだ。採鉱は工業的規模で行われ、小松製作所のＰＣ２０００シリーズを含む巨大油圧ショベルが二〇〇〇ヘクタールの採掘現場を削り取って広大な谷を作っている。だがこの産業から国庫に入る金額は、ほんの一部にすぎない。残りは、ヒスイを採掘し、研磨し、貪欲な中国市場に販売するさまざまな国籍の企業の手に渡っている。[10]

パカンに引き寄せられた他の貧しい人々と同様に、ムラトゥンはヒスイ採取後のかけら拾いになった。大型ショベルは人工的に作られた崖の上から毎日残土を捨てる。痩せこけた男たちは四〇℃近い気温や絶え間なく降り続くモンスーンの豪雨のもと、宝石の小さなかけらを求めて、泥の山を毎日素手で梳《す》く。疲労で倒れることがないように、みなヘロインを打っている。その値段は一〇〇〇チャットほど（約一ドル）で、針は使い回しだ。同じく貧しい出稼ぎ労働者で、やはりヘロインを常用している女性たちも、月面のような風景のなかに固まって点在する掘っ立て小屋でセックスを提供している。ムラトゥンが、家族を貧困から救うためのヒスイのかけらを見つけることは、ついになかった。二〇一五年一一月にパカンで土砂崩れが起き、二〇〇人以上のかけら拾いが命を落としたとき、彼もそこにいた。この事故の責任をとらされた者は一人もいなかった。(11)

経済は奇妙な獣だ。二〇一〇年代初頭のビルマは、表面的には、長い冬眠から覚め、もろ手を挙げてグローバル資本主義を迎え入れようとしている新たなフロンティア市場に見えた。だがその表面を削れば、ビルマは――たとえば二〇年前のヴェトナムなどとは違って――すでに独自の資本主義にがんじがらめになっていたことが、よそ目にもわかったはずだ。それは一世代以上にわたって醸成されてきたもので、市場の権力は国家機関の権力より強く、謎に包まれた大勢の事業家たちが自らの縄張りを守っていた。さらに深く掘り下げると、ラングーンやマンダレーからほんの数時間車で行ったところには国の支配がおよばない地域があり、そこではさまざまな軍閥や武装勢力が違法かつ反道徳的な取引を行っていること、そして中国との国境を越えれば、中国政府の支配さえ希薄という地域があることに部外者でも気づいたことだろう。

テインセイン政権は、経済を改善するため断固かつ迅速に行動した。その結果は一目瞭然だった。しかし経済格差は依然として大きいままにとどまった。さらには、将来の経済の姿に関する実質的な話も出なかった。展望がなかったわけではないが、それは過去二〇年間の無秩序な資本主義から、よりありふれた国家資本主義に移行することを目指すもので、その内容は、他のアジア諸国の例に従って輸出中心の産業化に的を絞るというものだった。

そして、経済構造を変えようとするあらゆる純粋な努力は、巨大な障壁にぶち当たった。公職者とその取り巻きにはきめ細かな買収関係があり、さらなる変化を阻止しようと手ぐすね引いている者たちが大勢いた。多額の損金を出している国営企業は、技能も持たず実質的に働いてもいない従業員を何万人も抱えていた。国軍は、自ら経営する複合企業体と厖大な土地所有を通し、依然として巨額の分け前を手にしていた。予算は肥大化し、何十億ドルもの公的資金が官僚制度の迷宮のなかに消えていた。固定資産税をはじめ、税金を払う者はほとんどいなかった。二〇一二年、混乱を極める土地保有システムの合理化を目指して、二つの土地法が制定された。しかし、これらの法律は、施行方法によっては、国家権力にアクセスできる者たちに数百万エーカーもの土地を握らせている現状をさらに定着させ、数百万におよぶ人々を何も持てないままにする可能性がある。

それと同時に、違法産業の影もさらにビルマの空を黒く覆うようになっていた。二〇一五年までに、シャン丘陵の北部および東部は、メス錠剤〔メタンフェタミン系の覚醒剤〕、および「アイス」と呼ばれる、より高価なクリスタル・メスの世界的製造拠点になっていた。この産業には、ビルマ国軍と結びついた民兵組織が深く関わっている。それは、ビルマ最大の反政府軍である「ワ州連合軍」にしても同じだ。アイスは、急激に拡大するオーストラリアとニュージーランドの市場、そして家庭の主婦の依存者が数を増している日本に輸出された。ヒスイと同様、麻薬取引の総額は定かではないが、国連は年間数百億ドルに上るものと推定している。

中国国境沿いの地域には、至る所にさまざまな反乱軍や民兵組織が牛耳るカジノがある。それらはもっぱら、無料の交通手段と一週間にわたる高級ホテルでの無料宿泊に惹かれて中国全域の都市からやってくる中国人向けの施設だ。施設内ではスタッフが中国語を話し、中国の通貨が使われ、中国の携帯電話もローミング使用料なしで使うことができる。顧客のなかには、数日のうちに数十万ドルを失う者もいる。全額借金が支払えない者は監禁され、その額を親類が電信為替で送金するまで、拷問の憂き目に遭うこともある。「あそこへ行くのは破滅しに行くようなものだ」とあるギャンブラーは言った。[12]

カジノは金儲けの手段だが、カジノの強奪も、もう一つの金儲けの手段である。二〇一七年三月、「ミャンマー民族民主同盟軍」がラオカイにある「フリライト・カジノ」（福利来賭場）に突入して、従業員三〇〇名を拘束した。その後、盗賊側と、政府軍の部隊および政府と結びつきのある民兵組織が交戦するなか、市民四〇名を含む一〇〇人が死傷した。攻撃者は、カジノの外側に待機していた二〇台のトラックで、七三〇〇万ドルもの現金を手にまんまと逃げおおせた。持ち逃げできなかった金は焼き捨てていた。

一方、中国に対する野生動物の密売も今や壮大な規模に達していた。虎、熊、象、センザンコウは、偽薬に使用したり、エキゾチックな飲食店で料理に供したりするために、丸ごとまたは解体した形でビルマから密輸出されていた。反乱軍の一つ「民族民主同盟軍」（似た名称だが、カジノを襲った組織とは異なる反乱軍）の拠点であるラオス国境に近いモンラーは、とくにアフリカから中国に密輸される象牙とサイの角を積み替える中継地として、違法な野生動物取引の世界的拠点になりつつあった。

ビルマ最大の反乱軍である「ワ州連合軍」は、過去二〇年間にわたり、中国、香港、マカオ、タイに莫大な投資を行ってきた。彼らはビルマ国内でも主要なビジネスを所有している。ヤンゴン航空もその一つだ。しかし、二〇一五年に資金洗浄に対する取り締まりが行われたのち、「ワ州連合軍」は、ラオス・ビルマ国境のラオス側にある「キングズ・ローマン・カジノ」（金木棉賭場）に新たな提携者を見つけた。噴水、イタリア・ルネッサンス様式の模造フレスコ画、ヘルス・スパ、そしてもちろん何百もの賭博台を備えたこの巨大建造物は、中国生まれの実業家、ジャオウェイ（趙偉）が牛耳る経済特区にある。二〇一八年、アメリカ政府は、ジャオウェイに制裁を科した。その理由は、このカジノを利用した「麻薬密売、資金洗浄、児童買春、贈収賄、および人身売買と野生動物密売」との関係疑惑だった。[13]

さらには、中国コネクションによる新奇な事件もあった。ユーチェン・ホールディングス・グループ（鈺誠集団）は、ディンニン（丁寧）という名の三〇代前半の起業家が所有する中国の金融会社だった。そのもっとも有名な商品は「イーズーバオ」（e租宝）という名のポンジスキーム〔実際には資産運用をしていないのに、資産運用で得た配当金を分配しているように装う詐欺〕で、一〇〇〇万人近くの個人投資家から七五億ドル以上を騙しとった。破綻する前、ユーチェン・グループはビルマにも深く関与していた。コーカン民兵組織、および中国国境沿いの他の複数の反乱軍を支援していたのだ。二〇一五年、ユーチェン・グループは、「ワ州連合軍」が支配する地域におけるユーチェン東南アジア自由貿易区設立計画を発表し、四〇〇億元（およそ四〇億ドル）の投資を行うと約束した。ディンニンと彼のユーチェン・グループは、すでに確立されていたビルマの資金洗浄事業を活用して、ポンジスキームで得た利益のマネーロンダリングを行おうとしていたのだった。ディンニンは今、獄中にいるが、七五億ドルの行方は不明だ。どこにあるとしても、ビルマを経由してそこに至ったと考える者は多い。[14]

麻薬、カジノ、野生動物の密売、そして国境を越えた組織犯罪が生み出している額は厖大だ。どれだけの利益が実際に生まれたのか、そしてそれらがどこに隠されているのかに関する明確な推定は存在しない。しかし、それらから生まれた数十億ドルのほんの一部でもビルマに行きつくとすれば、その金は、政界のすみずみで手にする動機を形作ることだろう。そしておそらく、それは実際に起きていると思われる。

ここでちょっと、こうした問題のすべてが、責任ある投資、安定成長、格差の減少、さらには全当事者間の和平締結などに置き換わることによって、奇跡的に解消したと仮定してみよう。そうなればビルマは、他の多くのアジア諸国が歩んだものと似た道に進むようになり、一次産品の輸出から工業製品の輸出に転じて、中産階級という新たに生まれる大量消費主義者の恩恵を受けるようになるだろう。アジア地域全体を通じて、そのデフォルトの結果は一目瞭然だ。すなわち、容赦ない環境破壊と過密化する都市である。その見返りはショッピングの機会が増えることでしかない。だが、ビルマが進める道は、ほんとうにこれだけなのだろうか？

生物多様性について言えば、ビルマは世界でもっとも豊かな国の一つだ。ここ数年だけでも、ビルマで発見された新種の動物は四〇種以上におよぶ。過去二〇年の破壊行為にもかかわらず、今でもビルマの息をのむほど美しい自然は高く評価されており、自然のままの流れが維持されている最後の川があり、アジア最大かつ群を抜いて多い象の生息地でもある。ビルマにはまた、数十を超える民族集団ごとに異なる、瞑想形式、芸術、料理、民間伝承などの独特で豊かな文化的伝統がある。二〇一五年、ビルマは世界一優しい国に選ばれた。その基準の一部は、見知らぬ人を助ける頻度、あるいは慈善事業に参加する頻度の高さだった。その同じ年、集中豪雨が深刻な洪水を引き起こして百万人が難民になった。その際の救援活動を組織した国連高官たちは、ビルマ全域で湧きおこった地域ベースの義援金募集と支援活動は、他のどこでも目にしたことがないレベルのものだったと言う。にもかかわらず、将来の経済活動が検討される際に、こうしたことはまったく尊重されない。

気候変動もほとんど議論されていない問題だ。ビルマは、気候変動の悪影響を世界でもっとも受ける五カ国の一つに挙げられることが決まっている。二〇〇〇年代中頃までに、それまで季節を刻み、農作に欠かせなかったモンスーンは、予測不能になりはじめていた。乾燥したビルマ内陸部では、毎年適切な時期にいくつかモンスーンが訪れることが豊作に不可欠の条件だが、近年は干ばつに度々襲われるようになり、数万から数十万の人々が仕事を求めて大都市やタイに移りはじめた。二〇一五年には、極端な豪雨と長期的な森林破壊の影響が相まって、前述した大規模洪水が引き起こされた。サイクロン・ナルギスのような他の甚大な気候災害も、今後増加してゆくにちがいない。酷暑はビルマ内陸部の広大な地域を居住不能な土地にするだろう。そしてもし、海面の上昇に関する現在の予測が少しでも正確なものであるとすれば、ラングーンの一部を含め、沿岸の土地の大部分がこれから一世代以内に海に沈むことになる。

すでにラングーンは、二〇一五年までに、以前より暮らしにくい土地になっていた。経済の自由化と収入の増加は新たな車の洪水を招き、植民地時代に造られたままの道路を走る車の数は、かつて五万台だったものが四〇万台にまで増加した。貧しい人々にとっては、片道三〇分のバス通勤が、三時間もかかるものになった。歩道は車両の通行を優先して潰されたため、徒歩で移動することもままならない。都市周辺には、病気が蔓延するスラム街が生まれるとともに、それに隣接して、高級なゲーテッドコミュニティー〔安全の確保と資産価値の維持を目的として周囲をゲートとフェンスで囲った住宅地〕も建設された。ヤンゴン・ヘリテージ財団は、居住性や都市計画などの概念、そして将来の洪水の影響を相殺するためにも公共スペースや緑地の確保の重要性に関する考えを広めようとしたが、勢いは、何をおいても成長を最優先しようとする側にあった。

明らかに裕福な人たちさえ、取り残されるのではないかという不安を募らせていた。格差と将来の経済に関する適切な会話が存在しないなか、その代わりに民族とアイデンティティに関する一連の会話を広めようとする勢力への抵抗はほとんどなかった。そして今や、こうした会話が脚光を浴びるようになる。

一九一四年、マンダレー北西部で小さな哺乳類の化石が発見された。のちにそれは類人猿霊長類のものので、しかもその部類で発見された最古の化石であることが判明する。二〇〇〇年代初頭には学者たちが、この始新世〔約五五八〇万年前〜三三九〇万年前〕の生物は、それから後に出現する、より人類に近い種の祖先に属している可能性が大いにあると結論づけた。この興味をそそる事実は、わが国こそ人類の発祥地だという憶測をビルマ国民のあいだに湧きあがらせるには十分だった。科学者たちはそんなことを一言も口にしなかったにもかかわらず、憶測は断固とした土着主義の方向に展開してゆき、ビルマ人学者たちは二〇一五年までに、この小さな霊長類の血統は、近年発見された新石器時代の遺跡および青銅器時代の文明を経て、マンダレー最後の王朝まで連綿と続いてきたと示唆していた。この物語では、太古の昔から現代まで脈々と引き継がれてきたビルマの「タインインダー」すなわち土着民族の誇り高き伝統が中断された空白期間は、イギリスによる植民地時代だけだったということになっている。

旧暫定軍事政権、および一連の古物研究家、学者、軍政下の官僚たちの集団が時間をかけて醸成してきたビルマの歴史観は、今や社会通念になっていた。「タインインダー」の概念に抵抗する者はおらず、先史時代のサルをこの概念に組み込むのは難しいことではなかった。

二〇一五年までには、国家の新たなプライドも生まれていた。それまで人々は数世代にわたり、ビルマの国際的なステータスが下落の一途を辿る様子を目の当たりにしてきていた。「8888蜂起」のきっかけとなったのも、国連がビルマを「もっとも開発の遅れた国」に分類したことにある。二〇〇〇年代末に、カンボジアやバングラデシュのような、かつてはるかに貧しかった国々が自国を追い越していく様子は、深い屈辱として受け取られた。だが今や、あらゆる局面で事態は改善しているように見えていた。二〇一三年、ミャンマーは史上初の大規模な国際スポーツトーナメント「東南アジア競技大会」をホスト国として華々しく開催する。そして、長年にわたり情けない成績を積みあげた末に、ついに金メダル数第二位という大躍進を果たしたのだった。スタジアムには数万人の観客が詰めかけ、新たな国旗を振って国歌を歌った。

この新たに手にしたプライドには人種差別的な色合いも加味されていた。ビルマの映画界、そして増え続ける広告や美容業界に登場する人物の顔は、一種類のタイプしかない。ラングーンの街を歩けば、シベリア人、地中海沿岸住民、ポリネシア人として通る人々、さらにはインド亜大陸のあらゆる地域出身の祖先を持つと思われる人々に出くわす。だが、美人コンテストや、そこここに出現しつつある巨大な広告用掲示板に登場するのは、多くの人が〈純粋なビルマ人〉とみなす色白の顔だ。影響は近隣諸国、とりわけ韓国から来ている。ビルマは、世界で初めて韓国外でKポップを受け入れた国であり、それに伴って韓国ドラマと〈色白〉という韓国の東アジア的美意識も受け入れた。一九五〇年代、ボリウッド映画を観ていた多くのビルマ人は、「カラスィン」つまり〈インド人のような〉見かけに憧れていたものだが、もはやそうした状況は一変していた。

それと同時に、急激な変化が、伝統的な生活が脅かされているという不安感をあおった。軍事独裁政権の終焉はほぼ全面的に歓迎されたものの、新たなエリート――おおむね農村または田舎町出身の大多数の保守的な仏教徒とは異なる価値観を持ち、大部分の人が理解できない英語をビルマ語に交えて話す者たち――が、外国企業や外国の影響とともに目立ってきたことに危機感を覚える者は多かった。

そんななか、二〇一二年にアラカンで暴力的な衝突が起きる。私は、ラングーンに暮らす多くのビルマ人が、同胞が虐殺されていると信じて強い憤りを感じていたのを覚えている。アラカンのイスラム教徒は〈カラー〉とみなされていた。多数派のビルマ人仏教徒にとって、彼らはバングラデシュの〈インド人〉と見分けがつかなかった。通常肌の色が濃く、男性はよく髭を生やし、女性はヴェールをかぶっていることが多い、という外見は、彼らが異邦人で危険であるという印象を強めこそすれ、弱めはしなかった。こうして、民族的プライド、伝統が脅かされることへの恐れ、そしてイスラム教徒の〈カラー〉への恐怖感がまじりあうことになった。

さらにはフェイスブックも一役買った。大部分のビルマ人にとって、インターネットとは、すなわちフェイスブックのことであり、二〇一三年末までには全成人の半数以上がつねにSNSを活用していた。フェイスブックは二〇一四年の中頃には、ビルマのメディア、政府機関、有名人、あらゆる種類の政界人にとって、一般大衆にメッセージを発信する第一の手段になっていた。多くの意味において、フェイスブックは政治活動の透明化に大いに貢献したと言える。ほぼ誰もが――国軍最高司令官を含めて――自らの活動状況を投稿していた。半面、この状況は、公人による粗野な発言の急増を招くことにもなった。一日の激務の後に自宅で夕食をとり、ウイスキーを何杯かあおってからフェイスブックにログインしてコメントを投稿する同僚は一人や二人ではないと、私はある議員から打ち明けられた。フェイスブックはまた、暴力の扇動を容易にした。

二〇一四年七月一四日、フェイスブックに、マンダレーにある「サン・ティーショップ」のインド人イスラム教徒の店主が、ビルマ人仏教徒の従業員女性をレイプしたとする情報が投稿された。それから数時間以内に、怒り狂う暴徒が集まった。警察は暴徒を追い払おうとし、ある時点でゴム弾を発射したが、失敗に終わる。夕暮れまでには、バイクを乗り回し、なたを手にした一連の暴徒が車や建物に火を放つ事態に発展し、外出禁止令が発令された。それはメイッティーラの暴動からまだ一年も経っていなかったときのことであり、政府は可能な限り迅速に暴力を鎮圧しようと必死になった。

大統領府は一晩中フェイスブック社に連絡しようと努めた[15]。だが、直接連絡するすべを持たなかったため、大統領府高官のゾーテイは、デロイト社に勤務し複数のテクノロジー企業と接点があった知り合いのクリス・トゥンに連絡をとった。「彼らはパニックに陥ったものの、何をすべきかわからなかったのです」とトゥンはロイターの取材で語っている。フェイスブックのプラットフォームから機械ではなく人間につながろうと何時間も無駄な努力を続けたのち、ついに政府は一時的に同サイトへの接続を遮断した。その効果は出たように見えた。暴力が迅速に収まったからだ。その翌日、目を覚ましたクリス・トゥンのもとには、ビルマでサイトがダウンしているらしいと懸念する複数のメールがフェイスブック社から届いていた。当時フェイスブック社にはビルマ語話者がたった一人しかおらず、一八〇〇万人の新たなユーザーを一人でモニターさせられていたのだった。

ロヒンギャ問題は、非常に特殊な状況のもとでビルマの人々の目に映ることになった。二〇一〇年代まで、アラカンの外に住むほとんどの人は、バングラデシュとの国境沿いに住むイスラム教徒のことなど考えたこともなかった。しかし、二〇一二年に起きた異なる集団間の暴動が、この問題に注意を惹くことになり、ビルマの多数派である仏教徒の共感は、一方的に片方の側に引き寄せられた。こうして、北アラカンに住むイスラム教徒の大部分は、近年の不法移民か、よくてもイギリス統治時代の移民である、という考えが、何の疑問も持たずに受け入れられるようになる。

　それまで、「ロヒンギャ」という名称を聞いたことがある人は、アラカン以外の地域では、いたとしてもごく少数にすぎなかった。イギリス人がこの名称を使ったことはなかったし、暫定軍事政権も使わなかった。ビルマ人の多くは、この名称の使用は、バングラデシュからの不法移民が、自分たちをビルマ国民どころか土着民族である〈タインインダー〉として認めさせようとする動きの一環にほかならないとして受け取り、北アラカンに暮らすイスラム教徒を「ロヒンギャ」ではなく「ベンガル人」〈カラー〉とまでは言わないが）と呼ぶように主張した。ビルマ国内にいる非イスラム教徒の多くは、ビルマ国外の活動家、政府、メディアが「ロヒンギャ」という名称を使えば使うほど、国際的な陰謀を強く疑うようになる。

　フェイスブックでは、世界の他の地域におけるアルカイダやイスラム国による残虐行為の無数の画像が拡散された。ラングーン近郊にはすでにアルカイダの下部組織が存在するという噂も広まり、人々は攻撃が間近に迫っているのではないかと恐れるようになる。数世紀にわたってイスラム教が広がった様子を示す地図もソーシャルメディアに投稿された。その地図では、一億六〇〇〇万人のイスラム教徒がいるバングラデシュと、二億五〇〇〇万人のイスラム教徒がいるマレーシアに挟まれて、ビルマは孤立しているように見えた。ビルマ全土のナショナリストたちは、バングラデシュとの国境のことを、〈西の門〉を意味する「アナウッダガー」とますます呼ぶようになる。こうしてロヒンギャの人々の窮状と、この世界的なイスラム主義者の動きに対する恐怖は、別々の方向から一点に収斂《しゅうれん》したのだった。

　二〇一四年初頭、「マバタ」という通称で呼ばれる新たなナショナリストの組織が大きな影響を持つ勢力として登場する。[16] マバタは「民族宗教保護協会」を意味するビルマ語の正式名称の頭字語だ。この名称における「民族」〔あるいは人種〕を意味する〈アミョーダー〉は「ビルマ民族」のことを指し、「宗教」を意味する〈ターダナー〉は、「仏教」のことを指す。マバタの世界観の中心にあるのは、ビルマが経験してきた近代化への不満と、腐敗したエリートたちにより一般の人々と彼らが大切にしている価値が完全に無視されているという憤慨だ。増大するマバタ支持者の大きな部分を占めたのは女性たちで、その多くが女性の権利拡大を訴えていた。仏教の僧侶が率いるこの組織の支持者たちは、近頃の対立の根本的な原因は、年配のイスラム教徒男性が若いビルマ人女性を第二夫人にすることが生み出している敵対意識にあると信じていた。

マバタは、「民族と宗教の保護」という公式名称を持つ四つの新たな法案を支持した。ビルマ語のこの法案名にある「サウンシャウッ」という言葉は、実際には、高齢の親の世話をするというような文脈における「世話をする」という意味に近い。第一の法案は一夫多妻制を非合法化し、婚外同棲を犯罪行為として定めるものだった（しかし、のちに法案が通って施行されたあとに実際に逮捕されたほんの数人のうち、最初に逮捕されたのは、妻を欺《あざむ》いてラングーンに愛人をかこっていた田舎町のビルマ人仏教徒だった）。二番目の法案は、改宗を望む者は、まず面接を受け、次に新たな宗教を最低九〇日間学習しなければ、改宗の許可が下りないとするもの。三番目の法案は、非仏教徒男性との婚姻を望む二〇歳未満の仏教徒女性に、親の同意を義務づけるものだ。四番目のもっとも議論を呼んだ法案は、人口増加率が異常に高い（すなわちアラカンのロヒンギャ地域を意味する）地理的地域では、政府による強制的な家族計画を可能にするというものだった。

マバタのメンバーで扇動的な僧侶のウー・ウィラトゥは、二〇一四年二月にアウンサンスーチーの首席補佐官と行った会談で、ＮＬＤは〈市民〉の側に立つと標榜していながら、なぜこれらの法案に反対するのかと尋ねた。仏教徒のナショナリストの多くは、軍政を終わらせ、権力を〈市民〉に戻すというＮＬＤの目標を称賛していた。マバタは、ＮＬＤのこの目標には当然、〈市民〉――すなわちビルマ人仏教徒である〈民族〉――の保護が欠かせないものとして含まれているとみなしていたからだ。ウー・ウィラトゥは、もし彼女がこの法案を支持するなら「アウンサンスーチーの銅像を台の上に据え、永遠に祈りを捧げる」と言ったという。[17]

ＮＬＤ（国民民主連盟）の名称にもある〈国民〉という言葉のビルマ語は〈アミョーダー〉だ。これは前述の通り〈民族〉〔あるいは人種〕という意味にも使われる。〈民族〉と〈国民〉は同義語であり、一部の者にとって〈民主主義〉とは、民族に基づく国家の至高性と完全に同じことを意味した。アラカンでは、仏教徒の女性たちが、人生でもっとも恐れているのはイスラム教徒の男性にレイプされることだと、西側とビルマ人の研究者たちに語った。[18]

この一触即発の状況のもとで行われたのが、国連人口基金との緊密な協力を通して計画・実行された三〇年ぶりの国勢調査だった。[19] 私が知っているほぼすべての人が異なる民族共同体出身の親や祖父母を持つというこの国で、回答者は自らの民族性を挙げるよう求められた。政府がこの国勢調査を利用して、より流動的なアイデンティティの概念を広めなかったことは驚くに値しない。だが国連がそのことについて少しも考慮しようとしなかったのは弁解の余地のない過失だ。

この時点で問題になったのは、〈ロヒンギャ〉を選択肢として提供するかどうかだった。国勢調査を担当していた入国管理・人口相のキンイーは当初、回答者は思う通りに自らの民族性を申告してよいと言っていた。だが、それにより予想されること、すなわち、アラカンのイスラム教徒が自らを〈ロヒンギャ〉として申告できるという状況は、アラカン人の民族主義者たちに警鐘を鳴らし、警戒感は爆発寸前にまで高まった。二〇一四年二月には、慈善団体の「国境なき医師団」が、ロヒンギャ共同体を不当に優遇しているという理由で、ビルマ全域で活動を停止させられた。困窮するアラカン人の仏教徒たちが国際機関からまったく、あるいはごくわずかしか支援を受けられていないという状況は必ずしも真実ではなかったが、そう広く信じられていたのだった。その一カ月後、アラカンじゅうで、国勢調査における民族性の申告をイスラム教徒に自由にさせることに対して大規模な抗議活動が起きた。だが政府が応じなかったため、アラカン人の民族主義者は、現地の住民に国勢調査をボイコットするよう呼びかけた。さらには、ある西側諸国の支援団体がシットウェの事務所正面から仏教徒の旗を取り外すと、シットウェじゅうの支援団体の事務所が攻撃対象になり、三〇〇人以上の支援活動関係者が避難を余儀なくされる事態に陥った。イスラム教徒の肩を持っているとみなされた外国の支援団体に対する反目は、それまでにすでに高まっていた。こうして、きわめて重要な人道支援は中断することになる。

政府は募る圧力に屈し、国勢調査の直前に、ロヒンギャの人々は結局のところロヒンギャとしては申告できず、「ベンガル人」としてのみ申告できると通告した。ボイコットは中止された。

二〇一四年一月、国連人権高等弁務官ナヴィ・ピレイは、「ドゥチーヤーダンという小村で、少なくとも四〇人のロヒンギャ・ムスリムの老若男女が警官に殺害された」とする「信頼できる情報」を受け取り、速やかな調査実施を求めた。[20] この集団殺害は、その数日前に起きた警官殺害に対する報復として行われたものであるとされた。しかし、それを受けて行われたビルマ政府の調査では、殺害された者はいなかったことが判明し、西側諸国の人権調査官や外交官も、その話がでっち上げであったことをひそかに認めた。[21] だが国連がそれを認めることはなかった。ビルマのソーシャルメディアとネピドーのビルマ政府内では、ロヒンギャの指導者たちと海外にいる彼らのサポーターたちは〈フェイクニュース〉の創作に熟練しつつあるのではないかという疑念が広がった。

同じくその年の一月には、ビルマ生まれのパキスタン・タリバンのメンバー三人がバングラデシュで逮捕された。バングラデシュ政府による起訴内容は、「高性能の爆発物」の知識を使ってアラカンで「テロ活動を開始する」計画を立てていたというものだった。当時パキスタン・タリバンは、ロヒンギャの人々に対する暴力に復讐するために「神の道において殺す」よう支持者を焚きつけていた[22]。多くのアラカン人仏教徒の心のなかで、恐怖が陰謀説とまじりあった。

その一方、ロヒンギャの人々の暮らしは日を追うごとに厳しいものになっていった。シットウェ大学を卒業したヌーヌーキンというロヒンギャの女性は、二〇一二年までマウンドーで公務員として働いていたのだが、彼女と他のイスラム教徒は即座に解雇されたという[23]。シットウェの中心部でも、イスラム教徒が大部分を占めるアウンミンガラー地区は鉄条網で囲まれ、数百人の住人は許可証がなければ居住区を離れることができなかった。一九三〇年代のヨーロッパの歴史を少しでも知っている者なら、このビルマの状況と当時の類似性に気づかないわけにはいかないだろう。モスクは閉鎖されるか取り壊された。ロヒンギャの人々は今や、公共サービスは、よくても制限付きでしか得られず、高等教育を受ける手段はまったくないという状況に置かれていた。シットウェ周辺や、アラカン内のさまざまな場所には〈国内避難民〉キャンプがあり、およそ一〇万人の人々が収容されていた。キャンプ内の学校は劣悪だった。病院に行くにも許可が必要で、多くの人が、許可が下りる前に命を落とした。人道支援グループの訪問も制限されたため、栄養不良が増加し、水媒介性の疾患による死亡率も高まった。

最底辺にいたのはロヒンギャの女性だった。自らの男性優位社会による虐待に加えて、官僚制や他の民族共同体による虐待も被っていたからだ。国がなく、教育も、もっとも基本的な医療も受けられない彼女たちは、家族計画についてもほとんど知識がなかった。多くは一四歳、一五歳という若さで結婚させられ、二〇代初期にはすでに数人の子供がいた。ロヒンギャの女性や少女は、第二夫人や第三夫人になることがよくあった。だが、その夫も一日一ドルか二ドルに相当する額で日々をやりくりしているような状態で、とても余分な家族など養うことができず、海外で仕事を探すために彼女たちを捨てることもしばしばだった[24]。

大統領は二月、暫定的なホワイトIDカード（一般市民はピンクIDカード）を所有しているアラカンのイスラム教徒に投票権を付与する法案に署名した。議会は当初、暫定的なカードの所有者に投票権を付与するこの法案を拒否したが、大統領の要請に従って決定を翻した。そのあとすぐ、シットウェで大規模な抗議活動が勃発する。

ニョーエイという女性は、この抗議活動の主催者の一人だった。当時三〇代半ばだった彼女は、物心ついたときから、ずっと政治活動を続けてきていた。「大人になるまで、イスラム教徒の隣人と問題になるようなことはまったくありませんでした」と彼女は言う。「学校ではスポーツを一緒に楽しみ、互いの家に遊びに行っていました。唯一の違いは、食事制限だけ。一度うっかり、羊肉と勘違いして、豚肉料理をイスラム教徒の友人に出してしまったことがあり、今でも申し訳なく思っています[25]」

一〇代のころ、ニョーエイは高騰する米価格に反対するデモ活動に参加した。「当時は、仏教徒もイスラム教徒も、一緒になって軍政に反対していたんです」。そして一九八八年の「8888蜂起」で、指導的役割を果たすようになる。「私たちは民主主義を目指していました。つまり人々に権力を戻したかったんです」と彼女は私に説明した。ニョーエイは、マルクス、エンゲルス、社会主義に関するさまざまな本をはじめ、政治理論に関する本をたくさん読んでいた。「必ずしも資本主義体制か社会主義体制のいずれかを望んでいたわけではありません。権力を国軍から、人々が選挙で選んだ代表に移管させたかったんです」。国軍による厳しい取り締まりのなかで、彼女は逮捕された。「刑務所で起きたことは誰にも話していません。今でも考えたくはないです。夫にさえ話したことはありません。でも彼はときどき何があったのかと聞いてきます。私が夜中にうなされて目を覚ますので」

四半世紀近くNLDのメンバーだったニョーエイは、そのために暫定軍事政権の脅威につねにさらされていた。だが、すべてが変わったのは二〇一二年にシットウェで対立住民間の暴力事件が起きたときだったという。二〇一八年に出会ったとき、ニョーエイは当時のことをこう振り返った。「まさに政治のあの時点で、つまり人々に権力が戻りはじめたあの時点で、なぜあれほど人々が疑心暗鬼になり、そして最初の殺害事件が起きたのかについて、私たちは考える必要があります」。仏教徒、イスラム教徒を問わず、アラカンに暮らす人々がみなそうであるように、彼女も闇の勢力が働いていたものと考えている。だが、それがどの勢力だったのかについては明言しなかった。「私たちは中国のパイプラインに反対する三〇万人の署名を集めているところでした」と彼女は言った。「すでに二〇万人分が集まっていたのです」

それでもニョーエイは、私が会ったほぼすべてのビルマ人と同じように、バングラデシュからの不法移民は現に存在し、彼らは脅威であるという考えを固く抱いていた。「一九九〇年代と二〇〇〇年代にバングラデシュにいた人は、五〇〇〇チャット（およそ五ドル）払えば、何の問題もなく国境を越えられたんです」。二〇〇万人のアラカン人仏教徒は、ビルマ国軍と、溢れかえる人口を抱えるバングラデシュによる挟み撃ちに遭っているように感じていた。二〇一五年、ニョーエイは、暫定IDカードを所持しているイスラム教徒は投票を許されるべきでないと断固として思っていた。抗議デモはシットウェからアラカンじゅうの町々に広がり、ラングーンにも達した。それから数日のうちに政府は圧力に屈し、暫定IDカード自体を無効にする。一〇〇万人に上るロヒンギャの人々は、来る投票でまったく発言権を持てないことになった。

その年の春にかけ、マレーシアで仕事に就く期待を胸に、バングラデシュとアラカンの双方から粗末な小舟で外洋に漕ぎ出した人々の数は二万五〇〇〇におよんだ。密航ルートは何年も前から存在していた。密入国斡旋業者はおもにタイ人からなり、密入国者をジャングル内のキャンプに拘束して故郷の親類から金をせしめていた。家族が身代金を支払えなかった場合には、密入国者は殺害された。二〇一五年五月にタイ南部で集団埋葬地が発見され、ようやくタイ当局が厳重な取り締まりを行う。その結果、数千人が一時的にアンダマン海に取り残され、ビルマ海軍やその他の国の海軍が救出する前に、数百人が命を落とした。バングラデシュ首相のシェイク・ハシナは、海外の仕事を探そうとして国家のイメージを傷つけたバングラデシュの移民のことを「精神的に病んでいる」と形容した。[26] しかし世界の大部分にとっては、この危機が、ロヒンギャの窮状に光を当てることになった。

一方、ロヒンギャの人々、とりわけロヒンギャの若い男性にとって、この取り締まりは、海外で新たな生活を築くという希望が打ち砕かれたことを意味した。彼らに残っていた希望はただ一つ――アウンサンスーチーの率いる政党が総選挙で選ばれることだった。

二〇一五年のビルマは、途方に暮れるほど多くの難問に直面していた。国は過去半世紀以上に比して、インターネット上での自由も含めて、はるかに大きな政治的自由を享受しており、数十万の人々が、環境保護から女性の権利拡大までの運動を行うさまざまな新しい市民社会団体に加わっていた。しかし概してこの自由は、進歩的なアジェンダを生み出すというよりも、民族、宗教、国民のアイデンティティにまつわる旧来の問題を蒸し返していた。それでも、ビルマはついに一歩を踏み出したという楽観的な雰囲気もあり、迫る総選挙は民主化を確固としたものにすると期待された。しかしこの時点で、エリートによる政治が、ほころびを見せはじめる。

ビルマの憲法は民主的な憲法ではなく、国軍はかなりの自主性を享受しており、国防省、国境省、内務省という主要省に加え、議席の四分の一も支配している。大統領は、国軍最高司令官であるミンアウンフライン上級大将を慎重に扱わなければならなかった。

慎重に扱うことが必要なのは、内閣についても同じだった。これはテインセインの内閣ではなかった。かつての独裁者であるタンシュエが、暫定軍事政権の解体前に自ら閣僚全員を選んでいたからだ。大臣は簡単には更迭できない。大臣間にはライバル意識がある。一部の者は、テインセイン周囲の改革派に比して〈強硬派〉と呼ばれていた。しかし実際のところ、閣僚対立の力学は、なによりも性格の不一致がもたらした結果だった。大臣はほぼ全員が元将軍で、彼らは数十年にわたって互いに仕えたり、仕えられたりしてきた。士官学校にいた一〇代のころからの知り合いの者もいる。互いの強みと弱みを知り抜いており、深い友情で結ばれている者もいれば、それより深い敵意を抱く者もいた。

ソーテインとアウンミンは、陽の当たる和平の高台と西側諸国の投資による繁栄を約束した。彼らは二〇一一年から二〇一四年にかけてのアジェンダを設定した。しかし今や、彼らの政治的影響力は陰り出していた。その理由の一部は、絶え間ない省庁間の縄張り争いと、大統領が自身の〈調整相〉をつねに支援し続けられなかったこと、あるいは彼にそうする意欲が欠如していたことにある。

最大の軋轢《あつれき》は、大統領と議会議長のシュエマンとの間、ひいては行政機関と立法府との間に生じていた。ビルマの憲法は、ある面でアメリカの憲法に似ている。すなわちビルマの議会は、アメリカの下院のように、強力な権限を持つ大統領職の重しとなるよう意図されているのだ。議会の元将軍たちは「抑制と均衡」を求めた。言い換えれば、彼らは、今や省庁の長になっているかつての軍の同僚たちより自らの重要度が低いとはまったく思っていなかったのである。大統領の座を欲し、未だに野心を捨てていなかったシュエマンは、議長職の権力を築き上げていた。彼はまた、外資間の競争を最大化しようとするソーテインの努力を警戒する保護貿易論者的な有力実業家（そのうち数人は議員でもあった）を周囲に集めた。さらには、アウンサンスーチーとのあいだに驚くほど緊密な関係を築いていた。

アウンサンスーチーと新たに選出されたＮＬＤの国会議員は二〇一二年四月に就任したが、彼らのその後の処遇について確かな予測が立てられる者はいなかった。テインセインはアウンサンスーチーに、保健相あるいは教育相の地位を提供するよう進言されたのだが、これは実現しなかった。一方シュエマンは、ただちに新たに作られた議院委員会（「法治と安定」における委員会）の議長職を差し出した。彼はまた、アウンサンスーチーが新たなネピドーの環境になじめるよう骨を折り、パートナーとして遇して、彼女の信頼を得た。二人は相性がよかった。それは、テインセインに対してアウンサンスーチーが決して感じなかったものだった。

アウンサンスーチー自身は、自らの要望を明確に意識していた――自由で公平な選挙と、ビルマ大統領になるチャンスを手にすることである。彼女が大統領になるのは、現行憲法では不可能だった。なぜなら、大統領職の資格を列挙した条項に、外国籍の肉親を持つ者は大統領になれないと明記してあるからだ。アウンサンスーチーの二人の息子、アレクサンダーとキムは、海外に暮らしており、二人とも外国籍だ。彼女自身もＮＬＤも現行憲法には満足していなかった。もし彼らに決定権があったら、現行憲法を破棄して、国軍を文民統制下に置ける新憲法を起草したことだろう。しかしその時点でもっとも重要だったのは、大統領の資格を定めた憲法の条項を改正することにより、総選挙で勝利したのちに、アウンサンスーチーが政府を率いられるようにすることだった。

二〇一四年、アウンサンスーチーは、自身、シュエマン、大統領、国軍最高司令官による四者間の対話を求めた。ビルマは明らかに政治的な袋小路に向かって突き進んでいた。ついに大統領が折れて、二〇一四年末と二〇一五年に会合が開かれたものの、それはアウンサンスーチーが望んだ開かれた対話とは似ても似つかないものだった。国際会議に倣って開かれた堅苦しい会議には、四人の当事者だけでなく、小さな政党のリーダーたちも含まれ、誰もが離れて座り、マイクを通して発言するというものだったのだ。会議は何の成果も生まなかった。

二〇一六年六月までには、憲法を改正するすべての試みが頓挫していた。二〇一一年にテインセインの改革を歓迎し、最終的に国軍が憲法改正を許可すると踏んでいたアウンサンスーチーは、裏切られたように感じた。「今や人々には、支持すべき者が誰であるか、はっきりわかっています」と彼女は語った。(27)

シュエマンは公然とアウンサンスーチーを支持した。与党――元将軍たちからなる連邦団結発展党（ＵＳＤＰ）――は実質的に二つに分裂し、一方はテインセインを支持し、他方はシュエマンを支持した。これら二つの派閥は口もきかない仲になっており、その対立は、ＵＳＤＰが選挙の立候補者を選出する時点に至って顕在化した。党の中央事務局にいたシュエマン支持者がソーテインとアウンミンの出馬を阻止したため、二人は無所属として出馬することを余儀なくされたのだ。国軍との意見の不一致もあった。国軍には、軍を引退させてＵＳＤＰの旗のもとに総選挙に出馬させたい将軍たちのリストがあった。

八月一二日の夜、テインセイン大統領は、国軍最高司令官の暗黙のバックアップのもとに、シュエマンと彼のトップ補佐官たちを党執行部の職から辞任させ、物理的に党本部を占領した。だがこれは単なる党内部の処分であり、シュエマンとアウンサンスーチーの連合が権力を掌握するのを防ぐための措置だった。その結果、シュエマンは議会議長職に留まり、その翌日、フェイスブックに自らの写真を投稿して、職務に戻ったことを示した。

ビルマが強力な集団指導体制を必要としていたとき、国家最高の政界実力者たちは分裂していた。しかしこれは、ある意味で、民主化への動きが進展し、競争を許す政治的自由が実際に確立された結果だったと言えるだろう。

二〇一五年九月、テインセインは「民族と宗教の保護」という四つの法案に署名して、この法律を施行した。僧侶が率いるナショナリスト組織のマバタは、数百万人の市民を動員して、この法律を支持する請願に署名させていた。この新法は、ラングーンに拠点を置く、西側の資金援助で設立されたものも多い複数の市民団体から痛烈に批判され、マバタのメンバーたちは、自分たちの価値が脅かされているという思いをさらに強めることになる。[28] ＮＬＤはほとんど意見を表明せず、マバタはＵＳＤＰの支持に回った。

すでに三年近い努力が傾けられてきた全国規模の停戦合意文書も、テインセインの任期終了前に署名されて完成した。完成近くなってから少数民族軍事組織側の一部が連邦軍《フェデラル》という概念、すなわち各州が独立した軍隊を将来持てるようにするという概念を持ち出したが、ビルマ国軍に断固として拒絶され、政府と多数の少数民族軍事組織により調整された最終草案は、二〇一五年三月に完成したのだった。それは退屈な政治用語、軟弱な停戦協定、そして私が国連で目にしてきたものに匹敵する複雑な継続プロセスに満ちていた。今や、この合意の締結を許される勢力、そして締結すべき勢力について熱い議論が戦わされた。一部の少数民族リーダーは、アウンサンスーチーが政権を取ったあとに合意を交わしたほうがよりよい取引ができるのではないかと思案を巡らせた。彼らにとってみれば、選挙前に元将軍たちを後押しするようなことをすべき理由はなかったのだ。一方、政府としては、未だに交戦中のいくつかの小規模な軍を除いて、できるだけ多くの勢力に調印させたかった。

その次に起きたことに影響を与えたのは中国だった。テインセインの政府がミッソンダム計画を停止し、その後西側企業を積極的に受け入れるところを見てきた中国政府は、彼に不満を募らせていた。中国が資本を提供する新たな大規模インフラ・プロジェクトはすべて行き詰まっており、彼らは軽視されていると感じていた。「カチン独立軍」や「ワ州連合軍」などの最大勢力を含め、中国国境沿いの武装勢力に停戦合意に署名しないよう働きかけたのは、中国だったと広く信じられている。[29] これらの勢力は署名に応じなかった。

結局のところ、二〇一五年一〇月に行われた調印式に出席したのは、反乱軍の半数にも満たなかった。政府に総選挙前の後押しをしたくなかったアウンサンスーチーも調印式には参加せず、代わりに側近を送った。停戦協定の交渉を行った少数民族リーダーの一人であるリアンサコンは、過去数年間が機会を無駄にした年月になってしまったと感じていた。「機会はあったのです。テインセインはオープンでしたし、取引条件を交渉することに前向きでした。でも、私たちの側が分裂していたため、とるべき戦略に合意が形成できず、遅きに失したのです」。彼の言葉は正しい。

私にとっても、それは落胆させられる時期だった。私は多くの時間をミャンマー和平センターとビヨンド・シースファイア・イニシアティブで過ごしたが、既存の枠にとらわれない新しい考え方がいつにもまして必要だったときに、そうしたものはどこにも見当たらなかった。私は根底にある経済とアイデンティティに関連する問題を検討するように提案した。それについての関心はあったが、その時点までに和平プロセスはあまりにも複雑化しており、プロセスの基本的な仕組み以外のことに取り組むのは不可能に見えていた。私はラングーンの歴史的建造物の保存と都市計画プロジェクトも手がけていた。これはかなりの成功を収めたものの、二〇一五年までにはやはり停滞していた。関心や支援の欠如が問題だったわけではなく、分析力の欠如と異なる将来を想像する力に欠けていたことが問題だった。ある大臣に工業地帯の岸壁を遊歩道に変える提案をしたことがある。彼は礼儀正しく同意したが、何も起こらなかった。その数カ月後にふたたび会ったとき、大臣はヨーロッパへの初めての外遊から戻ったところだった。「君の言っていたことが理解できるようになったよ」と大臣は言った。「前に会ったときには、君が話していたことは皆目見当もつかなかったんだ」と。だが、説得が必要な大臣は、ほかにも山のようにいた。国家経済社会諮問委員会のメンバーだった私は、依然として大統領の顧問だったが、最初の一年を過ぎると委員会はほぼ開かれなくなり、二〇一五年までには消滅寸前になっていた。政府の人々が私のことを、人生の大部分を海外で過ごしてきた者として怪しんでいることは明らかで、私の助言は未だに歓迎されはしたものの、たいていは官僚制度の底知れぬ穴の中に消えていった。

二〇一五年一一月八日、全有権者のほぼ七〇%に当たる二二〇〇万のビルマ人が、一九六〇年以来初めての自由で公平な選挙で政府を選ぶために投票所に向かった。過去数カ月間、ＵＳＤＰ、ＮＬＤ、そしておもに少数民族の党からなる数十の党は、ビルマじゅうを熱心に遊説して回っていた。マバタは広範な僧侶のネットワークを活用してＵＳＤＰを支持した。だが勢いは反対側にあり、アウンサンスーチーが訪れたところは、どこでも厖大な数の熱心な群衆を集めていた。総選挙当日のラングーンは、よく晴れた美しい日だった。オフィスは閉まり、道路を行きかう車も少なく、歩くことが、ふたたび快い行為になった。私の住むビルの下の小さな投票所にも早朝から家族が並び、みな笑みを浮かべていたことを思い出す。近所に住むＮＬＤの憲法学者コーニーが夫人と一緒に投票所にやってくるところも見かけた。彼らも笑みを浮かべていた。「将来はよりよくなると期待しましょう」と彼は言った。

総選挙はＮＬＤの圧倒的な勝利に終わることになる。ＮＬＤに投票した人に話を聞くと、返ってきた答えはみな同じだった。過去の軍政への憎しみと、アウンサンスーチーとＮＬＤのメンバーに対する愛情および彼らが払った犠牲への敬意を示したい、と彼らは言った。自分と子供たちのために、より明るい経済的将来を手にしたいとも言っていた。民族と宗教の問題は、ほとんど考慮の対象にはなっていなかった。都市部の大部分は同じような状況だったが、農村部の状況はこれとは異なっていた。何の選挙であるのかさえ知らない人も多く、あるＮＬＤの候補者などは、農村部の彼の選挙区の少なくとも三分の一の選挙民は、選挙が何であるかも知らなかった、と打ち明けた。また、マバタのメンバーである僧侶や政府の実績に影響された者もいた。多くの農村地域では、現政権の政策によって日常生活が実際に改善していたからだ。このような地域の投票結果は拮抗していた。しかし、ラングーンや他の都市における大量得票は、ＮＬＤに目を見張るような全面的な勝利をもたらした。ＮＬＤはじつに、八六％もの議席と総得票数の五七％までを獲得したのである。テインセインのＵＳＤＰの総得票数は二八％だった。その人口の大部分がアラカン人仏教徒の党に投票したアラカンでは、ＮＬＤは議席を獲得できなかった。それでも、紛争の渦中にあったカチン州を含め、他の多くの少数民族地域では勝利を手にした。

概して、人々はよりよい将来を求めて投票し、エスノナショナリズムに転じることは拒否したのだった。中国、アメリカ、ヨーロッパ、インド、日本をはじめ、全世界がビルマの支援に向けて待機していた。そしてビルマは、和平、開発、より平等な社会という新たなアジェンダのもとに団結する、それまでの数十年における最高の機会を手にする寸前かと思われた。だが、政治と歴史の重しが、それを阻むことになる。

第9章　未完の国家

二〇一五年一一月に行われた総選挙後の数カ月は、まったく先の見えない不確かな時期だった。ビルマ憲法では、議会が大統領を選出し、選出されたこの大統領が、一四の州と管区域の地域首相を含めて、すべての閣僚を任命することになっている。ＮＬＤは圧勝により、議席の四分の一を国軍が確保しているにもかかわらず、議会の過半数を支配することができた。そのため、少なくとも理論上では、国軍にも他の政党にも頼らずに、単独で次の国家元首を選ぶことができるはずだった。しかし、その通りになると予測した者は、ほぼ皆無だった。

旧政権にいた元将軍たちは意気消沈した。一部の者は、二〇一〇年に弱体化させたはずだった状況からアウンサンスーチーの再浮上を許したとして、大統領周辺の改革派を非難した。だがそれより多くの非難を集めたのはシュエマンだった。彼とアウンサンスーチーの結びつきが裏切り行為だとみなされていたからだ。ソーテインは、タイ国境沿いのカヤー丘陵にある辺境地の選挙区から立候補して、からくも議席を獲得した。アウンミンも同じ戦略をとったが、議席獲得はかなわなかった。

次に何が起こるのか？　その答えは誰にもわからなかった。ＵＳＤＰの党執行部は、選挙終了後二四時間以内に敗北を認めた。だが、守旧派はほんとうにアウンサンスーチーを大統領として認めるのか？　一九九〇年にＮＬＤが同じく圧勝を果たした際、国軍はまず言葉を濁したあと、実質的に選挙結果を無視した。そしてその後の二〇年間、ＮＬＤを不倶戴天の敵とみなしてきたのだった。二〇一五年一二月四日、アウンサンスーチーは、元上級大将のタンシュエを、彼がネピドーに新築した自宅に訪ねた。タンシュエは自ら計画した通り、独裁者から快適な隠居生活への移行を順当に果たしており、過去五年間、政治の場には姿を現していなかった。この会見については、マスコミ報道もなければ、公式発表もなかった。だがその晩、二四歳になるタンシュエの孫が、自分のフェイスブックに、アウンサンスーチー、テインセイン、そして彼の祖父が（それぞれ別の機会に）サインした五〇〇〇チャット紙幣（およそ五ドル）の写真を、それらの会見で起きたことの短い説明とともに投稿したのである。それによると、アウンサンスーチーとの会見は二時間以上にわたり、タンシュエは「彼女がビルマの将来のリーダーになるということは真実だ」と言っていたという[1]。この発言の真意は不明だったが、この元独裁者は、アウンサンスーチーの率いる政府を承認しているように見えた。

だが、いったいどうすればそれができるというのか？　現行憲法は、外国籍の息子たちのいる彼女が大統領になることを禁じていた。それと同じころ、アウンサンスーチーは国軍最高司令官のミンアウンフラインとも会見したのだが、彼はこの状況は変えられないと明言した。憲法改正は総議席の四分の一で阻止できるため〔憲法改正には総議席の四分の三を超える賛成が必要〕、国軍は実質的に拒否権を手にしていた。結局、とりあえず大統領就任を断念したアウンサンスーチーは、かつての同級生、ティンチョーをその座に据えた。身長一八三センチを超える長身の上品なティンチョーは高名な詩人の息子で、一九七〇年代初期にロンドン大学に留学してコンピューター科学者としての研鑽《けんさん》を積んだあと、帰国して官僚になり、すでに退官していた。高い地位に就く野望などまったくなかった彼に、アウンサンスーチーは、在任期間はほんの数カ月だけになる、と約束する。そのあいだに国軍を説得して憲法を改正する方法を見つけるから、と。そして彼女は、影響力を行使するのが自分であることを隠さなかった。BBCニュースのアンカーだったファーガル・キーンによるインタビューでも、自ら「あらゆる決定」を下し、「他のどんな名前で呼ばれても薔薇」になると答えている(2)〔〈どのような名前で呼ぼうとも薔薇は甘く香る〉というシェイクスピアの『ロミオとジュリエット』からの引用で、名前などたいして重要ではなく実態が大切だ、という意味〕。

実際、アウンサンスーチーは、お飾りの大統領に代わって、あらゆる決定を下すことになる。しかし彼女はまた、国軍最高司令官のミンアウンフラインと闘わなければならなかった。アウンサンスーチーより一〇歳年下のミンアウンフラインは、ビルマ最南部の海岸沿いの町、タヴォイ〔現ダウェイ〕の中産階級の家庭に生まれ、父親が政府の土木技師として働いていたラングーンで育った。ビルマ最高レベルの学校に通い、ラングーン大学で法律を学んだが、二〇代の初期に軍人の道を志し、大学を中退して国軍士官学校に入学する。その後将校になった彼は、迅速に出世階段を駆け上がった。

二〇〇九年までには少将に昇進し、新たなタイプの教養ある将校グループの一員になった。同じ年には、コーカン民兵に対する電撃戦の陣頭指揮をとり、国軍を成功に導いている。そして二〇一〇年、新憲法下初の陸海空軍統合参謀長に抜擢されたのだった。当初の数年間、彼は裏方に徹した。テインセイン大統領と新たな大臣の多くは、国軍の序列で自分よりはるかに高い地位にいたからだ。しかしその後、記者会見やインタビューに応じはじめる。応じた相手には、批判的なメディアや、『ワシントン・ポスト』紙までが含まれていた。自らのフェイスブック・ページとツイッター・アカウントも開設し、国内各地の訪問や、頻繁な海外訪問の様子を、ときには一日に何度も投稿するようになった。

ミンアウンフラインは自らを、憲法に沿った秩序の守護者として位置付けていた。彼はまた、国境の防護を確実にするために、国軍を、設立当初以来の軽歩兵からなる反乱鎮圧軍から、自ら〈標準的な国軍〉と呼ぶ最新鋭の陸・海・空軍能力を備えた軍隊に変革するという意向を明言していた。眼鏡をかけ、すぐに笑顔を浮かべるミンアウンフラインは、対面者にとっては愛想がよく、控え目とさえ映り、その裏にある冷徹な信念は隠されていた。彼は断固としたナショナリストで、自らのビルマ史観を疑わず、国軍は歴史的な国家建設の役割を担ったと確信していた。そんな彼が今や、国軍創設者の娘であるアウンサンスーチーと協力しなければならなくなったのだった。

それは前途多難なスタートだった。ＮＬＤから見れば、アウンサンスーチーが国の指導者になることを熱望する国民の意思は、選挙によって疑う余地なく証明されたのであり、憲法改正に消極的な国軍最高司令官の態度は、誠意の欠如を示すものにほかならなかった。一方、国軍から見れば、長年の（そして彼らの考えでは西側諸国の支援を受けている）敵が政府を担うことを許すのは、大きなリスクであるとともに大きな譲歩だった。彼らにすれば、大統領にしたい者を――アウンサンスーチー以外なら――ＮＬＤに自由に選ばせることを許した自分たちは、称賛こそされるべきであり、さらなる憲法改正を妨げていると批判されるいわれはなかった。

しかし、たとえ元将軍たちが舞台を去る準備をしていたとしても、少なくとも一部のＮＬＤメンバーは、権力がもうじき自分たちのものになると信じることができなかった。ある新たに選出されたＮＬＤのメンバーは、次に何が起こるのかまったく予想がつかず、「われわれ全員が登院初日に逮捕されることさえ恐れている」と明かした。また、NLDの上級幹部のある医師は、少なくとも四分の一におよぶ元政治囚の同僚たちが、心的外傷後ストレス障害（PTSD）を患っている可能性があると語った。NLDは、実権を握ったときの準備をほとんどしておらず、遂行すべき政策もなく、将来の政府を運営する実際的な戦略も持ち合わせていなかった。

一方イギリス政府は、NLDがついに有利な立場に立てたことを歓迎した。数十年にわたり、イギリス政府は旧暫定軍事政権に対してもっとも厳しい強硬路線をとってきた。イギリスはEUに制裁を働きかけ、なによりも、アウンサンスーチーとの連帯を表明してきたのだ。彼女が政権を掌握する日のために、テインセインの政府に対してさえ支援しようとしなかったほどである。

イギリスはビルマに対してメンターの役割を担っていると自負していた。二〇一二年には、アウンサンスーチーが十分なチームを築いていないのではないかと憂慮し、彼女がロンドンの外務・英連邦省を訪れた際に、スタッフにあふれたオフィスをわざわざ通り抜けさせて、外務・英連邦大臣ウィリアム・ヘイグの部屋に案内した。その理由は「そうすれば、彼がひとりで働いているのではないことが見てとれるでしょうから」だった。(3)

今やイギリス政府は、手放しで支援を提供しはじめた。新たなNLDの大臣を「トレーニング」のためにロンドンに招く話まで出ていた。また、若手のイギリス人外交官をアウンサンスーチーのアシスタントとして出向させ、イギリス元首相トニー・ブレアの首席補佐官だったジョナサン・パウエルを彼女の新たな和平プロセスの顧問に任命した。

三月三〇日、テインセインは大統領職を正式にティンチョーに受け渡した。それはビルマの民政移管における一番の見せ場で、一九六〇年以来初めて生じた、選ばれた政府への平和な政権交代だった。その後テインセインは、近郊の農場に引退した。彼は、大統領公邸で過ごした年月は「自分の人生でもっとも厳しい日々」だったと語っている。妻と娘たちは、その屋敷のことを「悪の温床」と呼び、今や権力の座を降りようとしている国家元首に始終向けられるメディアの批判に、よく涙を流していたそうだ。(4)

その翌週、NLDが多数を占める議会は、アウンサンスーチーのために、国家顧問という、まったく新しい役職を設置する法案を可決した。このポストは、彼女が政府を指揮し、議会でNLDを導くことを可能にするものだった。国軍は、この法案が憲法に反しているとして異議を申し立てたが、NLDはそれをたやすく覆した。票決の際、軍人議員の連合は全員立ち上がって抗議した。皮肉なことに、そこにいた国軍将校の一人はNLDを〈弱い者いじめ〉と言って批判したという。(5)多くの将軍と元将軍から裏切り者とみなされていたシュエマンは選挙で議席を落としていたものの、下院法務諮問委員会の委員長に任命された。国軍はこれにも異議を唱えたが、ふたたび覆された。

アウンサンスーチーはまた、複数の閣僚職を兼務し、当初は外相、教育相、電力相、エネルギー相を兼任した。二一人の閣僚のうち、彼女以外は全員男性だった。それはビルマ史におけるもっとも高齢の内閣で、平均年齢は七一歳のアウンサンスーチーを超えていた。新大臣の多くはNLDの熱烈な支持者で、ひたむきで善意に満ちた男性たちだったが、マネージメントの経験は、ほぼまったくと言ってよいほど持ち合わせていなかった。一方、元政権でも閣僚を経験していた元将軍の閣僚たちは、テインセイン派ではなく、シュエマン派に属していた。残りは元官僚で、退職していたところを呼び戻されたのだった。新たな計画・財務相のチョーウィンは、パキスタンのウェブサイトから偽の博士号を購入していたことがすぐに曝露され、(6)メディアは騒ぎ立てたが、それでも閣僚に任命された。

同時期にアウンサンスーチーは、テインセインの周囲にいて、彼と大臣たちに常時新しい概念を提供していた顧問とシンクタンクのエコシステムを解体した。それにはミャンマー和平センターも含まれており、海外からの帰国者を数多く含む一〇〇名前後の若いスタッフは、みな解雇されてしまった。それまでの数年間に生まれたテインセインへの反感は根強く、NLDはこれらの組織をますますテインセインの熱烈な支持団体とみなすようになっていたのである。それは残念な見方だった。確かに上層部の数人はテインセインと協調していたが、大部分のスタッフ、とりわけ若いスタッフは民主化の熱心な支持者で、ビルマ社会のもっともリベラルな非主流派だったからだ。彼らは喜んでアウンサンスーチーの政権のもとで働いただろう。

さらに理解しがたかったのは、この瞬間をずっと望み続け、心からの助力を惜しまなかった何百もの市民社会組織、活動家、亡命者とつながろうとしなかったことだ。ミャンマー和平センターのある職員は、友人の多くの意見がかつて二つに分かれていたと私に語った。和平センターにすぐに加わった者がいた一方で、NLDが権力を掌握するまでは加わりたくない、と言っていた者もいたという。しかし結局、どちらの側も、働く機会を失ってしまった。

その数カ月のあいだ、アウンサンスーチーは繰り返し〈国民の和解〉の重要性を口にしてきた。彼女にとってそれは、おもにNLDと国軍の和解を意味した。今やアウンサンスーチーの最重要目標は憲法改正だった。そのためには、国軍最高司令官を味方につけなければならない。一九八八年に政界に足を踏み入れて以来、彼女は機会があるたびに、自分は国軍を愛しており、国軍は自分の父親が創設したもので、さらに強大になり、さらに尊敬されることを強く望んでいると強調してきた。そしてその見返りとして、選挙で選ばれた大統領――その最初の者が自分だった――に国軍が恩義を抱くことを期待していた。

いくつかの取材のなかで、ミンアウンフラインは、まさに国軍は憲法改正に応じるつもりではあるが、それは、ビルマの無数の武力衝突が完全に収束してからだと述べていた。和平が達成されれば、防衛における国軍の役割は減少する、として。こうして、アウンサンスーチーの最重要課題は和平になった。

一九四七年二月、彼女の父親アウンサン将軍は、高地にあるパンロンという小さな町で特別会議に臨んでいた。それはビルマ東方の高地に住むシャン族の「ソーブワ」すなわち世襲的藩王（土侯）たちを集めて開かれたもので、その目的は、植民地独立後のビルマの将来について話し合うことにあった。イギリスはアウンサンに権限を移譲する前に〈辺境地域〉の藩王たちや代表者たちのあいだに、進路に関する合意を形成しておきたかったのだ。数日にわたる討論と妥協の末、当事者たちは合意に至る。それは、低地と高地の両方を含む「ビルマ連邦」（ユニオン・オブ・ビルマ）が新たに建国され、高地は、イギリス統治のもとで享受していた自治権を引き継ぐとともに、新たな連邦共和国のもとで平等な市民として処遇されるというものだった。だが、そうはならなかった。それから数カ月のあいだに、ビルマは内戦に巻き込まれる。しかし、パンロンの夢自体は一部の者に引き継がれた。とりわけアウンサンスーチーは、この会議を父親が達成した偉大な勝利とみなしていた。

アウンサンスーチーは「二一世紀パンロン会議」の開催を目論みはじめた。今度は世襲的藩王ではなく、多種多様な少数民族軍事組織のリーダーすべてを集めた新たな会議になる。彼らは新たな妥協策を打ち出し、「フェデラル」かつ「民主的」な憲法の土台を築くことになるだろう、と彼女は期待した。そして、ビルマを訪れる各国政府の外相たちに、和平は迅速に――数カ月以内に――達成されると請け合った。その一方、アウンミンが設立した事務局であるミャンマー和平センターは廃止した。アウンミンは支援を申し出たのだが、拒絶されてしまった。彼の代わりとして、アウンサンスーチーが首席交渉官に任命したのは、自らのかかりつけの医師、ティンミョーウィンだった。少数民族のリーダーたちのなかには新たな状況を歓迎する者もおり、新政府が、自分たちと国軍のあいだをうまく仲介してくれるのではないかと期待した。

国軍指導部もアウンサンスーチーのことを、国のトップに据えるにはまさに都合のよい人物なのではないかと考えはじめていた。彼女がいるおかげで、アメリカ、ヨーロッパ、中国、インド、日本の政府が、みな熱心にビルマを喜ばせようとしていたからだ。西側諸国と国軍の関係も改善が期待された。七月中旬、アウンサンスーチーはネピドーにある軍事博物館を訪問する意向を表明した。これは、石器時代から現代までのビルマ史を国軍の視点から伝える、途方もなく壮大な複合施設である。博物館での出迎えは、どの高官に任せてもよかったのだが、アウンミンフラインは自ら出向いて、彼女をエスコートした。その翌週、彼はラングーンに赴いてアウンサンスーチーの父親が暗殺された「殉難者の日」を記念する式典に出席し、その同日に、彼女の自宅で開かれた礼拝にも参列した。

ビルマにおける民主主義への移管手続きは、最終章に向かっているように見えていた。アメリカ政府は、新政府との緊密な関係構築だけでなく、国軍との関係改善も計画していた。何と言っても〈アラブの春〉が、多発する悪夢に転じ、隣国のタイでさえ新たな暫定軍事政権の支配下に置かれるなか、少なくともビルマの将軍たちは約束を守り、自由で公平な選挙のあとにかつての敵が政権の座に就くことを許していたのだから。

とりわけヒラリー・クリントンは興奮していた。彼女は、オバマのあとのアメリカ大統領候補者を決める民主党予備選の真ったただ中にいた。その年の八月、民主党大会の終了後に、当時、国家安全保障問題担当副補佐官だったベン・ローズが、会場の楽屋でクリントンと二人きりになった。彼がビルマから戻ったばかりだと話すと、クリントンは「突然活き活きして、多くの質問をぶつけてきた」という。クリントンは、アウンサンスーチーのこと、彼女と国軍との関係、和平プロセス、そしてアラカンの状況について尋ねた。二人は、「ワ州連合軍」とコーカン民兵についても話し合った。「こうしたことすべてについて、彼女は中国を心配しなければならないわね。そうでしょ?」とクリントンが訊いた。これは、民主党の大統領候補として指名受諾演説を行った数分後のことだった。そのときバラク・オバマが部屋に入ってきて、「なんの話をしているのかい?」と尋ねた。クリントンは「ビルマよ」と答えた。オバマ自身もつねづねビルマには深い関心を寄せていたのだが、そのときばかりはローズに向かって、「正気かね?」と言わんばかりの目配せをしたという。(7)

それと同じころ、中国政府はカムバックを目論んでいた。彼らは慎重にアウンサンスーチーとの関係を育ててきており、彼女がまだ野党のリーダーにすぎなかった一年前には、北京に招いて歓迎していた。そしてアウンサンスーチーの新たな政府が政権の座に就くと、ただちに王毅《おうき》外交部長がビルマにかけつけ、新政権を最初に表敬訪問した外国要人になった。八月には、中国共産党中央対外連絡部部長の宋濤《そうとう》が訪緬して、ビルマでもっとも強大な権力を持つ面々すべて——アウンサンスーチー、国軍最高司令官のミンアウンフライン、元大統領のテインセイン、シュエマン、さらにはかつての独裁者タンシュエ——に面会した。中国は入念に行動し、分散投資を行っていたのだった。

八月一九日、アウンサンスーチーは北京で習近平主席に面会した。習近平は「先代の足跡を辿る彼女の努力を称賛した」という。高位の革命指導者の息子として自らも二代目に当たる習近平は、アウンサンスーチーに興味を示し、国家創始者の娘として尊重した。両者は、それぞれ「パウッポー」の友情を強調した。「パウッポー」とは〈共に生まれる〉という意味で、きょうだい同然の間柄という含意がある。中国人とビルマ人が人種的に同族であるという考えは両国に見られる。(8)

そのころまでに中国政府は、アウンサンスーチーが中緬関係に役立つと確信するようになっていた。そこで政府は、彼女に特別なプレゼントを贈ることにする。アウンサンスーチーが開催する「二一世紀パンロン会議」が数週間後に迫るなか、中国国境沿いの大規模反乱軍は、会議に出席すべきかどうか決めかねていたのだが、中国政府は彼らの参加を確実にしたのである。リーダーたちを飛行機に積み込んで、自らネピドーまで連れて行ったのだった。(9)

この会議には数百人におよぶ少数民族の代表が集まり、ほぼすべての武装勢力の高官も参加していた。しかし、何ら具体的な結果を生み出すことができなかったため、このときの会議は、一連の会議の最初のものとして位置付けられることになる。何日にもわたって延々とスピーチが続いたが、そのほとんどは、内容も戦略も乏しいものだった。国連事務総長のバン・ギムンは、「前途は長いが、この道は非常に有望だ」と穏やかに語った。ビルマで発展した資本主義の特質についても、非合法経済が繁栄していることについてもほとんど議論されなかった。それは、民族と帰属に関連する問題についても同じだった。むしろ大部分の代表——合計一〇〇〇名近くにおよんだ——は、既存の民族カテゴリーを所与のものとみなし、すべての当事者が政府の新たな「フェデラル」制のもとで共存できるような方式を探ろうとした。北アラカンに暮らすイスラム教徒の窮状には触れられなかった。彼らは会議に招かれた諸民族の埒外《らちがい》に置かれていたからだ。「ロヒンギャ」という言葉もまったく口に上らなかった。

それより不気味だったのは、この会議が国軍に疑念を抱かせたことだった。アウンサンスーチーがイギリスの支援と顧問に依存している様子を目にした国軍は、自分たちを追い詰めるために和平プロセスが利用され、全面的な憲法改正に応じざるをえなくなるのではないかと懸念した。しかし国軍にとってさらに深刻な事態は、すべてのライバル軍事勢力を武装解除させるという彼らの究極の目標を含まない形で、和平合意が締結されることだった。

一方、国軍サイドの一部が新政府について恐れていた急進的な変化は、まったく起きていなかった。むしろ、変化はあまりにも遅々としており、この会議を除けば、六カ月前の政権交代以来、目覚ましいことはほとんど起きていなかった。

テインセインは大統領職にあったとき、ミャンマー和平センターのような準政府機関や一連のシンクタンクを外部顧問として活用したが、その理由の一つは旧弊な官僚制度を回避するためだった。しかし、これらの組織を廃止したうえ、公的部門の改革について何の大規模な戦略も持たなかった後継政権は、旧独裁政権の時代から存在していた、大部分が元軍人の官僚たちに依存しはじめた。変わったのは大臣だけ、という省庁も複数あった。こうした大臣は、たいていが七〇代のＮＬＤ支持者で、政務を司った経験はまったくなかった。そんな人物が、形式的なお役所仕事に長《た》け、汚職にどっぷり漬かっていることも多々ある数千人のベテラン公務員の上に立とうとしていたのだった。国会の質疑応答はテレビでライブ放映される。大臣たちは公衆の面前で恥をかくのを避けるため、完全に下役に頼らなければならなくなっていた。こうして二〇一七年末までに、ＮＬＤは官僚制度の渦の中にすっかり巻き込まれていた。

新政権の活力欠如に落胆した者は少なくなく、ビルマと海外のビジネス関係者もそう感じていた。彼らは〈民主主義寄り〉のＮＬＤは、断固とした〈市場寄り〉になるものと期待した。しかし新政権は経済政策を決めかねていた。政権内の大部分の者は、自由化と海外からの投資促進を唱導したが、高級官僚たちは、細かいことを管理する自らの権限を手放そうとはせず、どの部署もあらゆるプロジェクトに口を出したがった。経済改革はほとんど議論されず、されたとしても、そのテーマの中心は、景気の向上とより効率的な市場の創造に関するもので、教育や医療の向上については微々たる関心しか払われなかった。国際的な競争から国内産業を保護すべきか否かが議論の焦点になることもよくあった。

過去四半世紀のビルマにおける資本主義の失敗に関する分析も行われなかった。増税あるいは富や土地の再配分を主張する者もおらず、貧しい人々が背負っている多額の借金を帳消しにすることや、社会的支出を広範囲に増やすことによって新たな福祉国家を築くよう提唱する者もいなかった。一般の人々を助け、格差を是正するための抜本的かつ緊急に行われるべき計画は、どこにも見当たらなかったのである。

こうしたことが起きていた数カ月間、私は複数の閣僚やラングーンとマンダレーの両地域首相に会って支援を申し出た。みな正しいことをする熱意にあふれていたが、何についても成果を出すのに難儀しているのは一目瞭然だった。実業界と政治支配階級には不満の声が上がっていた。それでも、二〇一六年の夏にかけて、NLDに投票した数百万の人々は、未だに十分満足していた。政府の動きが遅いことは確かだったが、何と言っても、これは五〇年ぶりに選挙で選ばれた文民政権だった。フェイスブックには「チャンスをあげよう！」という投稿があふれた。NLDのメンバーは、数十年にわたって打ちのめされ、傷ついてきた。文字通り肉体的な暴力を受けた者も多い。政府の働きを理解し、誰が誰であるかを学ぶ時間が必要だ。人々はそう言って応援した。NLDの支持者は、全方位から陰謀に囲まれているのではないかと懸念を募らせた。とりわけ、ロヒンギャ、ナショナリズム、「民族と宗教の保護」にまつわる問題が、彼らを政治的に弱体化させるために活用されるのではないかと恐れた。

その時点まで、アウンサンスーチーは、ロヒンギャの人々についても、より全般的な仏教徒とイスラム教徒の関係についても、ほとんど言及してこなかった。ＮＬＤは、ビルマのリベラル派から、党の議会選挙候補者名簿にイスラム教徒が一人も登録されていないことを批判されていた。政府内にもイスラム教徒は一人もいなかった。だが、アラカンにおける危機について持続する解決策を見つけることの重要性に気づいたアウンサンスーチーは、二〇一六年八月末に、元国連事務総長のコフィー・アナンを新たな諮問委員会の委員長に任命した。これは大胆な行動だった。コフィー・アナンは操ることができるような人物ではなく、どのような提言をするときも、あらゆる人々の権利をつねに中心に据えていた。国軍は、外国人を含めるべきではないと言って、この人選に批判的だった。アラカン人の仏教徒政治家たちはさらに批判的で、当初から諮問委員会の作業をボイコットすると表明していた。議会でも激しい論争が湧きおこったが、過半数を支配していたＮＬＤは、すべての反対を押し切った。すべてを変える新たな暴力が再燃したのは、そんなときだった。

アタウラー・アブ・アマー・ジュヌニは一九六〇年代のあるときに、ロヒンギャ移民の父親とパキスタン人の母親とのあいだに、パキスタンのカラチで生まれた。サウジアラビアで育ち、アラビア語とロヒンギャ方言に流暢《りゅうちょう》だった彼は、「マドラサ」〔イスラム神学校〕で教育を受けたのちに、パキスタンまたはアフガニスタンで軍事訓練を受ける。二〇一二年に起きたアラカンでの対立住民間の衝突のあと、彼と、サウジアラビアに亡命していた二〇名ほどのロヒンギャの人々は、「アラカン・ロヒンギャ救世軍」（ＡＲＳＡ）を結成した[10]。

アラカンにはずっと以前からイスラム教徒の反乱勢力が存在していた。最初の勢力は、いわゆる「ムジャーヒディーン」〔イスラム教の大義にのっとったジハード（聖戦）に参加する戦士たちのこと〕で、植民地支配からビルマに権力が移譲された一九四八年に北アラカンを占領し、新たに生まれた東パキスタン〔パキスタンの一部として、現在のバングラデシュ人民共和国の領土に一九五五年から一九七一年まで存在した〕に加わろうとした。だがパキスタンはそのような領土の併合を拒絶したため、彼らの目的は、自治権を持つイスラム教徒の〈ホームランド〉〔南アフリカ共和国のアパルトヘイト政策時代にあった民族別の自治地域〕をビルマ国内に擁立することに変わった。ビルマ政府が同地の実効支配権を奪還できたのは、モンスーン作戦と呼ばれる国軍の反撃が行われた一九五四年になってからである。一九七〇年代と八〇年代には、世界中でイスラム主義勢力が台頭したことにも触発されて、「ロヒンギャ連帯機構」をはじめとする一連の反乱勢力が生まれた。

二〇一三年、アタウラーは、バングラデシュにもっとも近いアラカン地域で現地の男性のリクルートを始める。人手に不足はなかった。とりわけ多くの若者は近年の衝突を経験して怒りとともに絶望感を抱えており、どれほど成功の見込みが低かろうが、武装反乱しか選択肢は残っていないと信じていた。同地におけるビルマ国軍の諜報能力は非常に低かった。それでも秘密の厳守は最重要事項だったため、密告者と疑われた数人が殺害された。ＡＲＳＡは、メッセージを暗号化して送信できるワッツアップを使用した。ロヒンギャの多くの人々は文字が読めないため、情報のやりとりには音声ファイルが使われた。

ＡＲＳＡの目的は、バングラデシュと国境を接する細長い区域のマウンドー郡区を支配することだった。東側の丘陵地も占領できれば、国軍の反撃から領地を守ることができる。ＡＲＳＡはそれを果たしたのちに、和平交渉のテーブルにつくことのできる少数民族軍事組織の地位を要求しようと考えていた。だが、そうした計画に暗雲が垂れ込める。二〇一六年九月初頭、最初の作戦準備が整う前に、密告者が

地元警察に通報し、メンバーが二人逮捕された。この二人は、三〇〇〇万チャット（およそ三万ドル）

という高額な賄賂を支払って釈放されたが、アタウラーは迅速に行動を起こさなければならないことを

悟った。

一〇月九日未明、ARSAに率いられた数百名のロヒンギャ男性からなる武装組織が、おもに手製の

武器によって三カ所の国境警備隊警察の派出所を襲撃し、警察官九人を惨殺して、拳銃六二丁、弾薬一

万発を強奪した。二日後、ARSAはユーチューブに動画を投稿し、犯行声明を出した。

国軍指導部は不意を突かれ、侮辱されたと感じた将軍たちは激怒した。彼らは批判にも敏感だった。

この攻撃は国軍最高司令官の〈怠慢〉により引き起こされたと批判したNLDに属す高名なシンクタン

クの所長、ミョーヤンナウンテインは、新たに制定された過酷な反名誉棄損法のもとで逮捕され、懲役

六カ月の判決を受けた(11)。

その後の数週間から数カ月間にかけて、国軍は典型的な反乱鎮圧作戦を行った。すなわち、地域を封

鎖し、村々を焼き払い、村民を強制退去させ、潜在的な一般庶民の支持基盤から反乱軍を引き離そうと

したのだ。これこそ、一九四七年の独立数カ月前にイギリス軍とともに行った最初の反乱鎮圧作戦「フ

ラッシュ作戦」以来、国軍がずっとやり続けてきたことだった。人道支援組織のアクセスは遮断され、

非イスラム教徒は民兵として武装しはじめた。これはアラカン人の仏教徒たちが長年要求してきたが、

それまで拒否されてきたことだった。

ある衝突でイスラム教徒が大多数を占める村に侵攻した国軍は、ARSA反乱軍だけでなく、手あた

り次第の物を武器にして襲ってくる男たちや少年たちに直面した。この意味で、ARSAは、カチン人

やワ人勢力のような他の反乱勢力とは異なっていた。彼らは制服を持たず、一般人を巻き込んだ暴動を

引き起こすことを目的にしていた。この衝突では国軍の中佐が射殺され、部隊は退却を余儀なくされて、武装ヘリコプターの応援を要請した。

今や数千人のイスラム教徒市民が国境を越えてバングラデシュに流れ込み、おぞましい話を伝えた。それには、暴動鎮圧の一環として国軍が広く性的暴行を行っていることも含まれていた。ニューヨークに拠点を置く「ヒューマン・ライツ・ウォッチ」のアジアチーフであるブラッド・アダムズは、「難民の話は、制御不能になってロヒンギャの村々で暴れまわる国軍の恐ろしい姿を描いている」と語った。(12)

二〇一七年の一月末、デビー・アウンディン(サイクロン・ナルギスがビルマを襲った後の数週間にジョージ・ブッシュに面会した女性)は、インドネシアのマルク諸島を訪れる特別な旅を企画した。そこは、長年にわたる血で血を洗う対立住民間暴力ののちにキリスト教徒とイスラム教徒が共存して生きるすべを学んだ土地だ。彼女は情報相ペーミン、アラカンのイスラム教徒と仏教徒双方の指導者、国軍の上級将校、そしてNLDのメンバーをそこに連れて行った。この旅は予想を上回る成果を上げたと、のちにアウンディンは私に明かすことになる。「彼らは実践的な次のステップについて話しはじめたんです。みな活気づいていました」。主要な参加者の一人は、憲法改正を強く訴えてきたNLDのイスラム教徒の法律家、コーニーだった。コーニーと私はラングーンの同じアパートに暮らしており、最後に彼を見かけたのは総選挙の当日だった。

デビー・アウンディンは、次に起きたことをこう語った。「ヤンゴン空港に飛行機が到着したとき、VIP——大臣、二人の副大臣、そして軍の将軍たち——はVIPラウンジのほうに歩いていきました。

それ以外の人は、荷物を受け取りに行ったあと、メイン出口に歩いていったんです。私たちは別れの挨拶を交わし、コーニーは家族に出迎えられました。私は、彼が幼い孫を抱いてタクシーレーンを横切り、自分の車を待つところを見ていました。そのとき、ものすごい破裂音が聞こえたんです。次の瞬間、血の海の中に彼が倒れるのが見えました。みな〈ウー・コーニー！〉と叫んでいました。集団に追われた暗殺者が銃を空中に掲げながら、駐車場に走っていくのが見えました」

ＮＬＤの指導的存在で政府の憲法顧問だったコーニーは、公衆の面前で命を奪われたのだった。暗殺者を追いかけたタクシー運転手も殺害された。殺し屋は取り押さえられ、彼を雇ったとされた元軍将校も逮捕された。しかし、この陰謀の黒幕が誰だったのかは定かではない。

この暗殺事件は重要な分岐点になった。事件の数時間後から数日後にかけて、動機について多くの議論が交わされた。コーニーはインド人を祖先に持つイスラム教徒だったから殺されたのか、それとも、憲法改正を提唱する指導的人物だったから殺されたのか……。動機が何であったにせよ、その影響は明白だった。ただでさえ陰謀を恐れていたＮＬＤは、すっかり動揺してしまったのだ。それまでの数カ月、ＮＬＤでは、国軍組織、元将軍、ＵＳＤＰ、官僚をはじめ、あらゆる者が陰謀をたくらんでいるという妄想が膨らみ続けていたのだが、今やその妄想は抱いてしかるべきことだったように見えていた。コーニーが殺害されたなら、次は誰だろう、と。私はラングーン郊外で執り行われたコーニーの埋葬に、ＮＬＤの指導者数人と数千人のラングーン在住イスラム教徒とともに参列した。アウンサンスーチーは葬儀にも参列せず、声明も数日間出さなかった。今や警戒感がすべてを凌駕していた。

二〇一七年二月までには、七万人を超えるロヒンギャの人々がバングラデシュに逃げ込む事態となり、国連は同月、虐待の蔓延が「人道に対する罪」を引き起こしているとして国際的な調査を求めた。国軍はあらゆる申し立てを否定したものの、「不十分な仕事ぶり」という理由で現地の警察署長を解雇した。ロヒンギャ情勢は今や、ビルマに対する国際的なイメージ、とりわけ西側諸国のビルマのイメージに多大な影響を与えていた。コフィー・アナンの諮問委員会は作業を続けており、ビルマ政府は、調査や措置を求める外国からの要求に対して、この諮問委員会の勧告を待つ必要があると答えた。

危機が収束したとは、誰も思っていなかった。二〇一七年の春から夏にかけては、少なくとも三三人のロヒンギャ市民がARSAに殺害されている。殺害されたのはおもに警察への密告者や、政府協力者とみなされた村の役人たちだった。ある村では、国軍による虐待は起きていないと記者に語ったロヒンギャ男性（やらせ取材番組だった）が、取材の翌日に斬首された姿で発見された。(13) その少し前からインド政府は、ロヒンギャ民兵とパキスタンのテロリスト組織「ラシュカレトイバ」との結びつきに関する情報をビルマ政府に通告していた。(14) 七月には、アルカイダのバングラデシュ分派「アンサール・アル・イスラム」が、バングラデシュのイスラム教徒の若者に戦闘に加わるよう働きかけた。(15)

大統領に対する国軍の最大の要求は、国防治安評議会の招集だった。これは憲法に規定されている組織で、政府の行政・立法の長と国軍のリーダーたちを一堂に集めるものである。前政権では、テインセインが定期的にこの組織の議長を務めて安全保障問題を検討し、決定を下していた。二〇一二年と一三年にかけての対立民族間衝突と二〇一五年のコーカン武装勢力との戦闘では、国防治安評議会を招集して現地に非常事態宣言を発令し、国軍に広範な権限を付与した。

憲法では、大統領は緊急事態の際、国防治安評議会との〈協議〉のもとで一時的に権限を国軍最高司令官に委譲できると定めている。この〈合憲的クーデター〉は、NLDがもっとも恐れるシナリオだった。そのためアウンサンスーチーは、おそらく国防治安評議会の招集がこの評議会の正当性をさらに強めるものになると危惧し、断固として評議会の招集を拒否した。一方、国軍は、行動を起こすための適切な権限を自らに与えるよう、ますます強硬に要求するようになっていた。

二〇一七年七月、かつての与党だった連邦団結発展党（ＵＳＤＰ）が、一三の小規模な党を集めてラングーンで会合を開き、国防治安評議会の招集、および現地における非常事態宣言の発令とＡＲＳＡに対するもっとも厳しい措置を要求した。措置を求める一般大衆の声が増すにつれ、治安部隊はＡＲＳＡ民兵と疑われる者の逮捕を強化した。

西側諸国では、ビルマ国軍と政権に対する批判が強まっていた。この危機は何よりもまず人権と人道における大惨事として描かれ、バングラデシュに逃れた数万人の難民の存在が切迫感に拍車をかけていた。国連機関は、現地の市場の崩壊と人道支援団体のアクセス制限により、ビルマ国内に残る八万人のロヒンギャの子供たちが深刻な栄養不良に陥っていると警告した。しかし、国軍最高司令官にとっての最優先事項は、ビルマ未曾有のテロリスト襲撃として描かれた状況で、一切弱さを見せないことにあった。

八月初旬には、ＡＲＳＡによる殺害の報告が増大し、今や殺害された者のリストには現地の非イスラム教徒市民までが含まれていた。アラカン人仏教徒の政治家たちはネピドーに空路馳せ参じ、国軍最高司令官に保護の強化を要請する。国軍はそれから数日以内に、精鋭の第三三および第九九軽歩兵部隊を含む大規模な増援部隊を現地に送った。

その週のある朝、私のアパートのあるビル付近の交通量は、いつになく少なかった。あるタクシー運転手は私に、イスラム勢力の襲撃が迫っているという噂が広まっているため、多くの親が子供を家に留めているのだと話した。そのときフィリピンでは、「マラウィの戦い」が最高潮に達していた。「イラク・レバントのイスラム国」（ＩＳＩＬ）と同盟を結んだ民兵が五月下旬に港湾都市マラウィを占領し、フィリピン国軍との数カ月にわたる激しい戦闘を引き起こしていたのだ。ビルマの世論はＡＲＳＡのことを、抑圧された少数民族の権利を守ろうとしている寄せ集めの軍隊としてではなく、世界に脅威をもたらしているイスラム武装勢力のビルマにおける最前線部隊として見ていた。

八月二四日、コフィー・アナンはアウンサンスーチーと国軍最高司令官それぞれに報告書を手渡した。この元国連事務総長の勧告は、次のようなものだった。「政府が率先し政府のあらゆる部門と社会が支援する協調行動が迅速にとられなければ、さらなる暴力と先鋭化が繰り返される危険が迫っている。そうなれば、ラカイン州を苦しめている慢性的な貧困はさらに深まるだろう」。アナンは、安全保障の問題、人権、そして地域の長期的な開発を統合したアプローチを提言した。[16] アウンサンスーチーはこの提言を受け入れ、それらを完全に実行すると約束する。

その数時間後、時計の針が二〇一七年八月二五日の午前零時を少し回ったとき、ＡＲＳＡが、国境警備隊警察の派出所三〇カ所と、北アラカンの三つの郡区にまたがる国軍の基地に同時多発攻撃をしかけた。それぞれの襲撃には、銃と爆薬で武装した数名と鉈《なた》や手作りの武器を持つ数百人のロヒンギャ男性が加わっていた。この襲撃で警察官一〇人、兵士一人、出入国審査官一人が殺害された。一方政府側は、七七名の襲撃者を殺害し、一名を拘束したと発表した。ＡＲＳＡはツイッターで「これはわれわれにとって、迫害されている世界の人々を守り、抑圧された人々を圧政者の手から解放するための正当な一歩である！」と発表した。

その日の朝八時ごろ、ＡＲＳＡの戦士がヒンドゥー教徒の小村に侵入し、六九人の男性、女性、子供たち——ロヒンギャでもアラカン人でもないインド人の子孫——を捕らえて、そのほとんどを殺害し、残りの者を拉致した。村周囲の集落にいた四六人のヒンドゥー教徒も拉致された。彼らの行方は現在に至るまで、杳《よう》として知れない。(17) ＡＲＳＡはまた、アラカン人仏教徒の村々および、少数民族ムロ族とダインネット族の村々も襲った。ＡＲＳＡはワッツアップに次のメッセージを投稿した。「あらゆるラカインの村を一つずつ焼き尽くせ……村を四方から襲撃して、村のあらゆる場所が燃えはじめるようにせよ。一つの村も容赦するな。すべてのムロ族の村、すべてのダインネット族の村を攻撃して、あらゆるところに火を放て(18)」

ビルマのソーシャルメディアには、北アラカン全域が〈イスラムのテロリスト〉に侵略される寸前だという恐れと怒りがあふれた。その日の午後、ある元政府高官が私に「マウンドーとブティダウンは落ちた」と、バングラデシュにもっとも近い二つの郡区を指して言った。それは事実からほど遠い情報だった。しかし非イスラム教徒に対する横暴の話は数時間以内に広く出回り、〈西の門〉にいる敵を一掃するためにあらゆることをするよう国軍に求める声に拍車をかけた。

国軍の対応は情け容赦なかった。「騒乱が生じている場合は、村全体を焼き尽くせという命令を受けている。村民が平和に暮らしていないのなら、われわれはすべてを破壊する」。これは、ある国軍将校の発言を録音したものの一部で、二〇一七年八月下旬にマウンドー郡区にあるインディン村のロヒンギャの人々と交わされた会話だ。それから数日のあいだに、その村は跡形もなく破壊された。(19) 苛烈な戦闘は九月初頭まで続き、数千人とまでは言わずとも、数百人が命を奪われた。

国連や国際アムネスティをはじめとする国際的な人権団体によると、国軍による大規模集団殺害が少なくとも三つのロヒンギャの村で行われ、おもに男性が狙われたが、女性や子供たちも殺害されたという。これらの集団殺害は、ARSAが攻撃拠点にしていた村で起きた。少なくとも四つの別の村――おそらくはそれより多い――では、治安部隊が無差別に発砲して逃げまどう人々を殺害したあと、家屋を焼き払った。それぞれの攻撃で、少なくとも七〇人が殺害されたと思われる。これらもARSAに関連のある村だったという事実は、反乱軍の攻撃に対する集団的懲罰が行われたことを示唆している。さらに多くの村々では、近くの村で起きた暴力の話を耳にした大部分の村民が、国軍とアラカン人民兵が来る前に村から逃げ出した。それからの数カ月間、村民が逃げ出した村や強制的に排除された村に国軍や新たに武装したアラカン人仏教徒の民兵が入り、多くの村を焼き払った。イスラム教徒と仏教徒が共存する村では、イスラム教徒の居住区が焼き払われた。[20]

独立した調査チームあるいは犯罪科学チームが現地に入ることが許可されなかったため、八月二五日以降の数週間で、どれだけの人が殺害されたかを知るのは困難だが、フランスの支援団体「国境なき医師団」は、二〇一七年一二月に、少なくとも六七〇〇人のロヒンギャの老若男女が、おもに銃創により殺害されたと推定している。この推定値は、バングラデシュに逃げた難民への聞き取りにより導き出されたものだ。[21] アムネスティなどの人権団体は、衛星写真の解析によって裏付けを行い、この推定値はほぼ妥当だとしている。[22] しかし、適切な調査なしに確実なことはわからない。

おそらく最悪の事件は、川岸の村、トゥラトリで起きたものだろう。ARSAはその村から政府部隊を攻撃し、ムロ族の村を焼き払って六人を殺害していた。八月三〇日までに国軍は優勢に立ち、民兵とともにトゥラトリ村に侵攻して、数百人の村民を、東側の三方が川で囲まれた場所に追い込んだ。大部分の住民は泳げなかったため、逃げ場を失ってしまった。男たちと年上の少年たちは群れから分けられて処刑された。一部の女性と子供も銃撃された。何人が殺害されたのかは定かではないが、推定は数百人におよぶ。[23]

その二日前、国軍はトゥラトリ村から八キロほど南にある海岸の村インディンに到着し、アラカン人民兵とともに、イスラム教徒の家に放火して、ロヒンギャの人々を近くの丘に追いやっていた。九月一日には、村から逃げ出して食料とバングラデシュへの避難手段を探していた数百人の人々が、浜辺で兵士に捕らえられた。そして、そのうち一〇人の男性が拘束され、尋問を受けたあと、過激派の容疑をかけられて翌日処刑されたのだった。[24]

西側諸国とイスラム世界の反応は辛辣だった。ニューヨークでは、アメリカの国連大使ニッキー・ヘイリーが、現在起きていることは「少数民族をビルマから浄化するための野蛮で持続的な軍事行動である」と表明し、国連事務総長のアントニオ・グテーレスは「人権における悪夢だ」と述べた。[25]トルコ大統領のレジェップ・タイイップ・エルドアンは、少数民族ロヒンギャに対する集団殺害が起きていると主張した。グロズヌイとチェチェンでは、都市のメインモスクの前に数万人が集まり、ロヒンギャ支援デモを繰り広げた。ジャカルタでは、急進派組織「イスラム防衛戦線」のメンバーを含む抗議者たちが何日間も交通を麻痺させた。パキスタン全土でも、ビルマ政府に対する措置を求めるデモ参加者たちが警察と衝突した。「アルカイダ」は、ミャンマーは「犯した罪に対する処罰」を被ることになると警告した。[26]

九月中旬までには、ほぼすべてがイスラム教徒である四〇万人もの難民が、食べ物もなく休息もとれない状態で国境を越え、バングラデシュに逃げ込んでいた。これは、近代最大の難民脱出だった。西側諸国にいたもっとも忠実なアウンサンスーチーの支持者たちは、彼女が暴力の終結を要求しなかったことに幻滅した。九月七日に公表した公開書簡で、デズモンド・ツツ元大主教は「私の最愛の妹よ」と呼びかけて、こう記している。「正義の象徴が、このような国を導くのは似つかわしくありません。ミャンマーにおける最高の地位に就いたことへの政治的代償があなたの沈黙なのだとすれば、その代償は間違いなく、あまりにも高くつきすぎたと言えるでしょう[27]」

九月一九日、アウンサンスーチーはついに沈黙を破り、ネピドーにいる外交官たちに向けて行ったテレビ演説のなかで、海外で形作られつつある話に疑問を呈した。彼女は、過去二週間、国軍による軍事行動は起きておらず、アラカンに暮らすイスラム教徒の大部分は難民として逃げ出したりはしていない、よって現地の状況は、一部の者たちが主張するほど悪化してはいないと示唆した。さらに彼女は、バングラデシュに逃げた者たちの帰還を歓迎するとも述べた。だが海外で、彼女の反応に満足した者はほとんどいなかった。こうして彼女のもとに、さらに厳しい国際的な非難の波が押し寄せることになる。

九月の末、オックスフォード大学のセント・ヒューズ・カレッジは、アウンサンスーチーの肖像画を『朝顔』と題された日本の古典絵画に差し替えた。その数カ月後、オックスフォード市とダブリン市も、二〇一二年に彼女に授与した賞を撤回する。その年に彼女に歌を捧げたボブ・ゲルドフは「この女性には関与すべきではなかった……馬鹿々々しい。彼女は、ダブリン市民の期待を裏切った。アイルランドの期待を裏切った。僕らは彼女が素晴らしい人だと思ったが、騙されていたんだ」と語った[28]。

ビルマ国内での見方は、それらとは異なるどころか、まったく正反対だった。圧倒的多数が、ARSAはビルマに対する現実かつ今そこにある危機であるだけでなく、アラカンの非イスラム教徒の共同体にひどい苦悩をもたらしていると信じていた。ビルマ人のフェイスブック・ページは、殺害されたアラカン人仏教徒とヒンドゥー教徒の写真であふれた。ラジオも、ARSAの襲撃を生き延びた人たちが泣きながら話す言葉を流した。大部分の者は、ARSAを掃討しようとする国軍の攻撃を称賛していたのだった。五年前に故郷のチャウピューが対立住民間暴力の現場になったエイエイソーは、「どうして国軍は二〇一二年のときのように守ってくれないのか?」と人々が話していたことを思い出す[29]。バングラデシュに逃げたロヒンギャ難民の話を信じる者もほとんどいなかった。私も多くの人が「今ではみんなスマホを持っているのに、なぜ写真も動画もないのか?」と反論するのを耳にした。西側政府は、なぜ集団埋葬地の衛星写真を提示することができないのか、二〇年近くも前のコソヴォではそれができたのに、と疑問を抱く者もいた。最悪の場合でも、今回の国軍による軍事行動は、過去数十年行われてきた他の反乱鎮圧作戦と変わらないではないか、と人々は言った。

九月と一〇月にかけて、国軍最高司令官のミンアウンフライン将軍は、断固とした一連のスピーチを行い、自らの義務を果たして「一九四二年の未完の仕事」をやり遂げると約束した。未完の仕事とは、つまり、〈ベンガル人〉移民とイスラム教徒による反乱という二つの脅威を撲滅することだ。彼のフェイスブックのフォロワー数は急増した。バングラデシュとの国境を越えて押し寄せる新たな〈イスラム〉攻撃を防ぐため、壁を作るべきだという声も高まった。アウンサンスーチーの政権も国軍も、それを実現すると約束し、産業界の代表者たちに費用を負担するよう求めた。

国民のあいだでは、西側諸国に対する怒りも沸き上がった。国軍による集団殺害を信じる者たちがあまりにも少なかったため、西側の批判は極端な偏見として受け取られたためだ。近隣国もおおむね国軍を支持した。戦闘が始まってからほんの数日後、ビルマを訪れていたインド首相のナレンドラ・モディは、軍の鎮圧行動を非難しないどころか、「われわれは、ラカイン州で起きている過激な暴力、とりわけ治安部隊に対する暴力における貴国の懸念を共有する」と述べた。一〇月の末には、国軍を支持し、〈国際的な圧力〉に反対する数千人の市民が、ラングーンの繁華街をデモ行進した。

ソーシャルメディアでは、ＡＲＳＡが引き起こした暴力を西側諸国が認めようともしないのは、サウジアラビアと西側諸国の陰謀の一環であり、アラカンを不安定にして数十万人におよぶ新たな〈ベンガル人〉移民をビルマに受け入れさせるためだ、という憶測が飛びかった。だが、何のためにそうしようとしているのか、ということについて明言できる者はなかった。ビルマの風刺漫画では、ポケットを札束で膨らませた国連の高官たちが〈西側の門〉の鍵を開けて、ジハード主義の過激派を招き入れるところを、アラブ風の衣服を着て髭を生やした男たちが満足気にみやる様子が描かれた。

一一月にロヒンギャ危機に関して『ワシントン・ポスト』紙の取材を受けたアウンサンスーチーは、「この一件は何から何まで煩雑です」と答えた[30]。

その年の終わりまでには、新たに七〇万人の難民がバングラデシュに押し寄せ、その大部分が、世界最大の難民収容所である広大なクタパロン難民キャンプに収容された。難民の半数以上は子供たちで、その多くが暴力を目にして心の傷を負っていた。ビルマ政府は〈民族浄化〉という執拗な国際的非難の高まりに対処したかったものの、国連の数値をほとんど認めない国民からの批判も警戒していた。そこで政府はバングラデシュ政府と二国間協定を結び、以前ビルマに居住していたすべての者の帰国容認を約束した。だが、元居住者の証拠として何が認められるのかが不明なだけでなく、元居住者の市民権の認可が、ビルマに戻れば以前より容易になるのかどうかも、さらに不透明だった。いずれにせよ、アラカンに残った一〇万人をはるかに超えるロヒンギャの人々が収容所で苦しい生活を送り、人道支援も制限され、ジャーナリストもほとんど現地に入れず、国は国際的な調査を頑として拒んでいるという状況で、近いうちに難民が自らビルマへの帰国を希望する可能性はほぼないと思われた。

たとえ帰国したとしても、彼らが戻った先は変わってしまっていただろう。二〇一七年にかけて、焼き払われた数十カ所の村は更地にされ、北アラカンを州内の他の箇所とよりよく結ぶための新たな道路も建設された。ビルマ側に立つ者の多くは、バングラデシュ国境沿いの土地はかねてから不法入国や犯罪の拠点になっており、最近では過激派の暴力の温床になっていると信じていたため、その地域は〈ベンガル人のいない〉土地として維持し、増強したセキュリティー基盤を提供すべきだと主張した。そして、ビルマに帰国するロヒンギャの人々は、〈認証プロセス〉を経たのち、遠く離れた内陸部に再定住させられることになった。

一二月、ワロンとチョーソーウーというロイターの二人の記者が、国家機密書類を保持していた容疑で逮捕された。逮捕は、書類が警察官から渡された直後のことだったため、この逮捕劇はでっち上げだったと広くみなされている。記者たちが調査していたのは、インディン村におけるロヒンギャ男性たちの処刑だった。その後国軍は自ら調査を行って一〇人の男性の遺体を発掘し、国軍兵士七人に一〇年間の強制労働を科したが、それでもロイターの記者は国家機密法違反の罪で起訴されたため、国際的な怒りが沸き上がった。

新年を迎え、状況はさらに混沌を極めた。二〇一八年一月一六日、警察がムラウーでデモを行っていたアラカン人仏教徒に発砲した。ムラウーはシットウェにほど近い大きな町で、旧アラカン王国の首都があった場所だ。一六世紀に建てられた荘厳な寺院や宮殿の壁と濠の遺構が、アラカン人民族主義者にかつての独立国の姿を思い起こさせている。デモ隊は、一七八五年にビルマ人侵略者によりアラカン王国が滅ぼされたことをしのぶ記念日の式典を催す権利を求めていた。この事件では、七人が射殺され、警察官二〇人が群衆との衝突で負傷したと報告されている。その二日後、指導的なアラカン人政治家で国会議員のエイマウンが扇動罪で逮捕された。一月初旬に開かれた文学フェスティバルで、「アラカン軍」を支持する発言をしたためだという。アラカン軍は、ビルマ北部の中国国境沿いにある「カチン独立軍」の拠点において、彼らの支援を得て結成された新しい反乱組織だ。リーダーのタワンムラナインは三〇代で、かつてツアーガイドをしていたが、今ではアラカン人（仏教徒）の自決権獲得を公約している。彼とその支持者はハッシュタグ #ArakanDream2020 を使って頻繁に勇ましい発言をツイッターに投稿する一方で、ユーチューブにも武勇を誇る洗練された動画を、英語版を含めて投稿した。リクルートされた兵士には、ヒスイ鉱山で働く困窮したアラカン人の季節労働者も含まれている。今や数千人に膨れ上がったアラカン軍は、二〇一八年に少なくとも一〇〇〇人の兵士を南下させ、そのしばらく前にロヒンギャの人々に対する暴力が勃発した北部の丘陵地で、政府軍との戦闘を始めた。

エイマウンと彼の「アラカン民族党」は、州選挙でＮＬＤとＵＳＤＰの双方に圧勝した――これはビルマ全体を通してＮＬＤを破った唯一の党である。彼らは州議会を支配した。だがビルマ憲法では、大統領があらゆる州の地域首相を任命することが規定されている。「アラカン民族党」は、アウンサンスーチーが民主主義の精神に基づき、自分たちの中から地域首相を任命すると期待した。しかし彼女はその件について話し合おうともせず、彼らは屈辱感を味わった。こうして多くのアラカン人、とりわけ若者が、アラカン軍に引き寄せられるようになる。

二〇一八年にアラカンで起きた衝突は、単なるイスラム教徒と仏教徒の衝突でも、ビルマ国家とロヒンギャの人々との衝突でもなかった。外部の視点の多くから抜け落ちているのは、中心にいるアラカン人仏教徒の存在だ。その多くは自らをかつて独立していたアラカン王国の継承者とみなし、東のビルマ人と西の〈ベンガル人〉を将来の存続における脅威とみなしている。

二〇一八年四月、フェイスブックの創業者、マーク・ザッカーバーグはビルマに関わる大失敗をやらかしていた。その月彼は、フェイスブックの個人情報の取り扱いについて申し開きをするため、アメリカ議会の上院公聴会に招致されており、その際、フェイスブックがビルマの対立住民間暴力をあおった可能性についても追及されたのだ。ザッカーバーグは、ビルマで起きたことは「恐ろしい悲劇で、われわれはより多くの措置をとる必要がある」と答えた[31]。そののち彼は、ニュースサイト『ヴォックス』のインタビューに答えて、フェイスブックは実際、ビルマにおける投稿を積極的にモニターしており、あるケースでは迅速に行動して、扇動が暴力に発展するのを阻止したと語った。フェイスブックの怠慢なアプローチに批判的だったビルマの人権団体はすぐに反応し、扇動的な投稿を発見してフェイスブックに通報したのは自分たちであり、フェイスブックが対応したのは、その後何日も経ってからだったと発言した。ザッカーバーグは謝罪し、「ビルマ語の話者をより多く雇用する」とふたたび約束したが、ビルマに存在する他の多くの言語の話者を雇用するかどうかについては、一切言及しなかった。

その年の八月、ビルマに関する国連の独立国際実地調査団が第一報を公表した。この調査は、二〇一七年に起きた暴力と難民の大量流出の直後に、国連人権理事会が命じたものだった。ビルマ政府が当初から協力を拒絶したためビルマに入国して証拠を収集することができなかった調査チームは、おもにロヒンギャ難民への聞き取りに基づいて報告書を作成した[32]。調査団の結論は殺伐としたものだった。ニューヨークで開かれた記者会見で、調査団のメンバーの一人だったラディカ・クマラスワミは、「二〇一七年八月に、無差別殺人を含めてロヒンギャの男性、女性、子供たちが被った恐怖は、戦争犯罪と人道に対する罪の双方に匹敵する」と主張した。調査団の他のメンバーは「国際法のもとでミャンマーの軍司令官トップを取り調べ、集団殺害をはじめとする、さらに重大な犯罪について起訴する」よう求めた。さらに彼らは、アウンサンスーチーについて「事実上の政府の長および道徳的権威という地位を利用して事態の悪化を食い止めたり防いだりすべきだったにもかかわらず、そうしようとはしなかった」と述べた。(33)

その翌日、国連安全保障理事会は公開会議を開いた。西側諸国の代表は、痛烈な声明を発表した。ニッキー・ヘイリーは、国務省が独自に作成した報告書に記載されていた「胸が悪くなるような」説明について語った。イギリスの招待で会議に参加した俳優のケイト・ブランシェットは、その直前にバングラデシュの難民収容所を訪れており、「どうか、ふたたび彼らを落胆させるようなことはしないでください」と語ってさらなる支援を訴えた。

その翌週、国際刑事裁判所（ＩＣＣ）は、同裁判所にはロヒンギャの人々に対して行われたとされる、「住民の追放」という人道に対する罪を裁く司法権があると裁定し、将来ビルマを起訴する可能性に道をつけた。ビルマは「ローマ規定」（国際刑事裁判所の構成、管轄犯罪、手続きなどを定めた国際条約）に加盟していないが、「犯罪の要素」がバングラデシュで生じたとして、ＩＣＣは自らにビルマを裁く司法権があるとしたのだった。(34)その数日後、アフガニスタンにおけるアメリカの潜在的な戦争犯罪に対するＩＣＣの調査に反応して、アメリカ国家安全保障補佐官のジョン・ボルトンがＩＣＣを激しく非難し、同裁判所は非合法だとして制裁措置をちらつかせた。この国際機関の宿敵は、「われわれはＩＣＣが自死するに任せる。いずれにせよ、ＩＣＣは事実上もはや死んでいる」と述べた。(35)ボルトンの発言はビルマのソーシャルメディアで広く拡散された。

しかし、ビルマでもっとも注目を集めたのは、数百万人のフォロワーを集めていた国軍最高司令官のフェイスブック・ページが遮断されたことだった。[36] 国連の人権報告書が公表されると同時に、フェイスブックが一八件のアカウント、一件のインスタグラム・アカウント、そして国軍の公式ページを含む数十件のリンク・ページを遮断したのである。ビルマにおけるヘイトスピーチの増大に加担したと国連から名指しされることを前日に知ったフェイスブックは、パニックに陥って、もっとも明らかなターゲットを選んだのだった。

西側諸国による非難が増大し、国連が圧力を高めるなか、ビルマの支援を買って出たのは中国だった。二〇一〇年代の初頭、数十年間支援してきた暫定軍事政権が準民主主義政府に変わり、その後何の断りもなく西側の進出企業を受け入れる姿を目にしてきた中国は、アウンサンスーチーの政権が彼らに新規まき直しの機会をもたらすかもしれないと感じていた。そして彼らは間違ってはいなかった。政権と対立していたときから、アウンサンスーチーは一貫して、ビルマの北側の隣人と良好な関係を保ちたいと発言していた。彼女は、和平プロセスを成功させるには、国境沿いのすべての反乱勢力に影響力を持つ中国の協力が欠かせないことを知っていた。そして今中国は、過酷な措置をとろうとする国連安全保障理事会の動きを（ロシアとともに）潰すことにより、きわめて重要な保護をビルマに提供したのだった。

二〇一七年一二月、ロヒンギャ危機における国際報道が絶頂に達するなか、アウンサンスーチーは習近平と他のトップ中国指導者たちを北京に訪ねた。この訪問には、エネルギー相と建設相を含む一連の大臣とマンダレーの地域首相も同行した。その一週間前には、国軍最高司令官も中国を訪問しており、彼はこの八回目となる中国訪問で習近平に会見し、中国各地を広く回った。ビルマはすでに中国の「一帯一路」構想に加盟していた。これは、中国を新たな世界経済秩序の中心に据えることを目的に行われている一連の国際インフラ構築プロジェクトで、一兆ドルを超す費用が投じられている。そして今や「中国・ミャンマー経済回廊」の協議が進められていた。このビルマに対する膨大な中国の投資プロジェクトには、数十億ドル規模の開発費を投じて行うアラカンにおける深海港の建設と、この港をマンダレー経由で中国の内陸地域と結ぶという、中国長年の夢を達成するプロジェクトが含まれている(37)。

中国は以前から、自分たちこそビルマ第一の経済および戦略的パートナーになるものとみなしてきたが、過去数年間、その計画は中断させられていた。そんな彼らにとって、今こそ計画を軌道に戻すチャンスだった。中国外交部は〈魅力攻勢〉に打って出て、ビルマのあらゆる政治的領域から何百人もの政治関係者をくまなく視察旅行や会議に招いた（私も招かれた一人だった）。西側諸国の大使館が制裁措置について話し合うなか、ラングーンにいるエネルギッシュな在ビルマ中国大使のホンリアン（洪亮）は、ビルマ実業界のエリートたちを豪勢な宴会でもてなした。中国共産党の上級幹部、閣僚、人民解放軍の上級将校たちも、毎週のようにネピドーを訪れていた。中国が提案したプロジェクトは、単にビルマを横断して中国を海とつなげるためだけのものではなく、ビルマをさらに強く中国の市場に結びつけることも目論まれていた。二〇一八年九月、ビルマと中国の閣僚は、プロジェクトを促進する協定に調印した。

二〇一九年初頭までに、ビルマは問題山積の壁に直面していた。バングラデシュ国境付近では、丘陵地の拠点から平野に南下してきたアラカン軍による警察派出所と軍の車列への攻撃を受けて新たな反乱鎮圧作戦が行われ、数千人のアラカン人仏教徒市民が家を追われた。アラカン人民族主義者とビルマ人民族主義者のあいだの緊張は、互いを貶《おとし》めるソーシャルメディア合戦により沸点に近づいていた。一方、ロヒンギャ難民の苦境は、バングラデシュにいる者についてもアラカンに残った者についても、改善する兆しは見えなかった。そして前年のあいだにビルマと西側諸国との関係は劇的に冷え込み、アメリカ、カナダ、ＥＵは、一連の新たな制裁措置を検討していた。

持続的な和平への期待にも陰りが差した。ビルマの北方および北東部では、今や政府と反乱軍のあいだだけでなく、少数民族軍事組織のあいだでも戦闘が激化していた。人里離れた山腹地域では、「シャン州復興評議会」の部隊が、「タアン民族解放軍」と「シャン州軍北部」にいる彼らの表向きの同胞双方と戦闘を繰り広げ、中国に近いラーショーの郊外では、敵対する民兵組織の間の戦闘の音が聞こえた。シャン州とカチン州でも、少なくとも一〇万人が、外部からの支援をほとんど受けられない状態で国内難民収容所に暮らしていた。

「二一世紀パンロン会議」とその後続の会議の成果は乏しかった。その理由は、プロセス自体もさることながら、単一のメカニズムであまりにも多くの異なる問題を解決しようとしたことにある。ビルマが抱えている問題には、少数民族に対する差別の克服から、行政の分権化、一部が不正取引と密接に結びついているさまざまな武装派閥のあいだの長期にわたる衝突の終結までが含まれる。メタンフェタミン製造からの利益が飛躍的に増大するなか、民兵組織の武装資金はより潤沢になった。

さらにビルマ国内では、権威主義的と受け取られた政府のスタイルと、反対意見に耳を傾けようとしない姿勢について、メディアと市民社会団体からの批判が高まっていた。アウンサンスーチーが現地メディアの取材を受け付けるのは、あるとしても稀で、市民社会組織ともほとんどつながろうとはしなかった。彼女は、官僚、外交官、退官した軍将校を主要な補佐官に選任していたが、そのすべてが暫定軍事政権に属していた者たちだった。前政権の元将軍たちが、自らの民主主義的な資質を証明するために努力しなければならなかったのにひきかえ、総選挙で圧勝したアウンサンスーチーとＮＬＤは、正当性はすでに自らの側にあると信じて疑わなかった。

もう一つの深刻な問題は経済だった。成長率は鈍り、景況感はがた落ちし、海外からの投資は立ち往生し、観光業は長年経験していなかったレベルにまで落ち込んだ。膨らみすぎた不動産市場も不況に陥った。二〇一九年までには、トップ企業が続々と資金不足に陥り、一部の企業は深刻な事態に見舞われていた。中央銀行は、ビルマを国際水準に沿わせるため、厳しい諸規制を新たに課した。銀行制度は支離滅裂で、事業家たちは返済意図のないまま、数億ドルにも上る資金を当座借越として借りていた。しかし貸付金が取り立てられるようになった今では、数十もの大企業が破産の危機に瀕していた。(38)

事業家たちは、管理の不手際と明確な経済計画がないことについて政府を非難した。多くの事業家が望んでいたのは、有力な政治家と民間セクターを中心に据えた一種の国家資本主義だった。それ以外の事業家は、公的な許可制度により富がつかみ放題だったかつてのやり方を切望していた。政府自体も、現地と海外の専門家が提唱する新自由主義的な処方箋、経済を無駄な細部まで管理したがる官僚、そしてＮＬＤの平党員の多くが抱いていた旧い左翼的本能との間で分断されているように見えた。政府の経済チームには優秀な人材もいたが、政策決定は遅く、省庁を横断した調整もほとんど図られなかった。

一般の人々にとっての状況は、好悪入り混じったものだった。過去三年間に衣料品部門は急成長し、中国への米輸出も急増して、ビルマじゅうの農村の人々がその恩恵に浴した。それと同時に、タイにおけるビルマ人労働者の状況も大幅に改善された。これは、旧政権が出稼ぎ労働を合法化し、送金を容易にした結果だった。今では、年間一〇億ドルを超える金が貧しい村々に還流していた。しかし、これらすべても、本物の保障に少しでも近いものをもたらすことはなかった。二〇一九年初頭、中国は米の輸入に新たな割り当て量を課す方法を探っていた。衣料品部門は潜在的なＥＵ制裁の脅威に直面しており、タイも出稼ぎ労働者に対する敵対的な態度を強めていた。

根本的な問題は、毎度のことながら、一〇年後、二〇年後の一般の人々の暮らしをどうしたいか、あるいはどうすべきか、という考えがほとんどないことにあった。ビルマの経済は、それまである程度うまくいってきたため、ほんの少し舵取りするだけでいい、という経済とは異なる。ビルマのそれは、過度に搾取的な植民地経済の後に、戦争と大失敗に終わる社会的実験が続いた経済だった。そのあとの一九九〇年代には資本主義が息を吹き返したが、その推進力となったのは非合法産業の寄せ集めだった。ビルマの経済は非常に不公平な経済であり、気候変動と隣国中国の台頭という手に負えない二つの力に圧倒されそうになっている。

ビルマ政治のあらゆる局面において、将来に対するヴィジョンはほとんど描かれていなかった。

エピローグ

アウンサンスーチーは、かなり前にラングーンにある湖畔の邸宅を引き払い、ネピドーに新しく建てた質素な家で、息子のキムから贈られた雑種の愛犬、タイチトーと共に暮らしていた[1]。その家にはビルマ画家の絵が飾られ、自らデザインしたガラスのコーヒーテーブルがあった。親友や腹心の友などは少なく、絶対禁酒家でもあったため、一日の終わりの一杯を楽しむということもなかった。アウンサンスーチーは、三〇年以上にもわたって普通の暮らしとはほど遠い人生を送ってきた。オックスフォードに住む専業主婦の暮らしから大混乱のビルマ政治に引きずり込まれ、自宅軟禁と家族から引き離される苦悩を経験し、暫定軍事政権のもとで死の恐怖を味わったあと、突然新たな政治的展望が開き、世界を旅して誇大な称賛を浴び、今やロヒンギャ危機に直面していた。それでも彼女は、過去三〇年間求め続けてきた場所のすぐ近くまできていた。

二〇一九年、ビルマは一種の民主主義国家になっていた。総選挙に勝利したアウンサンスーチーは実質的に政府の長となり、閣僚会議とほぼすべての重要な会議の議長を務めていた。国営メディアには彼女の写真があふれ、仏教徒の式典から外交レセプションまで、出席するあらゆる公的セッションでは、最上位の場所に据えられた。権力は彼女の政権に集中し、人気においても、意思決定を下す権限においても、他を大きく引き離していた。三人の安全保障関係閣僚は国軍最高司令官により任命されるという憲法上の規定により、国軍はほぼ完全な自主性を享受していたものの、指揮系統はアウンサンスーチーの実質的な副官である大統領に通じており、国軍関係事項以外の、政府予算から健康、教育、外交政策に至る権力は、彼女一人のもとに集まっていた。

だがアウンサンスーチーがその権力を大幅に行使することはなかった。明確な政策目標も、達成すべきアジェンダもなければ、公務員の配置転換もほとんどせず、閣僚の日々の仕事に口を出すこともほぼなかった。また、後任の育成についても実質的に何もしていない状態だった。彼女はＮＬＤの副官として、新たな大統領にウィンミンを、マンダレーの地域首相にゾーミンマウンを任命した〔ウィンミンはティンチョーの辞任に伴い、二〇一八年三月三〇日に大統領に選出された〕。二人とも長年収監されていた元政治囚で、年齢も彼女より数歳若いだけだった。

そうしたことの代わりとして、アウンサンスーチーは自らの人生譚を伝え、手本を示すことによって国民を統括した。それは、ナショナリズム、自己犠牲、そして逆境に断固として立ち向かう決意に満ちた話だった。彼女の統治は、政府を通して人々の問題を解決するというものでは決してなかったのである。二〇一八年八月、ラングーン大学に詰めかけた一〇〇〇名を超える学生と教官の前で、彼女は選ばれた若い卒業生のグループと二時間近くのディスカッションを行った。だが彼女が選んだトピックは、経済でも、和平プロセスでも、果ては民主主義の将来でもなかった。それはオックスフォード大学で慈しんだ文学だったのだ。若い卒業生たちに彼女が突き付けた中心的な問題は、小説において重要なのは、筋か、あるいは登場人物か、というものだった。

その三年前にＮＬＤが圧勝した際、一部のビルマ人分析者は、新たな政府は長持ちしないだろうと推測した。将軍とのいがみ合いが頂点に達して、国軍が政権を簒奪すると考えたのだ。しかし、そのようなことはまったく起きなかった。両者のあいだには互いへの不信感があり、ときには緊張も高まった。しかし結局のところ、元政治囚とかつての収監者は、一致協力する道を見つけたのである。シンガポールで行われた会談で、国軍との関係を尋ねられたアウンサンスーチーは「さほど悪くはなく」、彼女の内閣にいる将軍たちは「意外に優しい」と語っている(2)。

二〇一九年一月、内務省総務局（ＧＡＤ）が内務省から内閣府に移された。ＧＡＤは並みの部局ではない。四万人近いその職員は、県から郡区のレベルにまでおよぶ国全体の行政の担い手だ。それまで彼らは、現役の将軍が就く内務大臣を介して、国軍最高司令官と大統領の双方に直属していたのだが、この変更により、軍のリンクが絶たれることになった。これは、国軍を徐々に文民の職務から遠ざけたいアウンサンスーチーにとって大きな勝利であり、父親のレガシーを達成するとともに、国軍を選挙で選ばれた指導者に従属させるという夢に向かう第一歩となった。二〇一九年二月、ＮＬＤが過半数を占める議会は、憲法改正における選択肢を検討する新たな委員会を設置する。国軍は当初反対したものの、委員会に加わることに同意した。

ある意味で、かつての独裁者タンシュエが作り上げ育てた旧体制に移植されたＮＬＤの組織片は、定着したと言えるだろう。拒絶反応は起きなかった。国軍にとってみれば、二〇一九年時点でのＮＬＤは、ほんの数年前に比べてさえ、明らかに脅威度が低く、革命を求めていたその創世期の姿から遠くかけ離れたものになっていた。アウンサンスーチーも将軍も、互いのなかに、ビルマが植民地支配に下ったのちに一九四〇年代によみがえったという神話に根差すナショナリスト的価値観を見出していたのかもしれない。双方とも、規律と〈人々〉に仕えるという理念を尊重し、〈自由市場〉へのコミットメントもまったく疑問視しなかった。ネピドーの世界観は共有されていたのだった。

そして、ロイターの記者収監事件（二〇一九年五月に恩赦により釈放された）をはじめとするメディア環境の悪化や、名誉棄損防止法と植民地時代の治安法の過酷な適用があったとはいえ、ビルマは確かに一〇年前よりははるかに自由な国になっていた。一〇年前には、その数年後に自由で公正な選挙によりアウンサンスーチーが選ばれて政府を率いることになるなど、想像することさえできなかったのだから。

次の総選挙は二〇二〇年末に予定され、ふたたびＮＬＤが勝利すると信じるに足る十分な根拠があった。政治における国軍の役割を終結させることを目的とした憲法改正は、まだまだ時間がかかるかもしれない。しかし、民主主義体制確立の動きについて言えば――それになにより、アウンサンスーチーが権力を握ることについて言えば――事態はかなりうまくいっていた。

しかし、今や舞台を支配しつつあったのは別の物語だった。西側諸国との関係が冷え込むにつれ、中国との関係は急速にかつてなく強力なものになりつつあった。二〇二〇年、中国政府トップの来緬としては、ほぼ二〇年ぶりに、習近平がビルマを訪れた。その際、数十件のインフラ・プロジェクトが検討され、北京と上海をマンダレーとラングーンに結ぶ鉄道の詳細な計画も策定された。二〇〇〇年以上前、漢の皇帝の特使がビルマ経由で海に至る経路を見つけようとして失敗して以来、この二〇〇〇年来の中国の夢が、ついに現実のものになろうとしていた。それは単なる政府と政府の結びつきではなかった。中国企業はビルマを、手っ取り早く利益が得られる安価な市場とみなしていた。中国人観光客の数も西側諸国の観光客を上回りはじめた。中国経済が発展するにつれ、ビルマがその強大な重力にあらがうのは不可能になりつつあった。

インドもまた、北東部の州をビルマと結ぶ「アクト・イースト」政策を通じて影響力を増そうとしていた。これら北東部の州――アッサム州とマニプール州――は、まさに一八二〇年代にビルマの王たちが征服した土地であり、第一次英緬戦争の一因となった場所である。もはやイギリスの影はどこにもなかったが、ビルマは台頭するアジアの超大国の新たな対立関係に巻き込まれていた。日本も、ビルマをさらに別の方向――東のタイとヴェトナム――に結ぶインフラ構築の援助と投資により、ビルマに影響力を行使しようとしていた。ビルマの外交本能はあらゆる国と友好関係を結ぶというものだが、友好関係だけでは、ビルマがアジアの中心地となる将来に備える手立てとしては不十分だ。

もしこれらの構造的転換が、安定した状況のなかで起きていたのなら話は別だ。しかし二〇二〇年初頭のビルマは、民族とアイデンティティにまつわる核心的な問題が、不安定な状況にあったどころか、さらに激化していた。市民社会組織、政党、実業界、民兵組織、そして武装勢力はそれぞれ、ビルマの歴史に前例を見ないほど、自らの民族的アイデンティティのもとに結集していた。

アラカンにおける最新かつ最悪の暴力は、二〇一六年にＡＲＳＡが警察と国軍を襲撃したことに始まり、その鎮圧における国軍作戦の規模と凶暴さは世界を震撼させた。しかし実際に起きたのは、反乱と反乱鎮圧作戦をはるかに超えたものだった。その危機の根底にあったのは血縁と帰属の問題であり、それらがまずロヒンギャ語を話すイスラム教徒を二流の地位に貶め、次に彼らを生まれつつあった民主主義から疎外することになったのである。

二〇一九年一一月一一日、イスラム教徒が人口の大半を占める西アフリカの小国ガンビアが「イスラム諸国協力機構」を代表して、四六ページにおよぶ告訴状により、ビルマを集団殺害の容疑でハーグの国際司法裁判所に提訴した。愕然《がくぜん》としたビルマ政府はただちに行動を起こし、カナダ人の法律学教授で、ジェノサイド条約における世界的権威のウィリアム・シャバスを雇う。そしてそれから一週間も経たないうちに、アウンサンスーチー自身がハーグに赴いてビルマの擁護を行うと発表した。西側諸国の彼女の支持者たちは唖然とした。それまで彼らの多くは、アウンサンスーチーと国軍はこの問題について正反対の立場にあり、彼女は個人的には少数派のイスラム教徒の窮状に同情しているという論拠を示そうとしていたからだ。六カ月前、アウンサンスーチーはブダペストに赴いて右翼のハンガリー首相、ヴィクトル・オルバーンと会見していた。オルバーンによると、彼とアウンサンスーチーは「移民の問題」と「増大し続けるムスリム共同体との共存」について話し合ったという(3)。今や彼女は、ビルマ国軍が犯した最悪の残虐行為を自ら進んで擁護しているように見えていた。

しかしビルマ国内における状況と政治は、それらとはまったく異なるものだった。国内のムードは、イスラム教世界におけるもっとも強力な国々からのいや増す脅威にさらされているというものだったからだ。オンラインでは連帯を示す自発的なメッセージが投稿され、ラングーンをはじめ全国各地で「アウンサンスーチーを支持する」と書かれた膨大な数の掲示板が掲げられて、数千人が街頭デモに繰り出し、彼女への支持を表明した。だがその大部分は、思考力を持たない無条件の支持者たちだった。「国のリーダーがレモンは甘いと言えば、われわれは甘いと言うしかない」とあるデモの主催者が語っている(4)。他の者は、アウンサンスーチーの決意は、かろうじて残っている自らの肯定的な国際イメージを国益のために犠牲にしようとしている姿勢の表れだと見ていた。政府の方針に賛成しない者でさえ、主義の違いは脇にどけて、国の旗のもとに集まる思いにかられた。

その前の夏、アウンサンスーチー政権は、イスラム教徒を嫌悪する僧侶ウィラトゥと極右の元議員でコメンテーターの〈弾丸〉フラスウェ双方の逮捕を命じていた。当時NLDは、注目を集める憲法改正を進めようとして議会で苦戦しており、国軍およびその同盟との軋轢が高まっていた。しかし、国際司法裁判所における集団殺害の嫌疑に対してビルマを擁護するというアウンサンスーチーの決断は、対立勢力を出し抜いて、一時的に右派のナショナリストたちを黙らせることになる。

一二月一〇日、一〇〇年と少し前にスコットランド系アメリカ人の鉄鋼王、アンドリュー・カーネギーの資金で建てられ、ステンドグラスの窓、日本の絹織物のタペストリー、花模様などで飾られたハーグにある平和宮〔国際司法裁判所の所在地〕で、アウンサンスーチーは、ガンビアの法律家が何時間にもわたって詳細に陳述する、ロヒンギャの市民に加えられた恐ろしい暴力に関する申し立てを無表情で聞いていた。自ら話す番が来たとき、彼女は「戦争犯罪」が実際に起きた可能性を認めたうえで、当事者の起訴と処罰についてはミャンマーの司法当局に任せてほしいと訴えた。彼女はまた判事に、国軍の作戦が行われた状況の極端な複雑さについての理解を求め、「集団殺害の意図を唯一の仮説にすべきではありません」と述べた[3]。ビルマでは、〈潜在的な〉戦争犯罪を彼女が認めたことは新たな展開として受け止められ、説明責任を求めていた者たちは重要な一歩が記されたと考えた。国際的には――少なくとも西側諸国では――あの凍てつく朝、オランダにアウンサンスーチーが姿を現したことは、人権の世界的シンボルとしてのかつての彼女のゆるぎないステータスを粉砕する最後の一撃になった。

一月、国際司法裁判所は禁止命令を出して、ビルマに対しあらゆる集団殺害行為を停止するよう求めた。ビルマ政府は、そもそもそのような行為はまったくなかったと反論した。そしてそのあと、ダメ押しとして、集団殺害は行うべきでないことを再認識させる大統領令を全官僚に発令した。

ロヒンギャの人々にしてみれば、バングラデシュにいた難民にせよ、アラカンに留まっていた者にせよ、改善したことは何もなかった。その一方で、彼らのかつての隣人だったアラカン人仏教徒たちの状況は大幅に悪化した。二〇二〇年までには、五〇〇〇人ものアラカン軍の兵士が、小村や小さな町が散らばる、ほぼウェールズに匹敵する広さの地域で、国軍の陸、海、空軍と戦っていた。その一年前、アウンサンスーチーは将軍に、この新たな反乱勢力を〈潰す〉よう命令していたのだが、それは不可能であることが判明した。それどころか、アラカン軍はますます勢力を増し、南東部の丘陵地帯にあった当初の要塞から斜面をくねるように下りてきて、ベンガル湾にまで達していた。誰に聞いても、アラカン自治政府の構築を目指すアラカン軍の支持率は高いと言った。しかし激しい戦闘に数十万人の市民が巻き込まれ、インターネットと携帯電話通信も遮断され、官僚や警察官が主要な町に避難して村レベルの役人が辞任するにつれ、民政は崩壊しはじめた。ロシア製のＹａｋ－１３０戦闘機が毎日のように反乱軍の拠点を爆撃し、五月には政府が、トラックに搭載した多連装ロケット砲（ソ連の赤軍がベルリンに侵攻するときに最初に使った種類と同じもの）を使用しはじめた。[6] それは間違いなく、それまでの一世代におけるビルマ最大の反乱だったが、国際メディアではほとんど報道されなかった。

同じく世界の視線が注がれなかったのは、北部と東部の丘陵地で起きていた他の多くの武力衝突だ。それらの戦闘はおもに、ビルマ人兵士が多数を占める州軍、他の軍、そして、それぞれの言語と民族を代表すると標榜する、途方に暮れるほど多岐にわたる大小さまざまな民兵組織とのあいだで生じていた。アイデンティティ・ポリティックス、金儲け、基本的な生存本能が絡み合うなか、数百万人の命が危険にさらされた。二〇一九年には、少数民族軍同士の衝突、および麻薬の製造と密売が急増した。二〇二〇年の三月と四月に、ビルマ国軍は、それまで同盟関係にあった民兵組織の「カチン防衛軍」を強制的に武装解除させ、その薬物工場を急襲して、貯蔵麻薬を発見した。それは世界最大級の麻薬摘発となり、じつに二億粒のピンク色の錠剤に成形された一八トンものメタンフェタミンと四五〇〇リットルを超えるメチルフェンタニルが押収されたのだった。メチルフェンタニルは合成オピオイドで、ヘロインの二〇〇倍の作用があり、毎年アメリカで数千人の命を奪っている。[7]摘発の前、ビルマの麻薬を環太平洋の依存者たちに密売している組織の親玉として、中国系カナダ人のツェチロプ（謝志樂）（現在の行方は不明）が特定されていた。チロプは「アジアのエル・チャポ」の異名をとり、年間一七〇億ドルの収入を上げていたと推定されている。[8]

二〇一一年に開始された和平プロセスは、すべての戦闘を停止させることが目的だったが、今までのところ奏功していない。むしろ、交渉を試みていたこの年月は、さらなる暴力的な衝突と、かつてないほどの武装派閥の出現を招いてしまった。問題の一つは、この状況が〈和平〉が求められている〈戦争〉とみなされていることにある。それは、かつて秩序立っていた単一の社会が内戦により分断されたため、その修復をしさえすればいい、という見方だ。だが実のところ、ビルマはかつて一度も単一の社会だったことはない。また、一九五〇年代以降に起きたほぼすべての戦闘が、イギリス人が〈辺境地域〉と呼んでいた地域で起きていることも偶然ではない。それらの地域は起伏の激しい丘陵地や遠く離れた渓谷などで、昔からつねにさまざまな権力が林立し、それまで一度も一つの国家の支配下に置かれたことはなかったのだ。

ビルマが独立以来掲げてきた国家の中心的戦略——ビルマ国家を、ビルマ語とその文化を中心に据えた、さまざまな民族の集合体とみなすこと——は、これまでのところ失敗してきたが、これからも失敗し続けることだろう。政府と国軍が、憲法を改正して権限を地方に委譲する方針に合意する可能性はある。それは多くの少数民族軍事組織にとって受け入れ可能なものにさえなるかもしれない。しかし、権限委譲の件が最大の問題だったとみなすことは、悲劇的な誤りになるだろう。

一〇〇年前にビルマの近代政治が始まって以来、ビルマ政治の中心にあったのは、民族とアイデンティティの問題だった。植民地主義とインドからの数百万人におよぶ移民はアイデンティティの危機をもたらし、それは未だに解決されていない。すべての明るい未来は、ビルマが新たに、より包摂的なアイデンティティを築けるかどうかにかかっている。それは、人種や民族に結びつけられたものにも、固定された民族カテゴリーのもとに国を統合するという考えにも基づかないものでなければならない。ビルマを〈人種的に不安定な〉地域であると分析したイギリスは間違っていなかった。それを認めること、それを弱点ではなく強みとして見ること、民族性という概念から切り離した国家のアイデンティティの新たな源泉を見つけること、そしてあらゆる形の差別を終わらせる積極的な計画の策定に乗り出すこと——これらは今まで世論から完全に欠けていた要素だ。


二〇二〇年初頭、その年がドラマティックなものになることはすでに約束されていた。激しさを増す内戦、集団殺害における裁判、そして一一月に予定された総選挙。そんなおりに到来したのがパンデミックだった。

一月と二月に新型コロナウイルス感染症が世界を引き裂きはじめたころ、ビルマ政府の反応は、ほぼすべての国の政府の反応と同じく、精彩を欠いたものだった。中国との地続きの国境は完全に開いたままになり、武漢からの直行便も制限なく飛来していた。議会では憲法改正に関する辛辣な討議が行われていたが、医療体制の準備に関する議論は、ほぼ無きに等しかった。看護師対象のある講習会では、保健省の官僚がプレゼンテーションの最後のスライドにこう書いていた。「コロナウイルスをあまり怖がる必要はありません。〈メイド・イン・チャイナ〉ですから、長持ちはしないでしょう(9)」

しかし三月の末までには、パニックが引き起こされていた。テレビやフェイスブックで、イタリアや他の地域の画像が続々と流れてきたからだ。患者であふれる病院、集中治療室にいる患者、疲弊した医師や看護師……。そして、海外から持ち込まれるウイルスへの恐れが高まるなか、タイがロックダウンを施行したために、何万人もの出稼ぎ労働者がタイとビルマの国境を越えはじめた。三月二一日、滅多に姿を見せないアウンサンスーチーが国営テレビに登場して、手洗いの方法を指導した。その二日後、ビルマにおける最初の新型コロナウイルス感染症の感染者が確認された。患者は、それぞれアメリカとイギリスから帰国した二人の男性だった。それから一週間以内に、国際商業航空便の入出国がキャンセルされ、四人以上の会合が禁止された。ラングーンとマンダレーではレストランと市場が閉鎖され、全国の学校が休校となり、商業活動は停止した。

検査能力は限りなくゼロに近かった。一部の者は、中国に近接しているビルマでは、すでにあらゆるところにウイルスが蔓延していると推測した。西側諸国の外交官と援助団体職員は、死者数がすぐ数十万人に膨れ上がるとの憶測から、慌てて最終便に乗り、国外に脱出した。海外駐在員とビルマ社会のエリートたちは、ふだんから医療をバンコクとシンガポールの民間病院に頼っていたが、今やそのライフラインは途絶した。しかし、それ以外の大多数の者にとっては、そもそもライフラインなど存在していなかった。ビルマの圧倒的多数の人々にはもとから適切な医療を受ける手段がなく、毎年数万人が、マラリア、結核、デング熱などの病気の治療が受けられずに命を落としている。ビルマは、医療における緊急事態がずっと以前から続いている国なのだ。

政府は、それからの三カ月にかけて、ウイルス検査、感染者の追跡、数週間にわたる感染者の隔離に関する能力を向上させ、公衆でのマスク着用も義務づけた。検査数がおよそ四万件に達するなか、感染者数は、一握りから、三〇〇人弱へと徐々に増えた。感染が確認されたほぼすべてのケースは、海外からの帰国者、または最近帰国した人と接触した人によるものだった。つまるところ、二〇二〇年六月末の時点で、新型コロナウイルス感染症による死亡者はわずか六人にとどまり、大流行は訪れなかった。ビルマの人口は若者が多く、肥満度も非常に低く、国土の大部分は農村地域で、未だに世界から大きく隔絶されている。果たしてこれらの要素が、世界の水準に比べて限りなく低い感染率と死亡率の理由だったのだろうか？　確かなことは誰にも言えなかった。

しかし確実に言えたのは、この危機がアウンサンスーチーを後押ししたということだ。彼女は自らの指導力に自信を抱いているように見え、WHOの助言に耳を傾ける医療専門家のアドバイスに従った。国家機関がきわめて脆弱な国、そして軍による統制という形をよみがえらせなければロックダウンが施行できない国において、アウンサンスーチーの指導力に対する民衆の信頼は、少なくともある程度まで人々にソーシャルディスタンスをとらせるうえで大きく貢献した。

四月初頭、国家顧問のアウンサンスーチーは、初めてフェイスブックに手を染めた。するとたちまち二〇〇万人以上のフォロワーが集まり、総合格闘技チャンピオンの〈パイソン〉アウンランサン、ヘビーメタルシンガーのレイピュークレイジー、ビューティーブロガーのネイチーウーをはじめとするビルマ・ソーシャルメディア界のインフルエンサーたちと肩を並べた。アウンサンスーチーがボランティアを募ったときには数千人がそれに応え、手を洗うためのたらいがラングーンじゅうのバス停に置かれた。アウンサンスーチーは手製マスクの作り方を示し、みな同じことをすべきだと説いて、マスクコンテストを開いた。これらはすべてフェイスブック上で行われた。そして、ほぼ毎日のように、医療従事者や他の〈コロナウイルスと闘うパイオニア〉たちとビデオ会議を行い、その様子がライブ配信された。衛生管理、自制、逆境にめげない勇気、社会奉仕という彼女のメッセージは、非常に保守的で共同体主義の世界観に根差していた。六月一〇日、アウンサンスーチーは次のメッセージを投稿した。「私たちはCOVID〔コロナウィルス感染症〕により、多くの考えるべきことに直面し、日々学び続けています。COVIDから学んだもっとも重要な教訓は、尽きることなき警戒心を抱くために、自らを鍛えざるを得なくなったということです(10)」

焦点は公衆衛生に絞られた。そして中流階級からなるNLD支持層の多くが、二〇〇八年に起きたサイクロン・ナルギスに対する将軍たちの対応に比較して、現政権の対応を称賛した。

しかし欠けていたのは、もっとも貧しくもっとも脆弱な立場にいる普通の労働者が緊急に必要としていた経済支援だった。四月までに中国との国境は遮断され、それに伴って、ビルマの水産物と農産物のもっとも重要な市場も閉ざされた。地方財政のネットワークも凍結され、モンスーンシーズンの作付けを行おうとしていた農家は、突然、必要な融資が受けられなくなった。工場も、ビルマ最大の衣料品市場であるヨーロッパからの注文が突然キャンセルされて、閉鎖を余儀なくされた。建設工事が中断し、観光業が崩壊し、レストランや商店がシャッターを下ろすなか、失職者は推定五〇〇万人におよんだ。そのほとんどは無契約の労働者で、貯金もなく、日々の稼ぎで自分と子供たちを養っている人々だった(11)。タイの経済も急降下したため、同国にいた三〇〇万人のビルマ人出稼ぎ労働者は、自らの生き残りさえおぼつかなくなり、母国の家族に、あてにされていた金を送ることができなくなった。かつて困窮した者は、数エーカーの土地を耕すことによって自給生活を送ることができたが、二〇二〇年の困窮者に耕す土地はなかった。

政府は五月に金利を引き下げ、国際通貨基金から多額の融資を受け入れて、産業界に復興支援を約束した。困窮者に直接現金を支給することも約束したが、その資金を容易に行きわたらせるメカニズムが欠けており、一部の者に至っては、そうする熱意さえ欠けていた。この危機は、経済を再編成して、切実に求められている福祉制度を構築する好機だ。しかし、困窮者への共感はあっても、政府が掲げる新自由主義に異議を申し立てる者はほとんどいない。彼らの本能は、ビジネスと自助努力、すなわち市場と道徳心に重点を置くことなのだ。

今日ビルマを動かしている物語は、他のどの国とも同じように、アイデンティティの問題だと見るのはたやすい。そして、ビルマの過去数年間は、エスノナショナリズムの復活のせいで民主主義の実験が失敗した年月だったとつい見たくなるだろう。しかし、そのような見方をすれば、さらに大きく、そして隠された物語である、ビルマ資本主義の問題を見落とすことになる。それは実際、ほぼあらゆる観察者の思考に欠けている要素だ。とはいえ、市場に制約がほとんどないために富んだ人や貧しくなった人、すなわち、その問題が生死に関わる一般の人々には、そのことがよくわかっている。

ビルマでは一九八〇年代の末に左翼思想が破綻し、もっとも過酷な独裁政権のもとで、何の議論もなく経済が資本主義に移行した。その結果、縁故主義と不正利得がはびこり、腐敗した国家機関の影のもとで、金儲けだけを追求する強力なネットワークが成長した。その頂点にいるのは、あらゆる民族的・宗教的相違を超えて互いに結託し共謀する者たちだ。

二〇一一年以降、ビルマ経済に唯一必要なのは、さらに国際市場に統合された、よりクリーンでグリーンな資本主義への改革だという思い込みが広がった。そこにあったのは、独裁政権時代の旧態依然とした略奪的資本主義から、国際投資により駆動され、急速に工業化する国家資本主義へ移行することを求める口にされない熱望だ。そして今日では、新自由主義——自由市場への信頼と国家主導の開発への侮蔑——が、腐敗した過去の縁故主義という資本主義に代わる唯一の選択肢だとみなされている。ビルマにおける民主主義への移管については盛んに語られるものの、ある種の資本主義から他の種の資本主義に移行することは、まったくと言ってよいほど議論されない。

民主主義は、さまざまな意味を持つが、ビルマではおもに、複数政党が定期的な選挙のもとに競い合う政治形態のことを指してきた。それは、ほとんど機能せず多くの地域を支配してすらいない国を治めてきた暫定軍事政権の政治に代わるエリートレベルの答えだ。

しかし、これまでの民主化は、控え目に言っても不十分だ。悪く言えば、不平等を正当化し、社会に対処する準備が整っていないアイデンティティに基づく武力衝突という大混乱を解き放ってしまった。

その理由は、民主化を進める順序を誤ったことにある。不平等のレベルがこれほどまでに高いなか、民主主義に向かって有意義な前進が図れるとは想像しがたい。二〇年前に比較してさえ、今日のビルマの富める者と貧しい者の暮らしは、はるかに異なるものになっている。

焦点は、差別を克服し、確固とした自由な報道を可能にし、課税制度、警察制度、司法制度を司る包括的な国家機関を新たに設立し、すべての国民が当てにできる福祉国家の創造を可能にする抜本的な対策に絞られるべきだった。にもかかわらず、政策の焦点は、すでに対立の絶えない状況に党派の争いという新たな層を加えることに絞られてきた。その結果は、一般世論の粗雑化と政治指導層の対立である。

西側諸国において、民主主義と資本主義は、格差、アイデンティティ、気候変動の問題に対処できないという見方がますます広がるなか、ビルマでは、それらが将来に対する唯一の処方箋になった。ビルマでは、二〇世紀の解決策が、二一世紀の問題に対する既定の答えとみなされているのだ。

重大な問題は検討されていない。ビルマは近いうちに、上昇する海面、耐えられないほど暑い夏、そして頻発するサイクロン・ナルギスのような極端な気候の影響をもろに受けるようになるだろう。中国、インドという隣国の途方もない経済力は、味方になるか、敵になるかわからない。自動化と世界の消費形態の変化を受けて、世界は近いうちにビルマの安価な労働力や、天然資源さえ必要としなくなるかもしれない。他のアジア諸国があれほど成功させた輸出志向の成長という名のはしごは、ほどなくして、どこにも達しないはしごになってしまうかもしれない。では、ビルマに可能な経済的将来とは、どのようなものなのだろうか？　メタンフェタミン製造や他の非合法産業の誘惑をしのぎ、気候変動に耐え、数千万人の人々に自由で尊厳のある暮らしを可能にする経済とは、どのようなものだろうか？　それと同じぐらい重要なのは、もし真の選択肢が与えられたとすれば、ビルマの人々はどのような暮らしを過ごしたいと思うか、だ。それは、他のアジア諸国の消費者のような暮らしだろうか、それとも何か別のものだろうか？

こうしているあいだにも、ビルマの貧困層の苦境は、容赦なく無視され続けている。援助の打ち切りを含めた西側の制裁は数百万人の暮らしを破壊したが、その説明責任を求める動きはない。制裁は、将軍たちをリベラルな方向に向かわせることにはまったくならず、むしろ、よりよい将来への移行をさらに困難なものにしてしまった。

危険信号は点滅している。ビルマの政治状況においてもっとも発火しやすい二つの要素は、依然として民族問題と不平等だ。これらは今や、未熟な民主主義制度、自由市場に対する盲信、数十億ドル規模の違法産業、そして武器があふれる高地の状況と絡み合っている。私たちはアジアの心臓部に破綻国家を抱える危機に瀕しているのだ。

ビルマには時間がない。この国は、不平等を克服するための急進的な政策を必要としており、迫りくる気候の非常事態にも備えなければならない。さらには、この国の多様性を進んで活用し、その自然環境を称え、新しい暮らし方を目指す新たな物語が求められている。なによりも必要としているのは、想像力という新たなプロジェクトかもしれない。

謝辞

本書の一部は、ラングーンで暮らし、働いた一二年間（二〇〇七年〜二〇一九年）の経験に基づいている。その期間に私が行ったすべてのことは、ビルマ人、外国人を問わず、あらゆる職業や地位の人々の助言と支援がなければ不可能だった。その数はあまりにも多く、一人一人名前を挙げることはできないが、彼らの友情は何物にも代えがたい。そうした人たちとの会話、および物事をよくしようと一緒に努力したこと——失敗したものもあれば、目立たない形で成功したものもある——は、ビルマに関する教育を私に授けてくれた。

本書はまた、二〇一七年から一八年にかけて行った四〇回以上の取材に基づいている。取材に応じてくれた人々の名前は注に付したが、おもに現役の官僚あるいは元官僚で匿名を希望した人についてはその限りではない。これらの取材のいくつかをアレンジしてくれたエスター・トゥーサン、オンマーイーイーチョー、およびスザンヌ・ケンペルに感謝している。

ノートン社における私の編集者、アレイン・サリエルノ・メイソンには、本書の構想と執筆を始めた当初から辛抱強く関心を寄せ、きわめて重要な助言を与えてくれたことに特別の感謝を捧げる。また、ジャガノート社のチキ・サーカーとナンディニ・メータ、およびアトランティック・ブックス社のウィル・アトキンソンにも、賢明な助言と熱心な支援に感謝したい。私のエージェント、クレア・アレキサンダーにも感謝を捧げたい。彼女の助言は、いつもと変わらず、無くてはならないものだった。

息子のトゥレインは、昨年一緒にビルマを旅したときに本書の草稿を読み、ユニークな洞察と提案を与えてくれた。

最大の謝辞は妻のソフィアに捧げたい。彼女は、あの不穏で、しばしば途方にくれたラングーンでの年月、いつもそばにいてくれた。私の仕事の大半は、彼女と共同で行ってきたものだ。そのゆるぎない支援、励まし、快活なユーモアがなければ、本書や他の多くのことが陽の目を見ることはなかっただろう。

最新情勢は何を語るのか

著者からの緊急寄稿

二〇二〇年一一月八日に行われた総選挙で、アウンサンスーチーが率いる国民民主連盟（ＮＬＤ）は全得票数の六〇％以上を獲得し、ふたたび圧倒的な勝利を収めた。これにより、おそらくは次に来る世代にかけてビルマ政治の支配権を盤石にできる立場に身を置いたアウンサンスーチーは、かつて無尽蔵だった国軍の権力をさらに制限する憲法改正に邁進することを誓った。今回のＮＬＤの勝利は、二〇一五年の勝利をも上回った。とりわけ注目すべきは、支持基盤であるビルマ語を話す仏教徒のあいだのみならず、少数民族のあいだでも得票数をのばしたことである。

対立勢力である国軍系の連邦団結発展党（ＵＳＤＰ）は、大規模な選挙不正があったと主張した。確かに、この総選挙は自由で公平なものではなかった。選挙権が与えられなかった人々の数は、難民となってバングラデシュにいたイスラム教徒のロヒンギャの人々を含み一〇〇万人を超えていたうえ、選挙自体がキャンセルされた選挙区（その大部分が大規模な少数民族の選挙区だった）も複数あったからだ。しかし独立監視団は、これらの問題があったとはいえ、主張された規模の不正を示唆する証拠は、ほぼ見当たらなかったと結論付けている。

総選挙がＮＬＤの決定的な勝利をもたらすとはまったく考えていなかった国軍指導部、ＵＳＤＰ、一部の少数民族の党にいた多くの者にとっては、この結果はショックだった。それからの数週間、ミンアウンフライン国軍最高司令官は次の一手を決めかねているように見えた。二〇二一年の半ばに定年を迎えることになっていた彼は、次の政権における主要な役職に就くというような保身手段を模索していたのだ。それと同じころ、アウンサンスーチーはかつての独裁者タンシュエにアプローチし、長年追い求めてきた大統領職をいよいよ確実に手にするための助力を求めていた。

そんなおり、選挙における不正の告発がミンアウンフラインに突破口を開く。彼は独立調査と議会の特別審議を要求し、その要求がＮＬＤの任命による選挙管理委員会に即座に却下されると、最後通告を発出した。妥協点を見出そうとする土壇場の努力は失敗に終わる。将軍たちは見下されたと感じて立腹しており、どのような譲歩もアウンサンスーチーにさらなる権力を受け渡すことになるだけだと固く信じていた一方で、アウンサンスーチーと彼女の副官たちも、ほんの少しでも譲ろうものなら、制服を着た男たちは彼女の政権を活動不能にするまで突き進むだろうと感じていたからだ。緊張が高まったこれらの数週間、ミンアウンフラインとアウンサンスーチーが直接顔を合わせることは、ついになかった。

二〇二一年二月一日、国軍はアウンサンスーチーとＮＬＤの指導者たちを逮捕して権力を掌握し、「国家行政評議会」を設置。これにより新たな暫定軍事政権を樹立したが、この権力の奪取はクーデターではなく、憲法に規定された緊急事態の条項に沿った一時的な権力の移譲にすぎないと言い張った。新たな暫定軍事政権のメンバーは、複数の政党（ＮＬＤは除く）とトップの将軍たちで構成され、閣僚には多くの上級テクノクラートが含まれた。その後初めて公の場に姿を現したミンアウンフラインは、パンデミック後の景気回復を優先課題に据えると約束し、数十億ドル規模の景気刺激策の実施さえ示唆してみせた。彼には、たいした騒ぎを引き起こさずに権力を奪取してNLDを脇へ追いやり、経済を立て直したあと、新たな総選挙をアウンサンスーチーなしで実施できると踏んでいたふしがある。もし本当にそうであったなら、国民感情を完全に読み誤っていたと言えるだろう。

クーデターに対する反応は自然発生的かつ本能的なものだった。数日のうちに数十万人が通りを埋め尽くし、軍政の終焉、アウンサンスーチーと文民指導者の解放、選挙による政府の復元を求めた。それと同時に医療従事者が政府系病院の仕事をボイコットすることによって始まった市民的不服従運動が、あっという間に政府省庁から地方行政組織にまで広まった。二月二二日にはゼネストが起こり、銀行を含め、国中でビジネスがシャットダウンされる。そしてフェイスブック上のキャンペーンが、一般大衆による組織的攻撃という形で、国軍または暫定軍事政権とつながりがあるとみなした人物やビジネスに〈社会的制裁〉を下した。

国軍の取り締まりは容赦なかった。当初こそ、抗議は自然消滅するという希望的観測があったためか行動を差し控えていたものの、二月の最終週にかけて、戦場で鍛えられた国軍のエリート軽歩兵師団（ロヒンギャの人々の民族浄化に関与した部隊を含む）が、ヤンゴンや他の都市に移動し始めた。脅し作戦にはインターネットの遮断と陽が落ちてからの殺傷能力を持つ武器の使用が含まれ、兵士は住宅地で無差別発砲を始め、サウンド手榴弾を放ち、住居のドアを蹴破って住民を力ずくで連行した。大群衆は消散したが、より小規模かつ、より意志の固い抗議者による抵抗は続いた。

若者は間に合わせのバリケードを築き、盾や、ときには即席の武器を使って、兵士の自動小銃から身を守ろうとした。三月一四日だけでも、ヤンゴン郊外の工業地域ラインタヤ郡区で数十人が殺害されており、三月二七日には、国軍が群衆に向けて発砲し、ビルマ全域で一〇〇名以上が命を落とした。

この大虐殺は抵抗を尖鋭化させることになった。市民が殴打され虐殺される映像がインターネットで拡散するなか、クーデターを徹回させるという一般市民の望みは、一部の者のあいだで、国軍そのものの打倒という決意に変わった。抗議者たちは〈R2P〉(Responsibility to Protect)、すなわち〈保護する責任〉という原則の実行を求める標識を掲げた。これは、たとえそのための行動が、ある国家の主権を侵害することになるとしても、国際社会には、その国の人々を非人道的犯罪から守る責任があるとみなす理念である。

しばらくのあいだ、ビルマの多くの人々は、世界が新たな独裁政権から自分たちを救ってくれると本気で信じていた。しかし国際的な軍事介入の動きが一向に見られないなか、三月末までに多くの若い抗議者たちが武装反乱に転じる。たとえば、インドに近い都市カレイでは、現地の住民が「カレイ市民軍」として反撃に出ることを決意し、手製の猟銃で武装して数名の兵士を殺害したあと、国軍に制圧されるまで一〇日間拠点を守った。続く数カ月には、国内各所において、地元で組織された軽武装の新たな反政府組織が数十も台頭した。西部の高台では、「チン州人民防衛隊」という民兵組織が、起伏の激しい土地にあるミンダッという町を三週間にわたって防衛したが、迫撃砲と武装ヘリコプターによる国軍の攻撃で撤退を余儀なくされた。そうしたあいだにも、数千人におよぶ若者たちが少数民族軍事組織の支配する地域に向かい、爆発物の使用を含む軍事訓練を受けた。

二月、一〇〇人近くのNLDの議員が「連邦議会代表委員会」を設立する。そして四月一六日には、これらの議員の一部が複数の少数民族のリーダーおよび市民社会の活動家とともに「国民統一政府」を樹立し、自分たちこそ正統な政府であると主張して、国軍の政権を〈テロリスト〉と名指しした。彼らは、ほぼ全員が少数民族の支配地域に身を隠したり国外に逃避したりしていたため、インターネット上でしか会合を持つことができなかった。それでも数百万の人々は、彼らを暫定軍事政権に代わる唯一の選択肢とみなし、近いうちに革命を成功に導いてくれると期待を募らせた。

それからの数カ月、「国民防衛隊（ＰＤＦ）」と名乗る、通常軽武装の男女からなる数百の小規模民兵組織が低地部の村や町、そしてヤンゴンとマンダレーで結成された。そのほとんどは国民統一政府への忠誠を誓ったが、そのコントロール下にあったわけでは決してない。五月以降、ヤンゴンを含む各地で、地方自治体の事務所を標的とした数百件におよぶ放火事件や、ＵＳＤＰ党員暗殺事件、暫定軍事政権に関連する施設を狙った小規模な爆破事件などが生じている。

こうした新たなゲリラ活動は、確かに暫定軍事政権を不安定にするだろう。しかし、隣国からの大規模な支援なしに、これらの反徒が新たな軍を築いて既存の国軍に対峙するのは不可能だ。そして、そのような支援が寄せられる可能性はゼロに近い。さらには、国軍からかなりの離反者が生じて反乱軍に合流するというような状況も、ビルマ国軍史に照らすと考えにくい。

そうなると、国境付近で蜂起を起こす唯一の潜在的な主体として残るのは軍事力を持つ少数民族だ。北端部の「カチン独立軍」と南東部の「カレン民族解放軍」は二月以降、国軍拠点に限定的な攻撃を加えている。彼らがさらに先へ進まないとは限らない。他の組織も、レジスタンスに対する政治的支持の表明という現在の立場から、武力行為に移行する可能性がある。しかし、少数民族軍事組織の全威力を統合したとしても――おそらく兵員総数七万五〇〇〇人ほど――彼らに勝る迫撃砲を備え空軍力を独占している国軍には、まったく太刀打ちできないだろう。さらには、もっとも強大な少数民族軍事組織であるワ州連合軍は、中国の忠告に耳を傾けるものと思われる。中国は国軍に好感などみじんも抱いてはいないが、ビルマにおける全面的な内戦は、彼らにとって好ましいことではない。

それと同じ数カ月のあいだに、ただでさえ苦境にあった経済は壊滅的な状態に陥った。たとえば一般家庭が依存していた観光業のような産業は崩壊し、海外からの送金（二〇一九年には二四億ドルに上っていた）などの他の収入源も、海外に出稼ぎに行った労働者の収入が世界規模のパンデミックによって失われたために途絶えた。一〇〇万人以上を雇用し、その担い手の多くが若い女性だった縫製品産業は、過去一〇年間のサクセスストーリーだったが、ヨーロッパからの注文が干上がったために壊滅的な打撃を受けた。ビルマ最大の雇用主である農業セクターの将来も、ストライキによる物流の混乱と、コロナウイルスの流入を恐れる中国が国境を閉ざしているために先が見えない。もっとも深刻なのは、ストライキ、インターネットの混乱、流動性供給拡充に対する中央銀行の消極性あるいはその能力の欠乏、そして全般的な信用崩壊が相まって、金融セクターが麻痺してしまったことである。銀行の営業停止によりATMから現金が引き出せなくなり、事業者は従業員に給料が支払えなくなって、毎月数兆チャット（数十億ドルに相当）の現金が循環しなくなった。その負の波及効果はあらゆるセクターに壊滅的な状況をもたらしている。

しかし、経済が崩壊寸前だとしても、暫定軍事政権がその損害を被ることはないだろう。天然ガスと鉱山からの収益は相変わらず国庫に流れ込んでいる。国軍が所有する複合企業からの収益は、最大に見積もっても国軍が受け取る二五億ドル規模の通常予算のごく一部に過ぎないため、これらの企業に対する海外の制裁からはほとんど影響を受けない。いずれにせよ、今や暫定軍事政権は、二五〇億ドル規模の国家予算すべてを牛耳っている。たとえどのような財政引き締めが行われるとしても、その最初のターゲットが国防予算になることはないだろう。

だがビルマの人々は多大な苦しみに苛まれることになる。国連開発計画は、二〇二一年末までにビルマの総人口五五〇〇万人の半数が極度の貧困に陥ると予測し、国連世界食糧計画も、さらなる三五〇万人が危機的な飢餓に瀕すると憂慮している。生命を救う医薬品と治療手段は極端な欠乏状態にあり、通常新生児に接種される結核やポリオなどのワクチンが受けられない乳児の数は二〇二一年中に九五万人におよぶと推測される。もっとも深刻な困窮状態に追い込まれるのは、つねにもっとも脆弱な立場に置かれてきた人々だ。すなわち、土地を持たない村民、高地の農民、季節労働者、ロヒンギャの人々、南インド人の子孫、そして国内避難民となっている人々である。経済は爆発音とともに崩壊するのではなく、新たな世代が極度の栄養不良に晒され教育を受けられずに育つなか、うめき声とともに崩壊していくだろう。

七月から八月初旬にかけて、ビルマの人々はまだ苦しみ足りないとでも言うかのように、新しく獰猛《どうもう》な新型コロナウイルスの波が、ヤンゴンをはじめとする多くの地域を襲った。おそらくその原因は、新たな〈デルタ株〉だろう。それ以前のコロナウイルス襲来の影響は微少だったため、自然免疫を獲得していた人はほとんどいなかった。そしてストライキと弾圧に何カ月も晒されたこの国では、公的医療制度がほぼ壊滅し、機能している民間病院もごくわずかだ。もっとも深刻な問題は医療用酸素の欠乏である。新型コロナウイルス感染症の波が最高潮に達したとき、ヤンゴン最大の火葬場に運ばれた死者の数は、毎日一〇〇〇人を超えていた。ヤンゴンだけでも、死者の総数は数万人におよぶと思われる。ワクチン接種プログラムが順調に実施される兆しはまだない。

ビルマが破綻国家に陥った場合のシナリオはこうだ。国軍は都市部とイラワディ渓谷地域を掌握するが、都市ゲリラ攻撃と継続する反乱により、暫定軍事政権が確固とした安定を築くのは難しい。ストライキは終わりを迎えるものの、数百万人が職を失い、圧倒的多数は行政の基本的サービスを受ける手がかりをほとんど、もしくはまったく持てない。一部の少数民族軍事組織がさらなる領地を手に入れる一方で、他の少数民族軍事組織は容赦ない空爆と陸軍の攻撃に晒される。ラカイン州では、アラカン軍が事実上の統治権を拡大し、東部の高地では、新旧の民兵組織が国境を超えた組織犯罪ネットワークとの結びつきを強める。天然資源の搾取産業と非合法産業は、ビルマの経済のパイの大きな部分を占めるようになる。武力闘争が激化するなか、なによりも不安定性を恐れる中国政府は、サルウィン川の東部全域における間接的な支配権を確立せざるをえないと感じるようになる。ビルマは、病気の蔓延、犯罪、環境破壊の中心地となり、人権に対する残虐な侵害は野放しのままになる。

ビルマにはもう残された時間がほとんどない。これからの数年間に政治状況が好転するとは考えにくい。それでも、この状況は非常に流動的でもある。そしてたとえ何が起きようが世代交代は避けられない。奇跡もまた起こりうる。

二〇二一年八月一九日

タンミンウー

解説　ミャンマーという物語

道傳　愛子（ＮＨＫ国際放送局シニアディレクター）

ミャンマーは「アジア最後のフロンティア」として期待の投資先ではなかったのか。軍事政権が終わり、スーチー政権が誕生、民主化に弾みがつくはずではなかったのか。ミャンマーでいったい何が起きているのか。その危機の本質は何か。ビルマの歴史研究の第一人者であるタンミンウー氏が、中里京子さんという優れた翻訳者を得て、多くの人が感じているに違いない「なぜ」を解き明かしていくのが本書である。原著の初版は二〇一九年だが、情勢の急変を受けて日本語版では著者の提案で緊急寄稿が加えられている。

二〇二一年二月一日、ミャンマーの景色は大きく変わってしまった。与党ＮＬＤ（国民民主連盟）が前年の総選挙で圧勝し、アウンサンスーチー政権二期目の国会が開かれようとする日の朝、国軍によるクーデターが伝えられた。国軍はＮＬＤの勝利は選挙で不正があったからだと主張、スーチー氏やＮＬＤの幹部を拘束して解任し、ミンアウンフライン最高司令官が全権を握った。市民による抗議の不服従運動ＣＤＭ（Civil Disobedience Movement）は、武力による弾圧を受け、人権団体によると同年九月初旬時点で亡くなった人は一〇〇〇人あまり、拘束された人の総数は六一〇〇人を超えている。

国軍は暫定政府の発足を宣言し権力掌握を誇示、支配の既成事実化を進めている。一方のＮＬＤを中心とする民主派勢力は四月、ＮＵＧ（国民統一政府）を樹立。苛烈な弾圧を受け、国軍との武力闘争を辞さない勢力もあり、武力衝突が激化することも懸念されている。しかし本書を読むと、クーデターは必ずしも青天の霹靂ではないことがわかる。ミャンマーは「アジアの真ん中で破綻国家になるリスクを秘めている」と著者は警告する。

私は軍事政権時代からミャンマーを取材し、去年ヤンゴンを訪ねたのが最後になった。二〇年前は、ヤンゴン国際空港に到着すると、ターンテーブルに出てくる自分の荷物には必ず白いチョークで大きな×がつけられていて、中身を検められた。宿泊先では、軍から差し向けられた少佐がロビーの決まった椅子に腰かけ、私の動静をそれとわかるように監視していた。地方で拘束されたこともある。

軍事政権から民政移管を果たしたテインセイン大統領が二〇一一年、改革に向けて舵を切り、スーチー氏率いるＮＬＤ政権の誕生を経て、ヤンゴンは訪ねる度に欧米資本のホテルや高層マンションの建設が進み、スターバックスや日本や欧米のファストフードチェーンも進出した。去年二月に取材したヤンゴンの大型ショッピングモールでは、バレンタインデー用の特設ステージの前で、若者たちがはしゃいで自撮り写真を撮っていた。話を聞いてみると、逆に、ジャーナリストの仕事は楽しいか、外国に留学したことはあるかと興味津々で質問された。あの若者たちは、今、どうしているのか。ヤンゴンからの映像を胸がつぶれる思いで見ている。

クーデターは、日本でも衝撃を持って受け止められた。日本は先進国の中でミャンマーへの最大のＯＤＡ（政府開発援助）の拠出国であり、二〇二〇年末時点でミャンマーに進出している日本企業は四四三社。二〇一五年にはティラワ工業団地が開業した。企業の多くは情勢の急変と新型コロナウイルスによる影響で、撤退あるいは事業を縮小すべきか、またミャンマーの人たちの雇用をどう守るのか、苦渋の決断を迫られている。

クーデター以降、日本政府は民間人への暴力の停止や、民主的な政治体制の回復などを軍に要求し、新規の経済協力を見合わせている。一方で教育や保健などの「人間の安全保障」の分野で人道支援活動を続けてきたのも日本だ。クーデター後も情勢不安やコロナの感染拡大の中で、情報収集をしながら、現地にとどまるNGOもある。ミャンマーではスーチー政権下で右肩あがりの経済成長を続けていても、「洪水（flood）、葬式（funeral）、火災（fire）の一つでも起きれば、持ちこたえることができない」と言われる貧困が、発展する都市のすぐ近郊にもあった。弾圧が続くことは、今、ここにある人命が危険にさらされるということに加え、ミャンマーの人たちの今後の可能性が摘み取られていくという意味でも許されないことを、日本は伝え続ける必要がある。

著者のタンミンウー氏は、一九六六年ニューヨークで生まれた。祖父のウ・タント氏が、初のアジア出身の国連事務総長として活躍していた頃にあたる（写真）。ハーヴァード大、ジョンズ・ホプキンス大大学院卒業後、カンボジア、ボスニア・ヘルツェゴヴィナで国連平和維持活動に従事、ケンブリッジ大学で歴史学の博士号を取得、教鞭をとったこともある。ビルマのアイデンティティとは何かを論考した博士論文は『The Making of Modern Burma』として二〇〇一年に出版された。二〇一一年の『Where China Meets India（ビルマ・ハイウェイ）』では、インドと中国と地続きで接するミャンマーの辺境を歩き、地方の村を訪ね、行商人や食堂の店員、村の兵士やパゴダでお参りする人たちの話を聞き、時にその土地で自分が暮らすことに想像をめぐらせ筆を進めている。「一帯一路」と「インド太平洋構想」が交差

タンミンウー氏と祖父ウ・タント事務総長。アポロ宇宙飛行士とともに国連本部にて。©国際連合

するこの国で、どのような顔をした人たちがどのように暮らしているのかが描き出されている。

タンミンウー氏の著書は本書を含め、『ニューヨーク・タイムズ』紙や『フィナンシャル・タイムズ』紙などが書評で度々取り上げ、ベストセラーとなってきた。ミャンマーの歴史、近現代の政治、経済、社会や人々の考え方について、外国の読者が抱くだろう「なぜ」をミャンマー人の視点から英語で鮮やかに解き明かしていく良書は、じつはなかなか見当たらないからだ。本書『ビルマ危機の本質』の翻訳も各国で進んでいて、そうした知見が求められていることが見てとれる。

著者に初めて会ったのは二〇一三年、首都ネピドーで開催された世界経済フォーラム（ダボス会議）東アジア会議の会場だった。タンミンウー氏は、テインセイン大統領の顧問として参加していた。会議は、開国に向けたミャンマーの変化と意気込みを印象づけるもので、世界中から研究者、政治家、投資家、外交官、国際機関関係者が詰めかけていた。主役は改革に向けて舵を切り始めたテインセイン大統領を始めとするミャンマー政府の閣僚や軍人であり、前年にＮＬＤ議長に就任し、議会補欠選挙に当選して、近い将来、政権の座につくと誰もが期待するスーチー氏だった。

しかし休憩時間の会話の輪の真ん中には、たいていタンミンウー氏がいた。テインセイン大統領が約束する改革は本物か、鋭く対立していた軍と民主化勢力は、いずれは折り合いをつけることができるのか、長年、自宅軟禁下にあったスーチー氏の政治家としての手腕をどう評価するのか、などあらゆる問いに答えながら、ミャンマーにあるのは、「豊富な資源」や「安価な労働力」だけではなく、この国と国際社会が向き合おうとする時、ミャンマーがたどってきた歴史に関心を払うことが欠かせないことを穏やかに説いていた。

二月以降、海外のメディアへの寄稿を通して著者を知った読者もあるかもしれない。NHKではETV特集『パンデミック　揺れる民主主義　ミャンマー　立ち上がる市民たち』で、安全確保の理由から居場所は明らかにしないという条件でタンミンウー氏へのインタビューを放送した。本書でも、ミャンマーを理解する上で重要な視点を指摘している。

たとえば国民を守るはずの軍は、なぜ市民に銃を向けるのか。著者は、長年の孤立で、軍そのものが彼らの世界のすべてとなっていく間に、「国の秩序を守るために軍が行うことは、常に必ず正しい」といういびつな自信と使命感が醸成されていったことを語った。第二次世界大戦以降七〇年にわたり続いている少数民族との武力闘争が軍を巨大化させ、国民に対して軍の存在を正当化する理由となってきたことも背景にある。

またミャンマーについて注視すべきは、「軍とスーチー氏の対立」の構図だけではないこと、国内では教育、保健サービスが十分に行き渡らず、貧しい人たちが取り残され、不平等が蔓延していき、それは新型コロナウイルスの感染拡大でさらに深刻になることは避けられないことも警告した。さらに真の

ヤンゴン・ヘリテージ財団が入る建物

平和をもたらすためには、少数民族問題やロヒンギャの人たち、ミャンマーとは何か、ミャンマー人とは誰をさすのかなど、多文化、多民族国家としてのミャンマーのアイデンティティの問題に向き合わなければならないという指摘は、この国を理解する上での根源的な問いである。

タンミンウー氏は歴史家であるだけでなく、行動の人でもある。本書でも紹介されているように「ヤンゴン・ヘリテージ財団」を創設し（写真）、英国の植民地時代に建設されたヤンゴンの歴史的建造物の保護・保存に尽力するとともに、ヤンゴン市に働きかけ、保存と開発のバランスがとれ、市民の生活と伝統文化が共存する持続可能な都市としての街づくりについて活発な提言を行ってきた。この活動にも、歴史と向き合い、過去から現在、未来を見通す視点が貫かれている。

ヤンゴンには、一九〇〇年代初頭に建てられ、英国植民地下のラングーンの栄華をしのばせる建造物がおよそ二〇〇〇あまりあったと言われる。タンミンウー氏の言葉を借りれば、長らく鎖国状態にあったために「誰かがパチンと灯りを消して出て行ってしまったかのように」、建設から一〇〇年あまりが経過した銀行や商館、郵便局などが、バンコクやマニラのように高層ビルにとって代わられることなく、熱帯の強い日差しの下、当時の姿を留めている。

住みやすい街をつくるために、ヤンゴンの老朽化した交通インフラや上下水道はどう整備するのか、住宅地と商業地域をどう共存させるのか、ヤンゴン市民にとって暮らしやすさとは何かを調査し都市計画の提言を行うことは、街づくりであると同時に、都市はどうあるべきか市民として声を上げ、国づくりに主体的に参加することでもある。ヤンゴンを訪ねる度に取材したヤンゴン・ヘリテージ財団では、歴史や法律、ビジネスを専攻する大学生たちがタンミンウー氏を「サヤー（先生）」と仰いで集まり、ヤンゴンの歴史や建築を学び直し、街歩きのツアーにヤンゴン市民や外国人観光客を案内し、歴史都市としての魅力や課題や可能性を語り、これからの街づくりについて発信を続けていた。ヤンゴンの未来を語る学生たちは自信に満ち、誇らしげに見えた。一〇年後のヤンゴンはこんな街であってほしい、二〇年後、三〇年後のミャンマーはこんな国にしたい……二月一日は、若者たちが描いていた未来への夢も粉々にした。

NHKワールド「Asian Voices」インタビュー（2014年　ヤンゴン・ヘリテージ財団）

タンミンウー氏が指摘するように、スーチー氏と軍との対立の構図だけでは、ミャンマーはとらえきれない。

本書で語られる物語は重い。それはミャンマーという国のアイデンティティを問うものであり、模索は今も続いているという意味で物語は完結していない。「アジア最後のフロンティア」に私たちは何を見ていたのか、ミャンマーの何を見誤っていたのか。私たちは自問しながら、この物語に向き合い続ける必要がある。

（27） Naaman Zhou and Michael Safi, “Desmond Tutu Condemns Aung San Suu Kyi : ‘Silence is too high a price,’” *Guardian*, September 8, 2017.
（28） “He Admits Giving It Up Is ‘a PR Stunt’, but What Happens Now to Bob Geldof’s Freedom of Dublin ?,” *The Journal*, November 13, 2017.
（29） Aye Aye Soe, 著者による取材。August 10, 2018.
（30） Joe Freeman and Annie Gowen, “Burma’s Aung San Suu Kyi Under Fire as Alleged Military Abuse Follows Militant Attack,” *Washington Post*, November 4, 2018.
（31） Tim McLaughlin, “How Facebook’s Rise Fueled Chaos and Confusion in Myanmar,” *Wired*, June 7, 2018.
（32） United Nations Human Rights Council, “Report of Independent International Fact-Finding Mission on Myanmar,” August 27, 2018.
（33） UN News, Myanmar Military Leaders Must Face Genocide Charges - UN report,” August 27, 2018.
（34） Toby Sterling, “International Criminal Court Says It Has Jurisdiction over Alleged Crimes Against Rohingya,” Reuters, September 6, 2018.
（35） Owen Bowcott, “John Bolton Threatens War Crimes Court with Sanctions in Virulent Attack,” *Guardian*, September 10, 2018.
（36） Agence France Presse, “Facebook Bans Min Aung Hlaing, Army Top Brass after UN Genocide Allegations,” August 27, 2018.
（37） Zhang Hui, “FM Proposes China- Myanmar Economic Corridor,” *Global Times*, November 20, 2017.
（38） Kyaw Lin Htoon, “Tough Money : Central Bank Steers Painful Reforms,” *Frontier*, May 7, 2018.

エピローグ

（1） Pe Thet Htet Khin, “Daw Aung San Suu Kyi’s Fetching Friend,” *The Irrawaddy*, May 17, 2017.
（2） John Geddie and Fathin Ungku, “Myanmar’s Suu Kyi Says Relations with Military ‘Not That Bad,’” Reuters, August 21, 2018.
（3） Hannah-Ellis Petersen, “Aung San Suu Kyi finds common ground with Orbán over Islam,” *Guardian*, June 6, 2019.
（4） Shoon Naing, “Suu Kyi’s loyalists rally for Myanmar leader before genocide trial,” Reuters, December 2, 2019.
（5） “Aung San Suu Kyi defends Myanmar from accusations of genocide, at top UN court,” *UN News*, December 11, 2019.
（6） “An Avoidable War : Politics and Armed Conflict in Myanmar’s Rakhine State,” International Crisis Group, June 9, 2020.
（7） Patrick Winn, “A massive Asian drug bust has stirred a fentanyl mystery,” *PRI*, June 10, 2020.
（8） Tom Allard, “The hunt for Asia’s El Chapo”, Reuters, October 14, 2020.
（9） *Myanma Alin*, January 30, 2020, 14.
（10） *Global New Light of Myanmar*, June 11, 2020, 1.
（11） “Assessing the Impact of COVID-19 on Myanmar’s Economy and the Impact of Falling Remittances on Poverty,” International Food Policy Research Institute webinar, June 11, 2020.

Guardian, November 23, 2018.
(4) Thein Sein, 著者による取材。August 2, 2018.
(5) Htoo Thant, "'State Counsellor' Bill Approved Despite Military Voting Boycott," *Myanmar Times*, April 5, 2016.
(6) "Myanmar Finance Minister Nominee Kyaw Win Has Fake Degree," BBC News, March 23, 2016.
(7) Rhodes, *The World as It Is*, 389–90.
(8) China Ministry of Foreign Affairs, "Xi Jinping Meets with State Counsellor Aung San Suu Kyi of Myanmar," press release, August 19, 2016.
(9) Jane Perlez, "China Helps Aung San Suu Kyi with Peace Talks in Myanmar," *New York Times*, August 20, 2016.
(10) International Crisis Group, "Myanmar: A New Muslim Insurgency in Rakhine State," December 15, 2016; International Crisis Group, "Myanmar Tips into New Crisis after Rakhine State Attacks," August 27, 2017.
(11) Su Myat Mon and Steve Gleason, "NLD Official Gets Six Month Sentence in Latest Telco Law Case," *Frontier*, April 7, 2017.
(12) Human Rights Watch, "Burma: Rohingya Recount Killings, Rape, and Arson," December 21, 2016.
(13) Kayleigh Long, "Rohingya Insurgency Takes Lethal Form in Myanmar," Asia Times, June 20, 2017.
(14) Prashant Jha, "Lashkar Militants Inciting Rohingya Refugees, India Warns Myanmar," *Hindustan Times*, Feburary 7, 2017.
(15) Probir Kumar Sakar, "Wider Support for Rohingya Terrorists Hints at Further Attacks," *Dhaka Tribune*, July 3, 2017.
(16) Advisory Commission on Rakhine State, "Towards a Peaceful, Fair and Prosperous Future for the People of Rakhine," final report, http://www.rakhinecommission.org/the-final-report/.
(17) Amnesty International, "Briefing: Attacks by the Arakan Rohingya Salvation Army (ARSA) on Hindus in Northern Rakhine State," May 10, 2018.
(18) Amnesty International, "'We Will Destroy Everything': Military Responsibility for Crimes Against Humanity in Rakhine State," June 27, 2018, 47.
(19) Amnesty International, "'We Will Destroy Everything,'" 1.
(20) Associated Press, "'Everything Is Gone': Satellite Images in Myanmar Show Dozens of Rohingya Villages Bulldozed," Feburary 24, 2018.
(21) Médecins Sans Frontières, "MSF Surveys Estimate that at Least 6,700 Rohingya Were Killed during the Attacks in Myanmar," December 12, 2017.
(22) Amnesty International, "'We Will Destroy Everything,'" 59–61.
(23) Amnesty International, "'We Will Destroy Everything,'" 72; Human Rights Watch, "Burma: Methodical Massacre at Rohingya Village," December 19, 2017.
(24) Wa Lone, Kyaw Soe Oo, Simon Lewis, and Antoni Slodkowski, "How Myanmar Forces Burned, Looted and Killed in a Remote Village," Reuters Special Report, Feburary 8, 2018.
(25) Rick Gladstone and Megan Specia, "Pressure Rises at U.N. on Myanmar Over Rohingya Crisis," *New York Times*, September 28, 2017.
(26) Reuters, "Al Qaeda Warns Myanmar of 'Punishment' over Rohingya," September 13, 2017.

Jade Mines," Human Rights Watch, December 15, 2015.
(12) Huang Jingjing, "Myanmar Border Town Is an Attraction and Trap for Chinese Gamblers," *Global Times*, December 19, 2016.
(13) アメリカ合衆国財務省のプレスリリース。"Treasury Sanctions the Zhao Wei Transnational Criminal Organization," January 30, 2018. ジャオは容疑を否定した。https://calvinayre.com/2018/02/06/casino/laos-king-romans-casino-co-owner-decries-transnational-criminal-tag/.
(14) Sun, "China and the Myanmar Peace Process," 8–9.
(15) Timothy McLaughlin, "How Facebook's Rise Fuelled Chaos and Confusion in Myanmar," *Wired*, June 7, 2018.
(16) International Crisis Group, "Buddhism and State Power in Myanmar," September 5, 2017.
(17) Aung Kyaw Min, "Religion looms large over poll as NLD, Ma Ba Tha trade words," *Myanmar Times*, July 31, 2015.
(18) Matthew J. Walton, Melyn McKay, and Ma Khin Mar Mar Kyi, "Why Are Women Supporting Myanmar's 'Religious Protection Laws'?," September 9, 2015.
(19) Transnational Institute, "Ethnicity Without Meaning, Data Without Context: The 2014 Census, Identity and Citizenship in Burma/Myanmar," Burma update, February 13, 2014; International Crisis Group, "Counting the Costs: Myanmar's Problematic Census," update briefing, May 15, 2014.
(20) United Nations Office of the High Commissioner for Human Rights, "Pillay Calls for Killings in Northern Rakhine to Be Investigated," January 23, 2014.
(21) David Scott Mathieson, "Burma's Lost Rapport on Rights Protection," *Tea Circle Oxford*, April 2, 2018.
(22) "Pakistani Taliban Attempts to Recruit Rohingyas to Kill Myanmar's Rulers," *Sydney Morning Herald*, June 19, 2015.
(23) Nu Nu Khin, 著者による取材。December 12, 2018.
(24) Thin Thin Lei, "Sexism, Racism, Poor Education Condemn Rohingya Women in Western Myanmar," Thompson Reuters Foundation, July 9, 2014.
(25) Nyo Aye, 著者による取材。August 10, 2018.
(26) "Bangladesh PM Says Illegal Migrants Taint National Image," BBC News, May 24, 2015.
(27) Ngeginpao Kipgen, "Leaders Face Constitutional Challenges," *Bangkok Post*, July 2, 2015.
(28) Richard Horsey, "New Religious Legislation in Myanmar," 次の協議会のために用意された報告書。The Conflict Prevention and Peace Forum, Social Science Research Council, February 13, 2015.
(29) Sui-Lee Wee, "Myanmar Official Accuses China of Meddling in Rebel Peace Talks," Reuters, October 9, 2015; Sun, "China and the Myanmar Peace Process."

第9章

(1) Aung Hla Tun, "Myanmar's Ex-Dictator Sees Suu Kyi as Country's 'Future Leader': Relative," Reuters, December 5, 2015.
(2) Fergal Keane, "Myanmar Election: Aung San Suu Kyi Positions Herself for Victory," BBC News, November 10, 2015.
(3) Hannah Ellis-Peterson, "From Peace Icon to Pariah: Aung San Suu Kyi's Fall from Grace,"

(5) International Crisis Group, "A Tentative Peace in Myanmar's Kachin Conflict," update, June 12, 2013.
(6) Bertil Lintner, "Myanmar Airstrikes Reopen Ethnic Wounds," *Al Jazeera*, January 10, 2013.
(7) Lian Sakhong, 著者による取材。September 3, 2018.
(8) Lian Sakhong, 著者による取材。September 3, 2018.
(9) Yun Sun, "China and the Myanmar Peace Process," US Institute for Peace, March 2017, 13.
(10) Ankit Panda, "After Myanmar Bombing, China Deploys Jets, Warns of 'Resolute Measures,'" *The Diplomat*, March 15, 2015.
(11) United Nations Office for the Coordination of Humanitarian Assistance, *Humanitarian Bulletin* 7, Myanmar issue, November-December 2015.
(12) United Nations High Commisioner for Refugees, "Villagers Still Fleeing Homes in Myanmar's Rakhine State," update, October 4, 2012.
(13) Aye Aye Soe, 著者による取材。August 10, 2018.
(14) Tin Hlaing, 著者による取材。August 10, 2018.
(15) "Call to Put Rohingya in Refugee Camps," Radio Free Asia, July 12, 2012.
(16) 大統領府の声明。July 12, 2012, http://www.networkmyanmar.org/ESW/Files/Thein-Sein-Guterres.pdf.（非公式の英語翻訳付き）
(17) Thomas Fuller, "Myanmar Troops Sent to City Torn by Sectarian Rioting," *New York Times*, March 22, 2013.
(18) "Meiktila Violence Work of 'Well-Trained Terrorists,'" *Myanmar Times*, April 1, 2013.
(19) Tun Khaing, "The True Face of Buddhism," *Frontier*, May 12, 2017.
(20) Kyaw Phone Kyaw, "The Healing of Meiktila," *Frontier*, April 21, 2016.

第8章

(1) Kyaw Hsu Mon and Simon Lewis, "Rangoon Rental Costs in the Spotlight After UNICEF Outcry," *The Irrawaddy*, May 30, 2014.
(2) Adam Feinstein, *Pablo Neruda: A Passion for Life* (New York: Bloomsbury, 2004), 53–67.
(3) Rhodes, *The World as It Is*, 193.
(4) McKinsey Global Institute, "Myanmar's Moment: Unique Opportunities, Major Challenges," May 30, 2013.
(5) World Bank, *Myanmar Living Conditions Survey 2017*, June 2018.
(6) Myanmar Livelihoods and Food Security Trust Fund (LIFT), *Household Survey*, 2015, vii–viii.
(7) *Livelihoods and Food Security in Rural Myanmar: Survey Findings*, 2016. 豪州研究会議（The Australian Research Council）の資金援助により行われたオーストラリア・ミャンマー共同プロジェクトの報告。
(8) Htet Naing Zaw, "Gov't Committee to Settle All Land Grab Cases in Six Months," *The Irrawaddy*, July 1, 2016.
(9) Mra Tun, 著者による取材。August 21, 2018.
(10) See Yan Naung Oak, "Even with New Data, Valuing Myanmar's Jade Industry Remains a Challenge," *Open Data*, Natural Resource Governance Institute, http://openjadedata.org/Stories/how_much_jade_worth.html.
(11) Shibani Mahtani, "Myanmar Mine Disaster Highlights Challenge to Suu Kyi," *Wall Street Journal*, November 23, 2015; David Scott Mathieson, "Dispatches: Greed and Death in Burma's

Science Monitor, June 7, 2011.
(2) Joshua Hammer, "A Free Woman: Can Aung San Suu Kyi Unite a Badly Weakened Opposition?," *New Yorker*, January 24, 2011.
(3) Aung Min, 著者による取材。December 22, 2016.
(4) Hla Maung Shwe, 著者による取材。February 23, 2018.
(5) Wai Moe, "Suu Kyi Satisfied with Thein Sein Talks," *The Irrawaddy*, August 20, 2011.
(6) Thein Sein, 著者による取材。August 2, 2018.
(7) Thein Sein, 著者による取材。August 2, 2018.
(8) Rachel Harvey, "Burma Dam: Why Myitsone Plan Is Being Halted," BBC News, September 30, 2011.
(9) "'Save The Irrawaddy' Campaign Gains Momentum," *The Irrawaddy*, September 2, 2011.
(10) Hannah Beech, "In a Rare Reversal, Burma's Government Listens to Its People and Suspends a Dam," *New York Times*, September 30, 2011.
(11) Aung Hla Tun, "Myanmar Govt Shelves $3.6 Bln Mega Dam - Officials," Reuters, October 1, 2011.
(12) Waiyan Moethone Thann, 著者による取材。December 8, 2017.
(13) Ben Rhodes, *The World as It Is: A Memoir of the Obama White House* (New York: Random House, 2018), 167.
(14) Steve Lee Meyers, "Clinton Says U.S. Will Relax Some Restrictions on Myanmar," *New York Times*, December 1, 2011.
(15) William Wan, "Clinton, Suu Kyi Discuss Burma's Road to Democracy," *Washington Post*, December 2, 2011.
(16) Agence France Presse, "Norway Lifts Economic Sanctions Against Burma," April 16, 2012.
(17) Aung Kyi, 著者による取材。July 1, 2018.
(18) Ye Htut, 著者による取材。January 9, 2018.
(19) Soe Thane, 著者による取材。April 3, 2017.
(20) Hannah Beech, "The Lady Abroad: On First Foreign Tour, Aung San Suu Kyi Enchants and Lectures," *Time*, June 1, 2012.
(21) "Aung San Suu Kyi Receives Honorary Degree," *University of Oxford News*, June 20, 2012.
(22) "Aung San Suu Kyi Awarded US Congressional Medal," *Guardian*, September 20, 2012.
(23) "Burma's Aung San Suu Kyi Given US Congressional Medal," BBC News, September 19, 2012.
(24) Rhodes, *The World as It Is*, 243.
(25) Rhodes, *The World as It Is*, 193.
(26) Rhodes, *The World as It Is*, 193.
(27) David Eimer, "Barack Obama Warned: Don't Be Lured by Burma 'Mirage of Success,'" *Daily Telegraph*, November 19, 2012.

第7章

(1) Aung Min, 著者による取材。December 22, 2016.
(2) Aung Min, 著者による取材。December 22, 2016.
(3) Aung Min, 著者による取材。December 22, 2016.
(4) Aung Min, 著者による取材。December 22, 2016.

(7) Scott Marciel (deputy assistant secretary of state for East Asia and the Pacific), "Burma in the Aftermath of Cyclone Nargis: Death, Displacement, and Humanitarian Aid," 次の小委員会での発言。The Subcommittee on Asia, the Pacific, and the Global Environment, House Committee on Foreign Affairs, May 20, 2008. 次のサイトから入手可能。https://2001-2009.state.gov/p/eap/rls/rm/2008/05/105017.htm.
(8) Kyaw Thu, 著者による取材。September 3, 2018.
(9) Soe Thane, 著者による取材。March 1, 2017.
(10) Farik Zolkepli, "Asean task force to channel aid to Myanmar," *The Star*, May 19, 2008.
(11) "Myanmar Agrees to Allow 'All Aid Workers': UN Chief," *Sydney Morning Herald*, May 23, 2008.
(12) "At Donors' Meeting, Ban Ki-Moon Says Myanmar Relief Effort to Last at Least Six Months," *UN News*, May 25, 2008.
(13) Irin News, "ODA Shrinks Post-Nargis," January 24, 2011.
(14) Irin News, "Myanmar: Shelter Issues and Land Rights Frustrate Resettlement," June 9, 2010.
(15) Kyaw Thu, 著者による取材。September 3, 2018.
(16) Noeleen Heyzer, 著者による取材。April 19, 2018.
(17) Noeleen Heyzer, 著者による取材。April 19, 2018.

第5章

(1) Thant Myint-U, *The Making of Modern Burma*, 29.
(2) Michael Wines, "China Fails to Prevent Myanmar's Ethnic Clashes," *New York Times*, September 3, 2009.
(3) Ja Nan Lahtaw, 著者による取材。August 28, 2018.
(4) Glenn Kessler, "Shift Possible on Burma Policy," *Washington Post*, February 19, 2009.
(5) Josh Rogin, "Webb Fires Back at Critics of his Burmese Outreach," *Foreign Policy*, September 18, 2009.
(6) Jim Webb, "We Cannot Afford to Ignore Myanmar," *New York Times*, August 25, 2009.
(7) Thant Myint-U, 次の委員会での証言。The East Asia Subcommittee of the Senate Foreign Relations Committee, September 30, 2009, https://www.foreign.senate.gov/imo/media/doc/Myint-UTestimony090930p.pdf.
(8) Tin Maung Thann, 著者による取材。February 28, 2017.
(9) Tin Hlaing, 著者による取材。August 10, 2018.
(10) "Myanmese Envoy Says Rohingya Ugly as Ogres," *South China Morning Post*, February 11, 2009.
(11) Jack Davies, "Aung San Suu Kyi Release Brings Joy, Tears—and New Hope for Burma," *Guardian*, November 13, 2010.
(12) John Simpson, "Aung San Suu Kyi Aims for Peaceful Revolution," BBC News, November 15, 2010.
(13) U Myint, "Second Development Partnership: Roundtable and Development Forum, Naypyitaw, 15 December 2009," press briefing, January 9, 2010.

第6章

(1) Simon Montlake, "McCain Visits Burma, but Will Calls for Change Backfire?" *Christian*

第3章

（1） Moe Moe Myint Aung, 著者による取材。August 21, 2018.
（2） Charles Petrie, "End of Mission Report: UN Resident and Humanitarian Coordinator, UNDP Resident Representative for Myanmar, 2003–2007."
（3） https://wikileaks.org/plusd/cables/03RANGOON53_a.html.
（4） Hannah Beech, "Laura Bush's Burmese Crusade," *Time*, September 5, 2007; Laura Bush, "Stop the Terror in Burma," *Wall Street Journal*, October 10, 2007; Laura Bush, *Spoken from the Heart* (New York: Scribner, 2010), 393.
（5） Francis Fukuyama, "The End of History?," *The National Interest* 16 (1989): 3–18.
（6） Agence France Presse, "US Lawmakers Send Myanmar Sanctions Bill to White House for Signing," July 17, 2004.
（7） Jennifer Steinhauer, "Myanmar's Leader Has a Longtime Champion in Mitch McConnell," *New York Times*, September 14, 2016.
（8） Human Rights Watch, "Crackdown on Burmese Muslims," briefing paper, July 2002.
（9） "A Darker Shade of Bleak," *Economist*, October 21, 2004.
（10） Organization for Economic Co-operation and Development, "Aid (ODA) disbursements to countries and regions," 2005. 次のサイトから入手可能。https://stats.oecd.org/Index.aspx?DataSetCode=Table2A.
（11） World Health Organization, "World Health Report 2000," http://www.who.int/whr/2000/en/.
（12） Htet Aung, "Freed HIV/AIDS Activist Calls for Government Cooperation," *The Irrawaddy*, July 3, 2007.
（13） Maung Than, 著者による取材。August 20, 2018.
（14） Razali Ismail, "Meetings with Aung San Suu Kyi," *The Irrawaddy*, April 2007.
（15） Jane Perlez, "Myanmar Is Left in Dark, an Energy-Rich Orphan," *New York Times*, November 17, 2006.
（16） Ko Ko Gyi, 著者による取材。August 22, 2018.

第4章

（1） Herman M. Fritz, et al., "Cyclone Nargis Storm Surge Flooding in Myanmar's Ayeyarwaddy Delta," in Yassine Charabi, ed., *Indian Ocean Tropical Cyclones and Climate Change* (London: Springer, 2010), 297.
（2） ASEAN and United Nations, "Comprehensive Assessment of Cyclone Nargis Impact Provides Clearer Picture of Relief and Recovery Needs," joint press release, July 21, 2008.
（3） Thein Sein, 著者による取材。August 2, 2018.
（4） Simon Montlake, "Burma (Myanmar): An Unbending Junta Still Blocks Aid," *Christian Science Monitor*, May 12, 2008.
（5） Seth Mydans, "Myanmar Seizes U. N. Food for Cyclone Victims and Blocks Foreign Experts," *New York Times*, May 10, 2008.
（6） Global Policy Forum, "The Responsibility to Protect and Its Application," May 9, 2008; Timothy Garton Ash, "We Have a Responsibility to Protect the People of Burma. But How?", *Guardian*, May 22, 2008.

London, 1887–1925," (PhD dissertation, Princeton University, 2006), 309.
(17) Census of India, 1901, vol. 12, "Burma, Part One (Report)" (Office of the Superintendent of Government Printing, Burma), 169. 次のサイトから入手可能。http://www.burmalibrary.org/show.php?cat=3540&lo=&sl=.
(18) Rudyard Kipling, *From Sea to Sea* (New York: Doubleday, 1913), 202.
(19) Census of India, 1921, vol. 10: "Burma, Part One (Report)" (Office of the Superintendent of Government Printing, Burma), 207. 次のサイトから入手可能。http://www.burmalibrary.org/show.php?cat=3540&lo=&sl=.
(20) Census of India, 1911, vol. 9, "Burma, Part One (Report)" (Office of the Superintendent of Government Printing, Burma), 241. 次のサイトから入手可能。http://www.burmalibrary.org/show.php?cat=3540&lo=&sl=.
(21) 次の文献に引用されている。Henry Yule, *A Narrative of the Mission to the Court of Ava in 1855* (Oxford: Oxford University Press, 1968), 107.
(22) Anne Thackeray Ritchie, *Lord Amherst and the British Advance Eastwards to Burma* (Oxford: Clarendon Press, 1909), 25.

第2章

(1) Nick Cheeseman, "How in Myanmar 'National Races' Came to Surpass Citizenship and Exclude Rohingya," *Journal of Contemporary Asia* 47, no. 3 (2017).
(2) Aung San Suu Kyi, "Socio-Political Currents in Burmese Literature, 1910–1940," in *Burma and Japan: Basic Studies on their Cultural and Social Structure* (Tokyo: Tokyo University School of Foreign Studies, Burma Research Group, 1987), 65–83.
(3) Aung San Suu Kyi, "Intellectual Life in Burma Under Colonialism," in *Freedom from Fear, and Other Writings* (New York: Penguin, 2010), 104.
(4) Nilanjana Sengupta, "Why Suu Kyi Favours Jean Valjean over Ulysses," *The Straits Times*, December 13, 2015.
(5) Aung San Suu Kyi, "The True Meaning of Boh," in *Freedom from Fear*, 191.
(6) Aung San Suu Kyi, "The True Meaning of Boh."
(7) Arab Press Service Organization, March 14, 1992, 次のプロジェクトの文献で引用されている。Minorities at Risk Project, "Chronology for Rohingya (Arakanese) in Burma, Minorities at Risk," サイトは http://www.mar.umd.edu/chronology.asp?groupId=77501.
(8) Bertil Lintner, *The Rise and Fall of the Communist Party of Burma* (Ithaca, Cornell University Press, 1990), 90–91.
(9) Inter-Press News Agency, "Burma—Human Rights: Divestment Campaign Gets Boost from Pepsi," April 24, 1996.
(10) Michael Hirsh, "Making it in Mandalay," *Newsweek*, June 18, 1995.
(11) Aung San Suu Kyi, "Please Use Your Liberty to Promote Ours," *New York Times*, February 4, 1997.
(12) Thomas Fuller, "Profits of Drug Trade Drive Economic Boom in Myanmar," *New York Times*, June 5, 2015.
(13) Fuller, "Profits of Drug Trade."

原 注

第 1 章

（1） Richard Eaton, *The Rise of Islam and the Bengal Frontier, 1204–1760* (Berkeley: University of California Press, 1996).
（2） Erik Klementi, “Tambora 1815: Just How Big Was The Eruption?,” *Wired*, October 4, 2015.
（3） Robert Kelly, “Blast from the Past: The eruption of Mount Tambora killed thousands, plunged much of the world into a frightful chill and offers lessons for today,” *Smithsonian Magazine*, July 2002.
（4） C. C. Gao, Y. J. Gao, Q. Zhang, et al., “2017: Climatic Aftermath of the 1815 Tambora Eruption in China,” *Journal of Meteorological Research* 31, no. 1 (2017): 28–38.
（5） J. N. Hays, *Epidemics and Pandemics: Their Impacts on Human History* (Santa Barbara, ABC-CLIO, 2005), chapter 22.
（6） Thant Myint-U, *The Making of Modern Burma* (Cambridge, Cambridge University Press, 2012), 100.
（7） 次の文献に引用されている。Dorothy Woodman, *The Making of Burma* (London: Cresset Press, 1962), 64.
（8） Government of India, Home Department, October 19, 1886, 次の文献に引用されている。*History of the Third Burmese War* (1885, 1886, 1887), Period One (Calcutta: Superintendent of Government Printing, Government of India, 1887).
（9） Mira Kamdar, *Motiba's Tattoos: A Granddaughter's Journey into her Indian Family's Past* (New York: PublicAffairs, 2000), 123.
（10） J. S. Furnivall, *Colonial Policy and Practice: A Comparative Study of Burma and Netherlands India* (New York: New York University Press, 1956), 304–5; see also Lee Hock Guan, “Furnivall's plural society and Leach's political systems of highland Burma,” Institute of Southeast Asian Studies, October 7, 2018.
（11） Furnivall, *Colonial Policy and Practice*, 310–12.
（12） George Orwell, “How a Nation is Exploited: The British Empire in Burma,” *Le Progrès Civique*, May 4, 1929.
（13） Thomas Callan Hodson, “Analysis of the 1931 Census of India,” (New Delhi: Government of India Press, 1937).
（14） Census of India, 1931, vol. 11: “Burma, Part One (Report)” (Office of the Superintendent of Government Printing, Burma), chap. 1, “Caste tribe race.” 次のサイトから入手可能。http://www.burmalibrary.org/show.php?cat=3540&lo=&sl=.
（15） Census of India, 1911, vol. 9: “Indigenous Races of Burma” (Office of the Superintendent of Government Printing, Burma), section 269. 次のサイトから入手可能。http://www.burmalibrary.org/show.php?cat=3540&lo=&sl=.
（16） Mitra Sharafi, “Bella's Case: Parsi Identity and the Law in Colonial Rangoon, Bombay and

【ワ】

【アルファベット】

【ム・メ・モ】

【ヤ・ユ・ヨ】

【ラ】

【リ・ル・レ】

【ロ】

【ニ・ネ・ノ】

【ハ】

【ヒ】

【エ】

【オ】

【カ】

【キ】

【ク】

索 引

【ア】

【イ】

【ウ】

中里京子（なかざと・きょうこ）
早稲田大学卒。訳書に、『ハチはなぜ大量死したのか』（文藝春秋）、『言論の不自由――香港、そしてグローバル民主主義にいま何が起こっているのか』、『ヒーラ細胞の数奇な運命』（以上、小社）、『果糖中毒』（ダイヤモンド社）、『チャップリン自伝』（新潮社）、『第一印象の科学』（みすず書房）ほか。

ビルマ　危機《きき》の本質《ほんしつ》

2021年10月20日　初版印刷
2021年10月30日　初版発行

著　者　タンミンウー
訳　者　中里京子
装　幀　岩瀬聡
発行者　小野寺優
発行所　株式会社河出書房新社
〒151-0051 東京都渋谷区千駄ヶ谷2-32-2
電話（03）3404-1201［営業］（03）3404-8611［編集］
https://www.kawade.co.jp/
印　刷　株式会社亨有堂印刷所
製　本　大口製本印刷株式会社
Printed in Japan
ISBN978-4-309-22833-4

ウイグル大虐殺からの生還 再教育収容所地獄の2年間

G・ハイティワジ／R・モルガ著
岩澤雅利訳

中国政府によるウイグル人への抑圧が国際的な非難を浴びている。実際に強制収容所に入れられて二年を生き延びた女性が、自らの壮絶な体験を克明に明かす。何が行われているのか？

武漢日記 封鎖下60日の魂の記録

方方著
飯塚容／渡辺新一訳

新型コロナウイルス蔓延により、突如強行された一一〇〇万人都市の封鎖。親しい人が次々と死んでいく……その渦中で女性作家が克明に記録し、全世界が注目した「真実」のドキュメント。

言論の不自由 香港、そしてグローバル民主主義にいま何が起こっているのか

ジョシュア・ウォン／ジェイソン・Y・ゴー著
中里京子訳

二〇一四年、香港で起きた民主化運動「雨傘革命」リーダーにして二〇一八年ノーベル平和賞候補、ジョシュア・ウォンによる初の書籍。香港で、世界の最前線でいま、起こっていること。

ほんとうの中国の話をしよう

余華著
飯塚容訳

最も過激な中国作家が一〇のキーワードで読み解く体験的中国論。毛沢東、文化大革命、天安門事件から、魯迅、格差、コピー品まで。国内発禁！三〇年の激動が冷静に綴られたエッセイ集。

河出新書

中国VSアメリカ

宿命の対決と日本の選択

橋爪大三郎著

米中衝突の時代がやってきた。日本はどうする？——中国共産党とは？　ナショナリズムとは？　香港、台湾は？　ありうる軍事衝突のシナリオとは？　知っておきたい論点を徹底解説。

河出文庫

アメリカは中国に負ける

日本はどう生きるのか

孫崎享著

いまや経済のスケール等でもアメリカを脅かそうとする中国。アメリカの今後の展開、太平洋の治安状況はどう変わるか。日本の地位、生き延びる道は？『不愉快な現実』を増補文庫化。

一冊でわかる中国史

世界と日本がわかる　国ぐにの歴史

岡本隆司監修

中国とはどのような国か。その歴史を図やイラストを使いながらわかりやすく、ていねいに描く。コラム「そのころ、日本では？」「知れば知るほどおもしろい中国の偉人」も役に立つ。

スノーデン　独白

消せない記録

E・スノーデン著
山形浩生訳

今世紀最大の英雄か、それとも国家を破壊しようとした叛逆者か。アメリカ政府による大量監視システムの存在を暴露し諜報組織NSAとCIAを敵に回した男の、全世界ベストセラー自伝。